THUIS IN RUBY PRAIRIE

Annette Smith

Thuis in Ruby Prairie

Ruby Prairie-serie – deel 1

redROSE roman

19. 03. 2007

Ter herinnering aan mijn grootmoeder Ruby Woodall

© Uitgeverij Zomer en Keuning – Kampen 2006
Postbus 5018, 8260 GA Kampen
www.kok.nl

Oorspronkelijk verschenen onder de titel *A Town Called Ruby Prairie*
bij Moody Publishers, 820 N. LaSalle Blvd., Chicago, IL 60610.
© 2004 Annette Smith

Vertaling: Petra Koopmans
Omslagontwerp: Julie Bergen
Grafische verzorging: Rem Polanski

ISBN-10: 90 5977 176 1
ISBN-13: 978 90 5977 176 5
NUR 302

Hoofdstuk

1

Zwaar, warm en slap lag het katje bij Charlotte Carter op schoot, en bloed druppelde precies op haar nieuwe witte broek. Ze aaide het diertje met haar ene hand en worstelde met de andere om de telefoon vast te houden en de nummers in te toetsen. Vier keer ging de bel over voordat er eindelijk werd opgenomen.

'Hallo?'

Gejaagd tuimelden haar woorden over elkaar heen: 'Spreek ik met dokter Ross, de dierenarts?'

'Jazeker. Met wie spreek ik?'

'Met Sneeuwbal ... ik bedoel, met Charlotte, Charlotte Carter. We hebben elkaar afgelopen zondag ontmoet, in de kerk.'

Een bedachtzame pauze ... dan klonk het: 'Mevrouw Carter ...? O ja, ik herinner het me. Zat u niet alleen, een beetje achterin? Draagt u een bril?'

'Ja, soms. Ik heb hem nodig bij het lezen. Het gaat over ... over mijn ...'

'Natuurlijk. Nu herinner ik het me, mevrouw Carter. Ik ben diaken bij de 'Verlichte Weg' en ik las uw visitekaartje. U hebt Tanglewood gekocht, nietwaar? Een mooi oud huis. Ik ben er zeker van dat u goed zult passen bij de 'Verlichte Weg'. U weet toch wel dat we niet onze eigen voorganger hadden? Dominee

Jock was de stad uit. Maar we vonden het fijn dat u er was. We hopen dat u nog een keer terugkomt. Aardig dat u hebt gebeld, mevrouw Carter ...'

'Dank u. Ja, dat zal ik doen. Ik bedoel, ik zal het proberen. Eh ... dokter Ross, waar ik eigenlijk over bel, is mijn kat. Ik weet dat het laat is, en het spijt me dat ik u thuis lastigval, maar ik wist niet wie ik anders moest bellen en ik ben bang dat ze net door een auto is aangereden – ik vond haar midden op straat, zo'n vijfhonderd meter van mijn huis af – wel een beetje onlogisch, want Sneeuwbal slaat niet zo gauw aan het dwalen ...'

'Katten willen nog wel eens gaan zwerven wanneer ze in een nieuwe plaats komen ...', zei dokter Ross. 'Bent u onlangs hiernaartoe verhuisd?'

'Ja, morgen is het twee weken geleden.'

'Mevrouw Carter, hebt u ooit les gegeven op de zondagsschool?'

'Ja, maar Sneeuw ...'

'Geweldig. Wel, u weet nu dat katten er vaak vandoor gaan tot ze zich thuis voelen. U zou kunnen overwegen haar binnen te houden totdat ze aan de nieuwe buurt gewend is. U kent de uitdrukking 'Als je boter tussen de kat zijn tenen smeert, zal ie niet meer zo gauw proberen terug te gaan naar zijn oude huis' ... Hoewel ik het zelf nooit heb uitgeprobeerd', gniffelde dokter Ross. 'Ik probeer het me even te herinneren. Hebben ze nu bij de derde- of de vijfdeklassers iemand nodig?'

'Eh tja, mijnheer ... Wat mijn kat betreft ... het was mijn bedoeling ook wel haar een tijdje binnen te houden, maar nu is het toch al te laat. Weet u, eerst dacht ik dat er een lege zak lag of wat afval of zoiets, maar toen ik dichterbij kwam ...'

Deze keer drongen Charlottes woorden door.

'U bedoelt te zeggen dat ze geraakt is? Uw kat? Hoe is haar ademhaling?'

'Een beetje vreemd.'

'Heeft ze geprobeerd zich tegen u te verweren?'

'Nee.' Terwijl Charlotte de kat streelde, probeerde ze niet te gaan huilen.

'Dan kunnen we het beste maar even kijken. Hebt u een reismand? Nee? Nou, wikkel haar dan in een handdoek en zet haar in een doos. Dan zie ik u in de kliniek. Weet u waar die is?'

'Net even voorbij het postkantoor?'

'Ja, klopt. Met een uithangbord aan de voorkant: Huisdierenkliniek 'De Viervoeters'.'

Charlotte veegde haar ogen droog met de slip van haar blouse.

'Doe kalm aan. Wees voorzichtig. Bent u in staat om te rijden?

'Ja, dat zal wel gaan.' Ze moest wel.

'Tot over tien minuten dan.'

Charlotte zette de gewonde kat zachtjes van haar schoot op een keukenstoel en rende door het huis op zoek naar een doos. Een schoenendoos, een verhuisdoos, een willekeurige doos. Maar zodra ze haar spullen had uitgepakt, had ze alle dozen aan de straat gezet en de vuilnisauto was gisteren langs geweest ...

Denk na Charlotte. Denk na. Ze dwong zichzelf diep adem te halen.

De keuken.

Crackers. Die zaten in een doos.

Charlotte pakte de doos met crackers en leegde hem op het aanrecht.

'Miauw', klonk het zachtjes.

'Houd vol!', riep Charlotte naar de kat. De crackerdoos zat zo in elkaar dat ze het ene eind met plakband moest dichtplakken en in de andere kant een opening moest snijden. Afplakband? Isolatieband? Had ze wel plakband? Charlotte grabbelde in de ene la na de andere, maar kon niets vinden. Sufferd! Waar zat haar verstand? Sneeuwbal zou nooit van haar leven in een crackerdoos passen. Wat nu?

Ze vloog naar haar slaapkamer. Yes! Ze trok de lade waar haar lingerie in zat, uit de kast en stortte al haar ondergoed op het bed. Zo moest het maar. Nadat ze Sneeuwbal in een roze badhanddoek had gewikkeld en haar in de la had gelegd, gingen ze op weg.

Tenminste, ze gingen toen Charlotte eenmaal de autosleutels had gevonden.

Dr. Ross, kort, gedrongen en gekleed in zijn dagelijkse plunje, een blauwe werkbroek en een loszittend geborduurd Mexicaans hemd, stond al te wachten toen ze aankwamen. Het was bijna elf uur.

'Laat eens kijken.' Hij tilde Sneeuwbal uit de lade en legde haar op de onderzoekstafel. Het kleine ding, met aan elkaar gekleefde haren door het bloed en de modder, was zo gewond dat ze niet eens probeerde weg te komen.

De dierenarts trok een paar latex handschoenen aan en knipte een sterke lamp aan boven zijn hoofd. Nadat hij de kat een spuitje tegen de pijn had gegeven, onderzocht hij haar van kop tot staart.

'Hoe erg is ze eraan toe?' vroeg Charlotte.

'Niet zo best. Kijk maar eens hoe haar heup staat. Er zijn een paar botten van haar achterpoot gebroken, waarschijnlijk van beide poten. Ik zal een foto maken. Waarschijnlijk heeft ze nog andere verwondingen ook. Haar buik is zo hard als steen.'

'Is dat niet goed?'

'Een inwendige bloeding, denk ik '

'Wat kunt u voor haar doen?'

Dr. Ross zuchtte. 'Mevrouw Carter, na zevenendertig jaar praktijk vind ik dit nog steeds het moeilijkste van al mijn werk. We hebben een paar mogelijkheden.'

Charlotte aaide de kat onder haar kin. Ze meende een zwak gespin te bespeuren.

'Ik kan haar opereren en haar misschien wat oplappen. Maar er staat niets vast.'

'Opereren?'

Hij knikte. ''t Is moeilijk bij katten. Haar opkalefateren is een prijzige zaak. Het zou wel eens aardig in de buurt van duizend dollar kunnen komen, en dan kan ik nog niet garanderen dat het weer helemaal goed zal komen. Het zou misschien beter zijn erover te denken haar in te laten sla...'

'Kan ik een betalingsregeling treffen?', kapte Charlotte hem af.

Dokter Ross keek op.

Charlotte beet op haar lip. 'Ik ben niet iemand die zo overdreven doet over dieren. Ik begrijp dat er een tijd komt dat het het beste is ze in te laten slapen. Maar Sneeuwbal was van J.D., mijn overleden man. Hij was gek met haar. Hield altijd een hengel met aas aan de haak in onze kleine vijver in de aanslag liggen, alleen maar om haar verse vis te kunnen geven. Ik heb hem zo vaak de graten uit een meerval zien halen om die daarna meteen aan Sneeuwbal te voeren.'

Dokter Ross stroopte zijn handschoenen af en ging op een kruk zitten. 'Hoe lang geleden is uw man overleden, mevrouw Carter?'

'Zeg maar Charlotte. Zes maanden.'

'O juist. Wat verdrietig voor u. Ik kan er niets aan doen, maar ik vraag me toch af wat iemand die pas weduwe is geworden, ertoe gebracht heeft naar Ruby Prairie te komen. We hebben hier nu niet echt wat je noemt een snelgroeiende grote stad. Er zijn maar weinig baantjes voor iemand als u, tenzij u onderwijzeres, verpleegster of eigenares van een of ander bedrijf bent. Ik kan me geen Carter van Ruby Prairie herinneren. Komt uw familie uit deze buurt?'

'Nee, alleen ik.' Charlotte was niet geneigd meer mee te delen.

Het kortdurende verdovingsspuitje begon uit te werken. Sneeuwbal tilde haar kopje op, keek naar Charlotte en legde het weer neer.

'Ik denk niet dat ik haar zomaar kan laten gaan', zei Charlotte met een dikke stem.

'Oké dan.' Dokter Ross stond op en gaf een tikje op Charlottes hand. 'Ik zal mijn best doen om de kleine meid op te knappen. Laat me Lindy even bellen, mijn kleindochter. Zij assisteert me wanneer ik opereer. Zodra ze hier is, zal ik Sneeuwbal ophalen en kunnen we aan de slag. Gaat u ondertussen naar huis en probeert u wat te rusten. Schrijf uw telefoonnummer even op, dan zullen we u bellen wanneer we klaar zijn. Het kan wel een paar uur duren.'

Charlotte aarzelde. 'Kan ik niet bij haar blijven tot jullie gaan beginnen?'

'Natuurlijk.' Dokter Ross ging weg om koffie te zetten.

'Arme baby.' Charlotte streelde Sneeuwbals bloederige verwarde vacht. 'Je wordt weer helemaal beter, echt.' Er ontglipte haar een traan.

'De dokter zal goed voor je zorgen. Voordat je het weet, ben je weer buiten om een muisje te vangen.'

Hoe ter wereld kan ik dit allemaal betalen? Ze had niet op zo'n uitgave gerekend. En totdat ze geld kreeg van ...

Het katje keek naar haar op met een blik vol aanbidding in haar blauwe ogen.

Binnen een kwartier stak een tienermeisje – kennelijk de kleindochter – haar hoofd om de deur van de onderzoekskamer waar Charlotte met Sneeuwbal zat te wachten. Ze had zich voor de operatie gekleed in een pyjamabroek, bedrukt met een sneeuwpop, een T-shirt in een extra kleine maat en roze slippers.

'Hallo. Ik ben Lindy. Wat naar nou van uw kat', zei ze, terwijl ze haar haar in een paardenstaart naar achteren trok. 'Opa zegt dat ze is aangereden.'

'Ja, dat is zo. Ik vind het heel aardig dat je in het holst van de nacht hier naar toe wilt komen.'

'Geen punt', geeuwde Lindy terwijl ze naar achteren liep. 'Ik zal even kijken of hij zover is.' Een tel later was ze terug. 'Tijd om haar mee te nemen.' Charlotte gaf de witte kat een laatste aai achter de oren. 'Wees een zoet katje. Ik kom zo terug.'

'Maakt u zich geen zorgen', zei Lindy. 'We bellen u.'

Op de avond dat J.D. Sneeuwbal mee naar huis had genomen, had hij haar nat en wild gevonden; ze was al wel gespeend, maar miste haar moeder. Ze zat alleen in de regen buiten uit alle macht te janken op de parkeerplaats van een benzinestation waar J.D. op weg naar huis gestopt was om te tanken. Toen niemand de eigenaar bleek te zijn, had hij het katje opgepakt en haar onder zijn jasje gestopt.

Hij was met lege handen door de voordeur naar binnen gekomen, veinzend dat hij niets wist van het witte kopje dat uit zijn jas naar buiten stak. 'Kat? Wat voor kat?', had hij geplaagd.

Wat miste zij die man toch. Nog maar zes maanden geleden was het dat hij stierf, een jaar nadat de eerste diagnose was gesteld.

Het slechte nieuws is dat de tumor, zoals we al vermoedden, kwaadaardig is. Het goede nieuws is dat we denken alles verwijderd te hebben.

Nerveuze glimlachjes bij iedereen.

De laatste rekening in de post.

Daarna afvallen.

Pijn.

Evenwichtsverlies.

En optimisme dat al gauw vervloog.

De dokters hadden het bij het verkeerde eind gehad. Als een gloeiend kooltje, onopgemerkt smeulend achtergelaten op de zolder van een ooit verbrand huis, kwam J.D.'s kanker terug met een vuur waarvan de tongen doordrongen tot in de lymfeknopen, longen, lever en hersens.

Charlotte sloeg elk aanbod van vrienden en familie om te helpen af en deed alles voor haar man zelf. Ze baadde, draaide en verschoonde hem. Ze sliep op een kampeerbed op een paar centimeter afstand van zijn ziekenhuisbed in hun woonkamer. Toen ze hem een keer tien minuten alleen had gelaten om even in haar eentje op de stoep voor hun huis te gaan zitten, haar rug rust te geven tegen de koude cementen treden en haar eerste teug frisse lucht in drie dagen in te ademen, had J.D. dat tijdstip uitgekozen om heen te gaan.

'Waar is iedereen?', had hij haar de vorige dag gevraagd.

'Wie, lieveling? Alleen jij en ik zijn er.'

'Moeder en vader. Oma en de kleine Jack. Ze waren net hier. Ze stonden daar.'

Ze waren de eeuwigheid in gegaan. Alle vier al.

Het was alsof ze gekomen waren om haar man mee te nemen.

Het was de eerste keer na haar verhuizing dat Charlotte, uitgeput en vol zorgen, zichzelf toestond te twijfelen. Goedbedoelende vrienden en familie hadden haar gesmeekt geen ingrijpende beslissingen te nemen of veranderingen door te voeren tot minstens een jaar na J.D.'s dood. Ze had beleefd geluisterd naar al hun raadgevingen en was vervolgens, trouw aan haar wat eenzelvige karakter, ingegaan tegen elk woord ervan. Wat voor nut had het een willekeurige tijd te wachten? Charlotte wist precies wat ze wilde doen met de rest van haar leven.

Of dat allemaal zo zou uitpakken als ze had gepland? Ze hoopte van wel. Ze had erom gebeden. Zodra het geld beschikbaar kwam en alle wettelijke rompslomp was geregeld, kon ze haar droom verder verwezenlijken. En voor zover ze het kon beoordelen, was Ruby Prairie de volmaakte plaats voor wat ze in gedachten had. Goede scholen. Goede kerken. Lage kosten van levensonderhoud. Een kleine plaats met bijbehorende kleinsteedse normen en waarden.

Ze had haar huiswerk gedaan, maar je wist het natuurlijk nooit helemaal zeker.

De rit naar huis duurde tien minuten. In haar haast om Sneeuwbal bij de dierenarts te krijgen had ze vergeten het licht op de veranda aan te draaien, en de nacht was donker; er scheen geen maan. Charlotte was nog niet aan de lastige dubbelfocusglazen gewend die haar veertigjarige ogen pas onlangs nodig bleken te hebben en zocht zorgvuldig haar weg door de tuin, oppassend voor de gaten die een buidelrat in de grond gemaakt had. Had ze het huis wel afgesloten? Ze kon het zich niet herinneren, maar stond even stil om in haar tas naar haar sleutels te zoeken, alleen maar voor het geval dat ...

'Miauw.'

Charlotte schrok op.

'Miauw, miauw.'

Ze voelde een zachte vacht tegen haar enkels. Wat was dat nu? Charlotte had maar een kat. Een witte.

Welke kleur had de kat aan haar voeten?

Een kleine. En hoe groot was deze daar bij haar benen?

Charlotte deed haar best om niet over de vreemde kat te struikelen, baande zich een weg naar de veranda en deed het licht aan.

Het kon niet waar zijn.

'Sneeuwbal?'

'Miauw.'

'Sneeuwbal?'

'Miauw, miauw.' De boodschap van de poes was duidelijk. *Waar heb je gezeten? Ik heb honger. En wat is dat voor een vreemde kattenlucht overal om je heen?*

Charlotte plofte in de schommelstoel die naast de voordeur stond. Sneeuwbal sprong bij haar op schoot. De rechtopstaande staart van de poes zwiepte in haar gezicht terwijl ze over Charlottes knieën heen en weer liep.

'O ...'

Ze wist niet of ze huilen of lachen moest. Dus deed ze allebei een beetje.

Om tien over acht de volgende morgen hoorde Charlotte de telefoon overgaan.

'Met dokter Ross. Mevrouw Carter, we zijn klaar en ik heb goed nieuws. Er is maar één pootje gebroken, en de inwendige verwondingen waren niet zo erg als ik eerst dacht. Tegen het eind van de week zou u haar weer kunnen halen. Eh, een ogenblikje ...'

Hij hield zijn hand over de hoorn. 'Sorry', zei dokter Ross, 'Lindy is net bezig met het invullen van de formulieren van uw kat. Hoe heette ze ook al weer?'

'Visa', zei Charlotte. 'Houd het maar op Visa.'

Heer, bad Charlotte later die dag, *ik heb gezegd dat ik bereid was er een paar extra op te nemen, voor ze te zorgen, van ze te houden en ze te voorzien van wat ze nodig hebben. Maar eerlijk gezegd, Heer, was een loslopende kat niet wat ik in gedachten had.*

Ze hield Sneeuwbal op haar schoot en liet haar gedachten dwalen. Als alles volgens plan ging ... was Visa – het katje dat bofte omdat het voor een ander werd aangezien – niet de laatste zwerfster die in haar nieuwe huis in Ruby Prairie zou komen wonen.

Hoofdstuk
2

Kerilynn Bell, burgemeester van Ruby Prairie en eigenaresse van café 'De Klok Rond' kwam achter Chilly Reed staan en stootte tegen zijn arm aan. 'Zijn de heren nog van plan te bestellen of wil je soms huur gaan betalen voor plaatsen?'

Chilly schoot omhoog. 'Waarom duik je toch altijd zo onverhoeds achter iemand op?', vroeg hij.

'Ik doe helemaal niets onverhoeds. Je bent alleen maar schrikkerig omdat je je schuldig voelt. Als je niet aan het roddelen was geweest, had je kunnen weten dat ik hier stond.' Ze schonk ongevraagd koffie voor hen in. 'Wat hadden jullie gehad willen hebben?'

Alsof ze dat niet wist. Chilly en zijn makker Gabe Eden zouden het speciale menu van de donderdagmorgen bestellen – twee eieren, koffie en daarbij bruine broodjes voor $ 2.29 – zoals iedere week.

'Ik wil het speciale menu', zei Chilly.

'Ik ook', zei Gabe

Kerilynn deed geen moeite om het op te schrijven. Ze ging naar de keuken en kwam binnen een paar minuten terug met hun eten.

'Vrouw alleen?', vroeg Chilly.

'Voor zover ik weet wel', zei Gabe.

Gabe keek op naar Kerilynn. 'Schat, wil je ons nog wat extra broodjes brengen?'

'Meer broodjes', mopperde Kerilynn en vulde hun koffiekopjes opnieuw. 'Jullie laten me maar draven, mannen. Geen wonder dat er geen vlees aan mijn botten blijft zitten. Nu we het er toch over hebben, Gabe Eden, als ik zie hoe jouw buik aan het opzwellen is, lijkt het wel of daar een heel hele vracht broodjes aan het bederven is. Weet je wel zeker dat je in plaats daarvan geen droge toast wilt?'

'Ja. Breng hem maar wat droge toast. Doe maar volkoren', knipoogde Chilly naar Kerilynn terwijl ze weer naar de keuken liep. Gabe negeerde hen beiden.

'Wat denk jij? Waarom zou een vrouw alleen zo'n groot huis als Tanglewood kopen? Dat huis heeft op z'n minst vijf slaapkamers. En hoe groot is dat kavel wel niet – zesduizend vierkante meter?'

'Zes', corrigeerde Chilly, die zich naast zijn gewone werk ook wel eens met makelaardij bezighield. 'En iets meer dan vierduizend vierkante meter. Maar ze heeft het nog niet gekocht. Ze heeft het gehuurd met een optie om te kopen.'

'Oh ja? Maar het lijkt me wel een verschrikkelijk groot huis voor een vrijgezel.'

'Ze is geen vrijgezel. Ze is weduwe. Misschien gaat ze er wel een 'bed and breakfast' van maken. Of een schoonheidssalon beginnen. Wie weet een cadeauwinkeltje. Misschien verkoopt ze wel Amway-spullen. Het huis is groot genoeg om boven te wonen en beneden een bedrijfje te hebben.

'Denk ik ook wel.' Gabe nam een slok van zijn koffie. 'Heb je haar al gezien?'

'Ja. Ze was afgelopen zondag in de kerk. Maar ze was al weg voordat ik kennis met haar kon maken.'

'Zag ze er goed uit?'

'Beter dan gemiddeld'

'Net zo knap als ik?' Vlasblonde Kerilynn, oma van drie kleintjes, was terug met warme broodjes, die ze net buiten het bereik van beide mannen hield.

'Mocht ze willen. Ze komt zelfs niet bij je in de buurt, schat', zei Gabe.

'Zo mag ik het horen.' Ze liet het mandje met broodjes neerploffen vlak bij zijn bord en schodderde met haar magere figuur terug naar de keuken.

'Kom binnen, meiden', zei Sassy Clyde tegen de binnenkomende leden van de Ruby Prairie Culturele Vrouwenclub. 'Doe alsof je thuis bent.'

Ginger Collins, die haar hele leven al bang voor honden was, treuzelde op de stoep bij de voordeur. 'Ginger, het is veilig. Ik heb de honden in de logeerkamer gebracht.'

Nomie Jenkins, dit jaar voorzitster van de Culturele Vrouwenclub, riep de vergadering tot de orde: 'We hebben heel wat te bepraten vanavond, dames. Laten we beginnen. Lucky.'

Lucky Jamison, met haar 84 jaar het oudste clublid, ging voor in gebed zoals ze dat de laatste veertig jaar elke maand had gedaan. Toen ze klaar was, begon Sassy iets te drinken uit te delen, geholpen door Kerilynn.

'Wil iedereen kruidenthee? Ik heb gewone roombotercake voor de mensen zonder dieet, en suikervrije cake voor de diabetici.'

'Zoals ik al zei,' ging Nomie door toen iedereen cake had, 'we hebben veel te bepraten. Het eerste punt op de agenda is een eventueel nieuw lid. Ze heet Charlotte Carter en ze is net naar Ruby Prairie verhuisd.'

'Carter', zei Lucky. 'Ik geloof niet dat ik iemand ken die Carter heet. Komt haar familie hiervandaan?'

'Ik geloof van niet', zei Nomie. 'Ginger, kun je me een ander pakje zoetjes aangeven? Ik wil ook nog wel wat van die cake.'

'Waar komt ze vandaan?', vroeg Sassy. 'Ergens uit het noorden', zei Alice Buck.

'Uit Oklahoma City', zei Kerilynn. 'Les en ik zijn even naar haar toe gegaan op de avond dat ze haar intrek nam. We zijn niet binnen geweest, maar zijn op de veranda blijven staan.'

'Vroeg ze jullie niet binnen?', zei Alice.

'Nee. Ze zei dat ze haar badkamer aan het verven was. Vandaar waarschijnlijk. Ik had wat volkoren honinghaverbrood voor haar meegenomen, dat ik had gemaakt in de broodmachine die Les me voor Valentijnsdag heeft gegeven. Ze leek me wel een lief mens.'

'Heb je haar verteld over de club?', vroeg Lucky.

'Jawel. Ze zei dat het haar een goede organisatie leek, maar ik kreeg de indruk dat ze nog wat tijd nodig had om te wennen, voordat ze welke belangrijke beslissing dan ook wilde nemen.'

'Wat doet haar man?', vroeg Lucy.

'Het arme mens heeft geen man. Ze is weduwe', zei Ginger.

'Ik dacht dat ze nog jong was', zei Nomie.

'Dat is ook zo. Tegen de veertig schat ik haar.'

'Kinderen?', vroeg Sassy.

'Ze heeft geen kinderen.'

'Ach', klonk het in koor door de kamer.

'Waarom is ze naar Ruby Prairie verhuisd?', vroeg Sassy.

'Dat heb ik haar niet gevraagd. Het leek me niet goed al te persoonlijk te worden, zo op haar veranda. Bovendien had Les haast om terug naar huis te gaan. Weet je wel, het was de avond dat er een speciale uitzending van 'Huis en Tuin' op de televisie was over compost.'

De dames van de club namen hun theekrans serieus – zelfs zozeer dat een bezoeker van de gemeenschap die niet goed op de hoogte was en ervoor koos te luisteren naar de goedmoedige klachten van de mannen, die op de vergaderavond bij elkaar kwamen in café 'De Klok Rond', geneigd zou zijn te geloven dat het enige wat de clubdames deden, was bij elkaar zitten en thee drinken.

Alsof zij dat konden weten.

Bijna elke dag van de week kon je onder de gemanicuurde vingernagels van de naar behoren gekromde pinken van de dames sporen van meel, suiker, turf en potaarde aantreffen. Sinds de oprichting in 1912 was de club de actiefste burgerorganisatie.

Ondanks hun voorkeur voor thee in porseleinen kopjes, luxe toetjes en chic gekleed gaan op een doordeweekse avond droegen de dames in hoge mate bij aan de gemeenschap. Van het geld dat ze verdienden met de maandelijkse verkoop van gebak – slim gehouden op het trottoir voor het gemeentehuis op dezelfde dag waarop de water- en rioolzuiveringsrekeningen van de inwoners moesten worden betaald –, deden de dames jaarlijks een aanzienlijke gift aan het SSS-fonds (het Steunfonds Schitterende Sterren). Aan hen was het te danken dat er een half dozijn banken stond rondom de fontein midden op het plein in het centrum van de stad. Om het maar niet te hebben over de bloembedden met petunia's naast het bord *Welkom in Ruby Prairie* dat de mensen begroette die de plaats binnenreden.

En niet alleen dat – elke herfst kochten de dames ook de schoolbenodigdheden, zelfs rugzakken als het moest, voor de kinderen wier ouders het wat minder breed hadden. Met de feestdagen waren de inwoners van bejaardenoord 'Nieuwe Energie' de dankbare ontvangers van mandjes fruit en noten, een gebaar van de club.

Volgens de statuten van de club mochten er niet meer dan vijfentwintig namen op de ledenlijst voorkomen. Een paar jaar geleden waren aspirant-leden gedwongen geweest ongeduldig te wachten, soms wel meer dan vijf jaar, totdat een lid van de lijst werd afgevoerd vanwege verhuizing of overlijden, waarna zij konden solliciteren om erop te komen. Jammer genoeg was dat niet langer het geval. De laatste zes maanden waren er vier actieve leden verhuisd en twee overleden, en drie waren door hun kinderen in een verzorgingshuis geplaatst.

Vijf plaatsen waren op het moment vacant. Niemand had het er over, maar sommige leden vreesden voor een trend. Tenslotte was de gemiddelde leeftijd van de leden langzaam naar de zestig aan het kruipen.

Er werd gebeld.

'Kom binnen. Jij moet Charlotte zijn. Fijn dat je kon komen.' Nomie begroette haar bij de deur. Charlotte Carter stond als ingelijst in de opening van de voordeur terwijl de zon uit het westen op de veranda neerscheen. Haar positie bracht een ongelukkig feit duidelijk aan het licht: Charlotte droeg geen onderjurk.

Noch Nomie noch een ander lid van de club zou het in haar hoofd halen grof te zijn tegen een uitgenodigde gast, hoe ze ook schrokken van Charlottes blote benen, haar luchtige nylon jurk en haar van nature opspringende haren.

'Dames, ik zou jullie willen voorstellen aan mevrouw Carter. Ze heet Charlotte. Ze is pas kortgeleden in onze plaats komen wonen.'

'Dank u wel voor de uitnodiging. Wat een mooi huis hebt u.'

Charlotte droeg opengewerkte sandalen. Haar nagels waren roze gelakt.

'Liefje, ga zitten', zei Nomie maar vlug. 'Ik zal thee voor je inschenken. Het is die goede Russische thee volgens geheim clubrecept.' Ze knipoogde, boog dan wat dichterbij en fluisterde in Charlottes oor: 'Gemaakt van een zakje Lipton-thee, suiker en thee met een sinaasappelsmaakje.'

'Mijn beste, je bent vanavond werkelijk bevoorrecht. Nomie heeft haar beroemde Neiman Marcus-cake gemaakt.' zei Ginger Collins. 'Heb je die al eens geproefd? Ze snijdt wel een plakje voor je.'

'Dank u wel. Graag een stukje cake, maar geen thee alstublieft', zei Charlotte. 'Ik drink liever wat fris.'

Ze had haar eigen suikervrije A&W Cream meegenomen. In een blikje.

Nomie sprong op. 'Ik pak even een glas, mijn beste.'

'Doet u geen moeite, hoor.' Maar natuurlijk wilde ze dat wel doen.

De club wachtte tot Charlotte naar huis was gegaan voordat ze de lastige zaken van die avond bespraken. Aangezien Nomie voorzitster was, beet zij de spits af. Wat dachten de dames ervan om mevrouw Carter te vragen lid van de club te worden?

Niet zo verrassend waren de reacties gemengd.

'Ze heeft helemaal niet verteld waarom ze hierheen verhuisd is. En ik heb het nog wel duidelijk en zonder omwegen gevraagd', zei Suzy.

'Ja, dat merkte ik', zei Alice. 'Ze begon over iets anders. Begon te praten over waar ze in de stad beige mini-luiken kon kopen voor het raam in haar eetkamer.'

'Wel een aardige vrouw, lijkt me, maar ze is vast niet zo goed opgevoed. Je kon helemaal door die jurk heen kijken. En wat was dat voor stof? Rayon?'

'Het zal wel half katoen, half kunststof zijn.'

'Nou, ik vond haar anders best aardig.' Ginger Collins nam het, met heel haar anderhalve meter, voor Charlotte op. 'En ik zou niet weten waarom iemand al haar privézaken zou moeten delen met een stelletje vreemden, de eerste de beste keer dat ze hen ontmoet. Ik neem haar niet kwalijk dat ze het een en ander voor zichzelf houdt.' Ginger stond op om naar de wc te gaan.

Alice pakte nog een plakje cake.

Een minuut lang zei niemand iets. 'Dames, er is nog een iets waar we niet aan gedacht hebben', zei Lucky,

'Wat dan?'

'Mevrouw Carter is nog jong genoeg om 's avonds auto te rijden.'

Ja.

Dat was ze.

De vrouwen hielden hun mond weer. Niet alleen kon Charlotte 's avonds in het donker rijden, maar ze bezat ook nog eens een vierdeurs Ford. Nomie had dat gezien toen ze aan kwam rijden. Zo'n lid zou goed van pas komen. Veel leden van de Culturele Vrouwenclub moesten opgehaald worden, zeker voor de wintervergaderingen, wanneer de zon om vijf uur 's middags al bijna onder was.

'Er is geen regel die zegt dat een dame van de club thee moet drinken', zei Lucky, een van degenen die altijd een lift nodig had.

'Ik vraag me af waar ze die jurk vandaan heeft. Hij zat, zo te zien, erg lekker', zei Alice.

'Carter. Heeft er hier een tijdje geleden niet ergens een leraar gewoond die zo heette?', zei Sassy.

Nomie belde Charlotte op om het grote nieuws te vertellen. 'Liefje, de Culturele Vrouwenclub van Ruby Prairie heeft je als lid gekozen. Gefeliciteerd. Je bent ons jongste lid.'

Wel.

Tja.

Dat was nieuws.

Charlotte had niet eens geweten dat ze erom gevraagd had.

Hoofdstuk
3

Vanaf haar plaats buiten de kamer van het schoolhoofd keek Charlotte over haar bril heen naar het prikbord om het weekmenu van de kantine te lezen. *Dinsdag: vissticks, macaroni en kaas, appelmoes, dubbele chocoladekoekjes, melk of sinaasappelsap naar keuze.* Niet slecht.

Het bord was bezaaid met berichten en memo's. *Gratis griepprik, te verkrijgen op het kantoor van zuster Medford. Verplichte faculteitsvergadering, vrijdag 12 september, 16.00 uur. Afmelden niet mogelijk.*

Was dat niet vorige week? Charlotte keek op haar horloge.

'Mevrouw Carter?'

'Ja.'

'Mijnheer Jackson verwacht u. U kunt naar binnen gaan.'

'Dank u.' Charlotte vroeg zich af of iemand ooit wel over het nerveuze gevoel heen zou groeien dat gepaard ging met de oproep om binnen te komen in de kamer van de directeur. Ze stond op en besefte toen dat ze overal op haar broek kattenharen had zitten. Ze veegde ze zo goed mogelijk af.

Toen mijnheer Jackson haar in de deuropening ontwaarde, wenkte hij haar naar binnen. Met zijn minstens één meter tachtig torende hij boven zijn bureau uit, de telefoon aan zijn oor. De man kon niet ouder zijn dan dertig. En sinds wanneer mocht een directeur een sikje hebben?

'Ga zitten', beduidde hij, met zijn hand over de hoorn. 'Ik wacht op iemand. Ben zo klaar.'

Vier zware houten stoelen stonden op een rijtje tegenover het bureau van mijnheer Jackson. Charlotte ging naast een jongen zitten van ongeveer zes jaar. Hij zat bewegingloos, zijn hoofd naar beneden, zijn handen op zijn knieën, zijn voeten net niet op de grond.

Vreemd, dacht Charlotte, dat ze naar binnen werd geroepen terwijl het hoofd aan het bellen was. Nog vreemder dat ze aanwezig was terwijl hij midden in een gesprek met een kind zat. Ze bestudeerde haar schoenen en voelde zich niet op haar plaats.

'Ja, dank u dat u me te woord wil staan', klonk mijnheer Jacksons stem wat harder.

Het hoofd van de kleine jongen kwam omhoog.

Dat van Charlotte ook.

Mijnheer Jackson streek met zijn vrije hand door zijn golvende zwarte haar.

'Mijnheer Claus, ik vind het vervelend dat ik u moet storen, maar we hebben een probleempje hier in Ruby Prairie. Ik bel over Forest Freeman.'

'Ja, mijnheer. Dat is hem ... zes en een half. Twee broers. Een zusje. Rood haar. Woont op de Melodielaan, vlak bij de oude rolschaatsbaan.'

Het kind naast Charlotte begon op zijn lip te bijten.

'Ja ... Wel, eh ... ziet u, Santa, ik ben bang dat Forest zijn huiswerk niet heeft gemaakt. Nee, rekenen en lezen. En dat niet alleen, mijnheer, maar gisteren heeft hij ook lelijke woorden gezegd op de speelplaats. En vanmorgen stuurde zijn onderwijzer hem naar mijn kantoor omdat hij tegen Marcie Parker had gezegd dat ze luizen had. Heeft er aan het huilen gemaakt.'

'Wat zegt u? O nee, mijnheer, ik denk dat het alleen maar roos is.'

Mijnheer Jackson zei een moment lang niets, maar zijn gezicht begon ernstig te staan. Forest en Charlotte zagen hem van zijn ene voet op de andere verschuiven. Ten slotte ging hij zitten.

Forest klemde zijn handen om de armleuningen van zijn stoel. Charlotte durfde niet te ademen.

'Eerlijk gezegd hoop ik dat dat niet nodig is. Ziet u, Forest en ik hebben al even gepraat. Hij heeft me beloofd dat hij zijn leven zal beteren, en ik geloof wel dat hij het meent. Minder dan drie maanden? Oei, ik had niet in de gaten dat het al zo gauw Kerstmis is. Ik zal het tegen hem zeggen, Santa. Maar weet u, Forest is eigenlijk best een goede knul. Hij is alleen een beetje van het juiste pad af geraakt, denk ik. Nee, weest u alstublieft niet in uw wiek geschoten. Ik schrijf u echt niet voor wat u moet doen, maar als ik u was, zou ik hem nog even op de lijst laten staan. Ik verwacht dat Forest zich vanaf nu wel netjes zal gedragen.'

Forest knikte met een bleek gezicht. O ja!

Charlotte wist zeker dat Forest braaf zou zijn.

'Wat zegt u? Ja, zeker. Dat is een goed idee. Ik bel u maar al te graag volgende week nog even om verslag te doen. Nogmaals bedankt voor uw tijd. Overigens, komt u dit jaar nog naar het kerstfeest van onze school? Dat is geweldig. We kijken uit naar uw komst. Tot ziens dan maar.'

Met een enorme zucht van opluchting gleed Forest van zijn stoel af. 'Ik zal niet meer ondeugend zijn, mijnheer Jackson, echt waar.'

'Ik geloof je, knul. Ik denk dat ik volgende week alleen maar goede dingen over je kan vertellen.'

'Ja, zeker, ik beloof het u.'

'Mevrouw Jones, kunt u Forest voor me terugbrengen naar zijn klas, alstublieft?'

'Zeker', zei de secretaresse die Charlotte had binnengelaten.

Toen Forest eenmaal weg was, sloot mijnheer Jackson de deur en grinnikte tegen Charlotte. 'Wanneer de onderwijzers aan het eind van hun Latijn zijn met baldadige leerlingen', legde hij uit, 'sturen ze hen naar mij toe voor een tuchtiging.'

Lijfstraffen? Charlotte vond dat niet plezierig klinken.

'In het regionaal beleid staat dat ik drie klappen kan geven, maar ik vind het vervelend om dat te doen. In feite doe ik alles om daar niet aan te hoeven beginnen. Een vlug belletje met de Noordpool werkt net zo goed – tenminste tot aan de tweede klas.'

Hij stak zijn hand uit. 'Ben Jackson.'

Charlotte hoopte dat de hare niet al te klam was. 'Aangenaam kennis te maken. Ik ben Charlotte Carter. Ik ben onlangs in deze plaats komen wonen – in Tanglewood – het vroegere huis van de oude Peter Joslin, volgens mijn makelaar.' Ze stond op van haar stoel, keek in mijnheer Jacksons ogen en beantwoordde zijn forse handdruk met een minstens zo ferme greep.

'Dus u hebt Tanglewood gekocht? Nou, nou, niet gek zeg. Welkom in Ruby Prairie. Waarmee kan ik u van dienst zijn? Heb ik het goed dat u van plan bent een paar kinderen op te geven voor onze school? Zijn ze van de basisschoolleeftijd?'

'Ten dele klopt dat. Ik heb zelf geen kinderen, maar ik ben wel van plan er een paar op te geven voor uw school.'

Ze gingen zitten, en Charlotte legde haar plan voor. Een man die de voorkeur gaf aan een telefoontje met Santa Claus boven drie klappen met een stok, zou wel ingenomen met haar zijn.

'Probleemkinderen?' Mijnheer Jackson speelde met een paperclip.

'Ja, maar alleen meisjes. Meisjes die om verschillende redenen niet thuis kunnen wonen. Sommige blijven maar een paar maanden bij me, terwijl het gezin hun bestaan weer wat op de rails probeert te krijgen. Andere meisjes, van wie de familie met grotere moeilijkheden te kampen heeft, zullen misschien wel een jaar of langer bij me zijn.'

'Het klinkt een beetje als pleegzorg.'

'Het heeft er veel van weg. Net als bij een pleeggezin heb ik ook een vergunning van de staat. Maar de meeste meisje die bij mij komen, worden door een rechter of maatschappelijk werk bij me geplaatst, met volledige instemming van hun ouders. Ze komen bij mij terecht wanneer hun ouders of voogden in zo'n crisissituatie verkeren dat ze niet voor hun kinderen kunnen zorgen, maar nog niet uit de ouderlijke macht zijn ontzet of de voogdij verloren hebben. Terwijl ik voor de meisjes zorg, houden maatschappelijk werkers zich bezig met de gezinnen waar ze uit komen, in de hoop dat de meisjes geleidelijk aan terug kunnen keren naar een stabiele en veilige omgeving.'

'Ik begrijp het.' Mijnheer Jackson maakte aantekeningen op een blocnote. 'Heeft uw huis ook een speciale naam?'

'Gewoon Tanglewood. Ik zag geen reden om dat te veranderen.'

'Het is lang geleden dat daar kinderen in de tuin speelden. Is uw tehuis verbonden met een kerk, mevrouw Carter?'

'De meisjes en ik zullen in Ruby Prairie naar de kerk gaan. Waarschijnlijk bij de 'Verlichte Weg'. Maar Tanglewood is niet verbonden aan enige kerk.'

'Dus dit is een project van u en uw man samen?'

'Geen man,' zei Charlotte, 'alleen ikzelf.'

'Werkelijk?' Hij keek op. 'Een behoorlijk grote onderneming voor iemand alleen.'

Wat geprikkeld door zijn onschuldige uitspraak schoof Charlotte in haar stoel heen en weer. Mijnheer Jackson was niet de eerste die erop zinspeelde dat ze hulp zou moeten hebben om Tanglewood van de grond te krijgen. Waarom schenen mensen altijd te denken dat het hun zaak was te speculeren over wat zij wel of niet kon doen? Als ze één ding in haar leven had geleerd, was het wel dat iemand alleen van zichzelf uit moest gaan. Ze hield zich in.

'Ik heb hier heel goed over nagedacht. Ik weet zeker dat het goed zal gaan.'

Mijnheer Jackson leunde achterover in zijn stoel. 'Ik ben verbaasd dat ik nog niets gehoord heb over uw plannen. Nieuwtjes verspreiden zich vlug in een kleine plaats. En voor Ruby Prairie kun je dit soort zaken wel als groot nieuws bestempelen. Wanneer het eenmaal bekend wordt, zult u het gesprek van de dag zijn.' Hij grinnikte. 'Eén ding moet u over Ruby Prairie weten, mevrouw Carter. De inwoners gaan ervan uit dat het, als ze voor tien uur 's morgens geen nieuwtje hebben gehoord, hun burgerplicht is zelf iets te verzinnen.'

'O ja?' Charlotte glimlachte. Ze had zoiets wel vaker gehoord over kleine plaatsen. Maar het zou vast wel niet zo erg zijn.

'Absoluut.'

'Dan neem ik aan dat ik er goed aan heb gedaan er niet zo veel ruchtbaarheid aan te geven.'

'Wat uw reden daarvoor ook mag zijn, vast en zeker.'

'Nou,' zei Charlotte, 'Het gaat hierom. Het is helemaal geen groot geheim. Ik dacht alleen dat ik mijn plannen voor Tanglewood maar beter voor me kon houden totdat alles wettelijk en financieel geregeld was – en nu is het zo ver. Maar nu het eenmaal officieel is, vind ik het prima de mensen te vertellen waarom ik hierheen gekomen ben.'

'Goed zo. Ik verdenk de stamgasten van 'De Klok Rond' ervan dat ze zich suf hebben gepiekerd om je te plaatsen.'

Charlotte sprong op toen er luid een bel ging. Tijd voor de middagpauze.

Mijnheer Jackson keek op zijn horloge en stond op.

Charlotte volgde zijn voorbeeld en ging op weg naar de deur.

Mijnheer Jackson stak zijn hand uit. 'Mevrouw Carter, fijn om kennis met u gemaakt te hebben. Ik wens u het allerbeste. Een laatste puntje – over hoeveel kinderen hebben we het eigenlijk?'

'Zes. Allemaal in de leeftijd tussen negen en vijftien.'

'Dat klinkt goed. En wanneer gaat uw huis open?'

'Mijn eerste meisje komt begin volgende week.'

'Tegen die tijd zien we elkaar wel weer.'

Van de school reed Charlotte twee huizenblokken verder naar de 'Verlichte Weg'-kerk. Ze trof dominee Jock Masters buiten bij het mededelingenbord voor de kerk aan, ingespannen bezig met het aanbrengen van de letters om het onderwerp van de preek voor de komende zondag aan te geven.

De plastic nekkraag die hij droeg, maakte het er voor hem niet makkelijker op.

'Dominee?'

Hij sprong op, geschrokken van haar stem, en liet zes letters vallen.

'Mevrouw Carter. Leuk u te zien. Hoe gaat het ermee?'

'Prima.' Ze redde wat hij had laten vallen. 'Maar u – lieve deugd. Wat is er met uw nek gebeurd?'

'Dat is een lang verhaal. Zullen we naar binnen gaan?'

'Graag, maar noemt u me alstublieft Charlotte.'

Onder het genot van koffie en vetvrije vijgenkoekjes legde dominee Jock uit wat er was gebeurd. 'Het doopbassin was lek. De diakenen dachten dat we het wel konden repareren met een speciale rubberachtige verf. Dat zou ons een smak geld schelen. We zijn er met zijn zessen tegelijk in gestapt. Ik weet nog niet zeker of het de verfdampen waren of de uien die drie van de mannen voor de lunch hadden gegeten, maar iets ging er bij mij niet goed, en ik ben van mijn stokje gegaan. Ik ben nu negenendertig, maar ik kan me niet herinneren dat ik ooit eerder in mijn leven ben flauwgevallen. Ik stootte mijn hoofd en verrekte mijn nek. Geen blijvende schade, de hemel zij dank. Alleen maar erg pijnlijk. De dokter zegt dat ik deze kraag nog een paar dagen moet dragen.'

'Een geluk dat u niets hebt gebroken.'

'Nou en of.' Hij pakte een volgend koekje. 'Maar goed, wat kan ik voor je betekenen? In aanmerking genomen dat je elke keer dat deze deur de afgelopen drie weken open heeft gestaan, erdoor naar binnen bent gegaan, hoop ik dat je naar me toe bent gekomen om me te vertellen dat je je bij onze kerk wilt aansluiten.'

'Ja, inderdaad.'

'Werkelijk? Dat is geweldig.'

'Maar er is wel iets dat je moet weten.'

'Scheiding. Faillissement. Buitenechtelijke kinderen. Zeventien jaar lang ben ik al dominee. Ik heb het nodige gehoord. Mevrouw Carter, u kunt me niets vertellen dat mij ervan zal weerhouden u bij onze kerk welkom te heten.'

Hij vond het niet moeilijk Charlotte in haar blauwe ogen te kijken met zijn eigen vriendelijke bruine kijkers.

'Oh, niets van dat alles', zei ze. 'Ik ben naar Ruby Prairie gekomen met het plan een tehuis te openen in Tanglewood. Voor meisjes. Meisjes die in de problemen zitten en die een plekje nodig hebben om te wonen.'

'Wat een fantastische taak. Ik geloof niet dat zoiets hier al eens eerder heeft bestaan.'

'Nee, dat is zo. Ik ben op onderzoek uit geweest, en het blijkt dat er in deze hele streek geen enkel pleeggezin is. Het laatste gezin is er twee maanden geleden mee gestopt.'

'Dat wist ik niet.'

'Vanaf deze week heb ik een vergunning gekregen van de staat, met de mogelijkheid maximaal zes meisjes te plaatsen. Sommigen van hen zullen niet al te vaak naar de kerk zijn geweest. Ik heb er vertrouwen in dat het goed met hen zal gaan, maar misschien zullen ze in het begin een beetje ongepolijst lijken. Dominee, voordat ik lid word, wil ik zeker weten of we welkom zullen zijn – allemaal.'

Zijn stem klonk vriendelijk. 'Natuurlijk zijn jullie welkom. Die lieve meisjes ook. We zijn hier niet volmaakt, maar de meesten van ons zijn brave zielen.'

'Ja, die indruk had ik ook al tot nu toe.' Charlotte dacht aan de twee bananenbroden, de twee courgettes en de meer dan twaalf kaarten en telefoontjes die ze had gekregen sinds haar eerste bezoek aan de 'Verlichte Weg'.

'Daar ben ik blij om. Niet dat ik er mijn grote neus in wil steken, maar aangezien je uit Oklahoma komt, ben ik toch wel benieuwd waarom je besloten hebt naar Texas te verhuizen. En waarom precies naar Ruby Prairie?'

'Ik ben in Texas geboren. En er opgegroeid. Ik ben mijn man naar het noorden gevolgd. Daardoor ben ik in Oklahoma terechtgekomen. Het kwam me als vanzelfsprekend voor terug te gaan nadat hij was gestorven. Ik wilde ergens in een kleine plaats gaan wonen, met goede scholen en rustige straten. Ergens waar bomen staan. Het afgelopen halfjaar ben ik wel achttien verschillende plaatsen afgegaan. Een heel stel daarvan kwam in aanmerking. Maar uiteindelijk heeft de naam me ertoe gebracht hierheen te verhuizen.'

'Ruby Prairie?'

'Mijn grootmoeder heette Ruby. Haar moeder was maar amper zeventien toen ze overleed, kort nadat zij was bevallen. De mensen waren goed voor mijn grootmoeder. Heel veel mensen hielpen haar groot te brengen. Maar ik zal nooit vergeten dat ze me vertelde hoe ze als klein meisje naar haar moeder verlangde en naar een echt thuis. Toen ik net aan de universiteit studeerde, heb ik mijn moeder en vader verloren bij een auto-ongeluk. Hoewel ik toen al negentien was, denk ik dat ik kan invoelen wat het is om een kind te zijn dat een thuis nodig heeft. Ik had geen familie in de buurt. Mijn oma woonde in die tijd een paar staten verderop.'

'Dat moet vreselijk moeilijk voor je zijn geweest', zei dominee Jock.

Charlotte knikte. 'Ik was enig kind. Mijn ouders hadden me verwend. Ik kon een heleboel dingen niet die ik wel zou hebben moeten kunnen. Dat maakte het echt moeilijk plotseling helemaal alleen te zijn. Ik heb me erdoorheen geslagen. Het verlies van mijn ouders heeft me heel wat geleerd.'

'Wat dan wel?' vroeg dominee Jock.

Charlotte hield even haar mond voordat ze antwoordde. 'Ik heb geleerd op niemand anders te vertrouwen dan op mezelf.'

'Werkelijk?'

'Ja. Voor J.D., mijn man, was het moeilijk mijn onafhankelijke instelling te accepteren. In het begin van ons huwelijk veroorzaakte dat wel wat onenigheid, maar na een tijdje raakte hij eraan gewend hoe ik was, denk ik.'

'Hoelang geleden is je man gestorven?', vroeg dominee Jock

'Zeven maanden.'

'Dat is niet lang. Wat erg voor je.'

'Dank je.' Charlotte slikte. 'Hoe dan ook, als je wilt weten hoe het komt dat ik iets als Tanglewood kan opzetten, anderhalf jaar geleden is mijn oma gestorven. Ik was haar enige erfgename.'

Charlotte wachtte even. 'Het heeft tot nu toe geduurd voordat alle wettelijke rompslomp geregeld was, maar als ik goed oppas, is wat oma Ruby me heeft nagelaten, voldoende om het tehuis een paar jaar te laten draaien.'

'Wat een edelmoedige manier om dat geld te besteden. Ik kan merken dat God hier de hand in heeft gehad.'

'Ze zeggen wel eens dat God goede dingen uit slechte kan laten voortkomen. Ik denk het ook. Wat ik het meest betreur, is dat mijn man en ik nooit zelf kinderen hebben gekregen. Hij en ik wilden ze allebei, en we dachtten er wel een stuk of drie, vier te krijgen. We waren twaalf jaar getrouwd voordat ik in verwachting raakte. Twee weken nadat we erachter kwamen, had ik een miskraam. Ik ben nooit meer zwanger geraakt.'

De dominee gaf Charlotte een zakdoekje, en nam er daarna zelf ook een.

'Zodra ik in de gaten had wat mijn erfenis inhield, wist ik precies wat ik wilde doen. Met Tanglewood wordt een oude droom werkelijkheid.'

'Charlotte. Ik denk namens de leden van deze gemeente te kunnen spreken wanneer ik je vertel dat we je op alle mogelijke manieren willen helpen.'

'Dank je. Het gaat me er alleen om dat je het weet. Ik verwacht geen hulp van de kerk.'

'Dan heb ik een verrassing voor je. Je kent Ruby Prairie nog niet.'

Charlotte hief haar kin op. 'Ik geloof dat God degenen helpt die zichzelf helpen.'

'Mijn ervaring is dat God zijn mensen gebruikt om diegenen te helpen die zichzelf niet kunnen redden', zei Jock.

Charlotte antwoordde er niet op. 'Mijn man is lang ziek geweest en ik ben gewend voor mezelf te zorgen. Tanglewood zal geen last voor deze kerk betekenen. Ik wilde me er alleen van vergewissen dat we met z'n allen welkom zouden zijn.

'Weet je wat? Wat zou je ervan zeggen als ik vrijdagmorgen langskom om je nieuwe huis in te zegenen? Ik zou er erg graag voor bidden, en ook voor de meisje die het straks hun thuis zullen gaan noemen.'

'Inzegenen ... het huis?'

'Niet alleen het huis. Jou ook. In zijn dienst. Het zou me een eer zijn.'

'Ik denk het wel', zei Charlotte. 'Ja, dat zou fijn zijn.'

'Tien uur?'

'Oké.'

Charlotte moest nog ergens anders heen. Dallas, anderhalf uur verder. Daar ruilde ze haar Taurus in voor een busje met twaalf zitplaatsen, rood als een brandweerauto. Het zou even wennen worden in zo'n groot voertuig te rijden. Ze startte de motor. Na gewacht te hebben totdat er een behoorlijk stuk weg vrij was, reed Charlotte eindelijk vanaf de parkeerplaats van de dealer de weg op. Met een beetje geluk zou ze voor donker thuis zijn.

En zo niet – nou, dan toch zeker om een uur of acht.

Hoofdstuk

4

Zittend op zijn favoriete plekje in café 'De Klok Rond' strooide Catfish Martin zout op zijn eieren en smeerde jam op zijn brood. 'Niemand weet verdorie ook maar iets van die vrouw af. Waar komt ze precies vandaan? Waarom is ze hier? En hoe komt ze aan het geld om zo'n groot huis als Tanglewood te kopen?'

'Oklahoma City. Houdt van de stad. Erfde van haar grootmoeder', bitste Kerilynn. Ze liet een kom gestoofde pruimen voor zijn bord neerploffen.

'Die heb ik niet besteld.'

'Je bent vast van slag. Dat kan ik zo merken, door alleen maar naar je te kijken. Geen wonder dat je in zo'n slechte bui bent. Doe ons allemaal een plezier en eet ze op.'

'Kerilynn!'

'Op het graf van Gordy,' zei ze, de naam van haar overleden echtgenoot aanroepend, 'je krijgt niets meer uit mijn keuken voordat je die pruimen hebt opgegeten. Allemaal.'

Catfish – die erom bekend stond dat hij van niemand iets aannam behalve van Kerilynn, zijn tien minuten oudere en zes centimeter langere zus – sputterde. 'Mag ik misschien eerst mijn eieren opeten?'

'Doe wat je niet laten kunt', zei Kerilynn.

35

Catfish, een man die geneigd was tegen te stribbelen, hengelde naar steun van twee van zijn vrienden die in de zithoek naast hem zaten.

'Chilly, Gabe. Jullie zijn het toch met me eens, hè? Het enige wat ik zeg, is dat we hier met z'n allen een fijne plek hebben. Waarvoor hebben we iemand van buiten nodig die een soort schuilplaats voor criminelen gaat openen?'

'Criminelen!', zei Kerilynn. 'Die vrouw opent een tehuis voor meisjes. Meisjes die geen eigen familie meer hebben.'

'Meisjes die langs de straat zullen slieren, en weet ik wat allemaal gaan doen – onze jongens bederven en onze scholen neerhalen', zei Catfish. 'Weet je dat het honkbalteam van Varsity al drie wedstrijden heeft verloren? Die knullen hebben al moeite genoeg om de klus te klaren zonder dat er een groepje delinquente brutale meiden hiernaartoe komt om hen af te leiden. Bovendien zal te veel tuig de goede mensen uit de stad wegjagen, de zaken schaden, de inkomsten verminderen. Kerilynn, jij als burgemeester zou toch zeker wel wat meer bezorgdheid moeten tonen, dacht ik zo.'

'Houd toch op met dat gezanik', zei Chilly. 'Die vrouw lijkt me best aardig. Ze haalt een stelletje thuisloze kinderen in huis, verdraaid nog aan toe. Ik snap niet hoe een vrouw met een paar wezen de hele plaats naar de knoppen kan laten gaan.'

'Mevrouw Carter is gisteren nog in de kerk geweest, hoorde ik', zei Gabe.

'Maar jou heb ik er niet gezien', zei Kerilynn.

'Ik kon niet', zei Gabe. 'Het was mijn week bij de brandweer. Om een uur of negen kreeg ik een seintje om naar het bejaardenoord te komen. Vlam in de pan.'

'Veel schade?', vroeg Chilly.

'Niet door het vuur. De assistent-beheerder had het zelf al zo'n beetje uit tegen de tijd dat wij aankwamen. Maar net toen ik en de jongens weer weg zouden gaan, kwam een van de verpleegsters aanrennen en vroeg of we even konden kijken naar een overstroming van het sanitair in de hal.'

'Verstopt?'

'Dat zou ik zeggen. Het schijnt dat mevrouw Myrtle Maples boos werd op haar nieuwe huisgenoot, omdat die de magnesiummelk te pakken had weten te krijgen die Myrtle in haar sokkenla verborgen houdt. Die spoelde vervolgens alle onderbroeken van de arme vrouw door het toilet.'

'Je meent het', zei Kerilynn.

'De grootste troep die ik ooit gezien heb', zei Gabe hoofdschuddend.

'Hé zeg, er zijn hier mensen met hun ontbijt bezig!' Catfish prikte een pruim op zijn vork.

'De vrouw vertelde me dat dominee zaterdag mevrouw Carters huis gaat inzegenen', zei Chilly. 'Hij vroeg of er een paar gemeenteleden mee willen gaan. Om haar zich welkom te laten voelen.'

'Ik ga', sarde Kerilynn haar broer opzettelijk. 'En ik neem een cake mee.'

'Het zou wel aardig zijn als we haar met elkaar een plant gaven', zei Chilly.

'Zodra ik de vetfilters heb schoongemaakt, zal ik een collectepotje klaarmaken. Dat zet ik bij de kassa', zei Kerilynn.

'Nou ja zeg, dat slaat alles. Dan kan ik net zo goed meteen een paar reclameborden gaan maken.' Catfish veegde zijn mond af en schoof zijn bord weg. 'Die kunnen jullie dan allemaal om je nek hangen. Nodig alle zonderlingen van heel Amerika maar uit om een huishouden op te gaan zetten in Ruby Prairie.'

Hij at die laatste pruim niet meer op ook. Nee, zeker niet. Van slag? Het mocht wat. Zoals de zaken er nu voorstonden, kon Catfish wel merken dat hij de enige overgebleven normale mens was van de hele bliksemse boel.

'Nou, wat mij betreft, ik ben van plan om dat zaakje eens goed in de gaten te houden. En dat zal ik doen ook. Er komt een dag dat jullie allemaal naar me toe zullen komen om me daarvoor te bedanken. Wacht maar eens af.'

Maandag

Dinsdag

Woensdag

Donderdag

De bezorgdienst stopte vier dagen achter elkaar bij Charlottes huis. Sassy Clyde, wier huis aan het eind van de straat stond, hield het bij. Charlotte, die niet zo van winkelen hield, had alles wat ze maar kon, bij een postorderbedrijf gekocht. Spreien voor bedden van de meisjes. Lakens en handdoeken. Grote pannen Prikborden, badjassen en Bijbels.

Op donderdagmorgen kocht ze bij de witgoedwinkel van Hardy in het centrum van Ruby Prairie een nieuwe vriezer en een tweede wasmachine en wasdroger. Dezelfde middag nadat de goederen waren afgeleverd, geïnstalleerd en getest, reed ze vijftig kilometer naar de dichtstbijzijnde 'Sams Club' om een voorraad schoolspullen, papier- en kruidenierswaren in te slaan.

Wat moest ze nog meer doen?

Door de voorbereidingen voor de komst van haar eerste meisje was Charlotte net zo opgewonden als een kind bij de gedachte aan Kerstmis. Ze lag in bed. Sneeuwbal en Visa sliepen aan haar voeten, maar zij was aan het woelen en draaien. Wat zou het voor meisje zijn? Charlotte wist haar naam, haar leeftijd en waar ze vandaan kwam, maar hoe zou ze eruitzien? Zou ze bedeesd en verlegen zijn of extravert en luidruchtig? Knap of gewoontjes? Charlotte voelde zich alsof ze een pakje kreeg met cadeaupapier eromheen. Ze kon nauwelijks wachten met kijken wat erin zat.

Morgen zou dominee Jock het huis komen inzegenen.

Vannacht zou Charlotte een slaappilletje nemen.

Nog maar drieëneenhalve dag wachten.

Het was zaterdagochtend. Kwart voor tien. Vijf leden van de Culturele Vrouwenclub stonden op de stoep voor Charlottes pas geschilderde huis, met witte, goed afgestelde luiken in een roze omlijsting.

Een nieuwe metalen plaquette met de naam Tanglewood erin

gegraveerd hing op de veranda waar vroeger een verweerd hand-geschilderd houten naambord hing.

'Het ziet er echt leuk uit', zei Ginger Collins.

'Ik vraag me af hoeveel bakken met viooltjes ze wel niet in de grond heeft gestopt', zei Lucky Jamison, terwijl ze naar de zijkanten keek van het pad dat van het trottoir naar de voordeur liep.

'Minstens tien', zei Alice Buck.

'Eerder in de buurt van de vijftien', zei Nomie Jenkins.

'Was de veranda niet altijd grijs?'

'Ik dacht het wel. Maar het ziet er veel beter uit nu die wit is.'

'Helemaal met die rieten schommelstoel die ze heeft opgehangen.'

'Zijn we te vroeg?', informeerde Ginger, die altijd haar horloge vergat.

'Kijk eens. Voor het raam daar. Ze heeft een stel tweelingkatten.'

Dominee Jock parkeerde zijn bestelwagen in de straat tegenover Charlottes huis. Hij kwam eruit, slingerde zijn rugzak over zijn schouder en voegde zich bij het gezelschap dat zich voor het huis verzameld had. 'Goedemorgen dames. Is het koor er al?'

'Nog niet gezien.'

'En hoe staat het met de burgemeester?'

'Hier ben ik.' Kerilynn had haar auto vlak achter de wagen van de dominee geparkeerd. 'Nomie, kun jij deze cake aanpakken? Heeft iemand eraan gedacht punch mee te nemen? En hoe zit het met de kartonnen bordjes?'

'Goede genade, dominee, hoeveel mensen verwacht u wel niet?'

Het was nog tien minuten voor de afgesproken tijd toen Charlotte geluid op haar veranda hoorde en de deur opendeed, in de veronderstelling Jock te zien. En die zag ze ook – plus achter hem tweeëntwintig goedhartige en nieuwsgierige inwoners van Ruby Prairie, van wie velen een cadeautje bij zich hadden, en die allemaal hun halzen rekten om haar en de binnenkant van haar huis eens goed op te nemen. Sneeuwbal en Visa wierpen één blik naar buiten, kropen toen tussen Charlottes benen door en vluchtten weg door de voordeur.

'Ik heb wat vrienden meegenomen', glimlachte Jock.

'Ik heb hier een philodendron voor u, mevrouw.' Dat was Chilly Reed met een plant.

'U hebt geen suikerziekte, hoop ik?', vroeg burgemeester Kerilynn en liet haar cake zien.

'Scharreleieren. Door mijn eigen kippetjes gelegd', zei Ginger Collins.

'Drie kistjes maïs. Waar moet ik ze neerzetten?', vroeg Gabe Eden.

'Sokken en ondergoed. Van alles wat, in diverse maten', zei Nomie Jenkins. 'Namens de Culturele Vrouwenclub. Met een huis vol meiden zul je er vast een heel stel nodig hebben.'

'Hallo. Dank u wel. Ja, ik bedoel nee', stamelde Charlotte. 'Ik ben dol op cake. Hartelijk dank. Zet ze daar maar neer, ja zo is het wel goed. Oh, wat vreselijk aardig.' Ze keek naar de groep die opdrong in de richting van haar voordeur. 'Wat aardig van jullie allemaal om te komen. Dat had ik helemaal niet verwacht. Kom binnen allemaal.'

'Veeg je voeten', commandeerde Kerilynn. 'Kijk uit. Hé, daar komt het koor ook aan. Wel wel, de kleine Blevins heeft zijn trombone meegenomen. Heb je die jongen wel eens *Oh when the saints* horen spelen? Zoiets heb je nog nooit gehoord. Laat die kinderen erdoor, jullie allemaal.'

Iedereen probeerde wat dichter op elkaar te gaan staan.
'Misschien kan het koor beter buiten op de veranda blijven staan', opperde dominee Jock. 'Charlotte, kunnen deze ramen open?' Hij schoof de vitrages opzij. 'En als we de voordeur opendoen, kunnen we ze door de hordeur ook wel horen, denk je niet?'

De mensen binnen werden rustig. Ze gingen zitten waar ze maar een plekje konden vinden. Sommigen zaten op de pas met gestreepte tijk beklede bank en de 'love seat'. Een paar streken neer op keukenstoelen. Anderen zaten mannetje aan mannetje, met de ellebogen tegen elkaar op een van de drie brede plaatsen in de vensterbank. Het koor op de veranda begon in te zingen. De jonge trombonist blies zich ook in. Charlotte, dankbaar maar overdonderd en onzeker in haar eigen huis wat ze moest doen, ging in een hoekje zitten. Ze sloeg haar armen om zich heen, keek de kamer rond en probeerde zich de namen te herinneren.

Zodra iedereen zich had geïnstalleerd, streek Jock neer op de pianokruk naast burgemeester Kerilynn. 'Charlotte, namens de 'Verlichte Weg-kerk heb ik ook wat cadeautjes meegebracht. Maar ik wil beginnen met een paar bijbelverzen. Hij begon voor te lezen uit psalm 146: 'Gezegend is hij die zijn hulp verwacht van de God van Jakob, wiens hoop is gevestigd op de Heer, zijn God, die hemel en aarde heeft gemaakt, de zee en alles waar daarin leeft. ... Hij die trouw is tot in eeuwigheid, recht doet aan de verdrukten, brood geeft aan de hongerigen ... Prijs de Heer.' Hij deed het boek dicht. 'Amen, dominee', zei Kerilynn. 'Amen', echoden de anderen, de hele kamer rond.

'Is het al tijd om te gaan zingen?', werd er buiten op de veranda duidelijk hoorbaar gefluisterd. Dan geschuifel, gestommel en het geluid van iemand die bladmuziek had laten vallen.

'Wat vinden jullie ervan als het koor nu iets ten gehore brengt?', stelde dominee Jock voor. 'Het is proefwerkweek, moet je weten.' Hij keek op zijn horloge. 'De kinderen moeten om twaalf uur terug zijn op school.'

Eerst klonk *Jezus houdt van alle kinderen*. Daarna *He's got the whole world in his hands*. Ten slotte *Amazing Grace* en daarna een solo op de trombone door junior.

Ginger Collins, echt snel tot tranen geroerd, had twee zakdoekjes nat tegen de tijd dat de kinderen het laatste lied hadden gezongen.

'Die jongens en meisjes kunnen echt goed zingen', zei Chilly nadat ze klaar waren. Iedereen was het daarmee eens.

'Wel, luitjes,' begon dominee Jock nadat het koor uitgezwaaid was, 'we zijn hier deze morgen bij elkaar om dit huis en de bezitster ervan op te dragen aan de dienst van God. Sommigen van jullie hebben al kennisgemaakt met Charlotte. Maar nog niemand van ons kent haar lang. We zijn echter wel allemaal geraakt door wat zij zich heeft voorgenomen te doen. Charlotte, zou je alsjeblieft even hier willen komen?'

Kerilynn stond van de bank op. 'Hier, liefje.' Ze klopte op haar plekje. Charlotte ging naast de dominee zitten. Uit zijn rugzak pakte hij een lichtelijk ingedeukt wonderbrood. Terwijl hij het aan haar overhandigde, zei hij: 'Dat dit huis nooit brood tekort moge komen. En dat je meisjes die hier bij jou wonen, over het brood des levens zullen horen.' Met een glimlach nam Charlotte het brood aan. 'Dank je wel.'

'Wacht, er is nog meer,' zei hij met een knipoog naar de anderen in de kamer. Uit de rugzak haalde hij nog een kristallen kaarsenstandaard en een dikke, witte, naar gardenia geurende zuilkaars. Moge God je nabij zijn om je weg te verlichten, zelfs op dagen waarop je voor je gevoel in het donker tast.'

'Mooi', murmelden een paar van de dames.

Er waren nog drie andere dingen om uit te delen. Eerst een kleed gemaakt van ouderwets gehaakte vierkantjes. 'Cadeautje van de creaclub in het bejaardenoord', lichtte Jock toe.

'Wat zacht,' zei Charlotte 'en wat een mooie kleuren.'

'Ze doen er een eeuwigheid over om er eentje te maken', vertelde Lucky Jamison. Ze was een keer per week vrijwilligster in het huis. 'Ze hebben allemaal reuma, moet je weten.'

Dominee Jock spreidde het kleed uit over haar schoot. 'Dat dit een huis moge zijn vol warmte op zelfs de koudste dagen.' Daarna toverde hij een zak snoepjes tevoorschijn. 'Mogen degenen die hier wonen, van het zoete genieten.'

Geef die snoepschaal eens aan de dominee', zei Lucky. 'Die aan het eind van de tafel. Daar kan-ie ze wel in doen.'

Ten slotte zette Jock boven op de stapel presentjes een extra grote doos sterretjes die waren overgebleven van 4 juli. 'En dat jij en je meisjes nooit zullen vergeten plezier te maken.'

Charlotte kon geen woord uitbrengen. Ze zat alleen maar te kijken, met stralende ogen en een gemoed dat was volgeschoten, overladen met cadeaus en welwillendheid.

Ten slotte zette Jock een applaus in, waar iedereen zich bij aansloot. 'Kerilynn, snijd jij die cake aan? Goed zo. Laten we dan nu met elkaar bidden, mensen.'

Iedereen in de kamer reikte zijn buurman de hand. Er was geen geluid te horen, behalve wat gesnuf en gesnuif.

'Onze Vader die in de hemel zijt ...'

'Miauw.'

Buiten op de veranda hadden Visa en Sneeuwbal het kennelijk veilig geoordeeld bij afwezigheid van het koor weer naar binnen te gaan.

'... we danken U dat U Charlotte hier naar onze stad hebt geleid.'

'Miauw, miauw.' Ze probeerden beleefd te vragen naar binnen te mogen.

'Wij vragen U haar en dit huis te zegenen ...'

'MIAUW. MIAUW.'

'... en de meisjes die onder dit dak zullen wonen. Wij vragen U ...'

Iemand die dichtbij de hordeur stond, deed hem op een kier open in de veronderstelling dat de katten binnen zouden komen en zich koest zouden houden.

Eerst hoorden ze een zacht gepiep: 'Iek.' Daarna nog eens. Ten slotte het gehol en gedraaf van acht – nee, twaalf trippelende pootjes.

Ogen gingen wijdopen. Hoofden schoten omhoog. Er ontstond chaos.

Midden in de gebedskring, waar iedereen hem kon bewonderen, had een van de katten een lekkere grijze veldmuis gebracht – de vangst van de dag. Het enige probleem was dat de vangst nog niet helemaal dood was.

Vrouwen gilden, schreeuwden, klommen op hun stoel of renden weg. Een paar mannen ook. Iemand ging een bezem zoeken. Iemand anders vroeg aan Charlotte of ze een honkbalknuppel had. Lucky greep naar haar inhaleerapparaat. Chilly drukte een nitrobaatje uit de verpakking. Hoewel het minder dan tien minuten duurde om alle drie dieren naar buiten te jagen, was dominee

Jocks gebed ruw tot een eind gekomen. 'Amen', zei hij bij zichzelf.

Kerilynn begon de cake aan te snijden. Grote grutten. Lieve deugd. Alleen een muisje. Dat geen vlieg kwaad zou doen. Als het nu een slang was geweest ...

'Dominee, wilt u een kapje of een plak uit het midden?'

Uitgerekend op dat moment ging de telefoon in de hal.

'Met Charlotte', zei Charlotte. 'Ja. Ja, neem me niet kwalijk. Vandaag? Maar ik verwachtte haar niet eerder dan ... *Waar* bent u precies? *Hoe laat* ben u hier?' Verdwaasd hing ze de hoorn op de haak en liep haar huiskamer weer in.

'Schat, voel je je wel goed?', vroeg Kerilynn. 'Was het slecht nieuws?'

'Eh, nee. Goed nieuws, denk ik. Mijn eerste meisje. Ze komt vandaag al. De maatschappelijk werkster zegt dat ze hier over een kwartier zijn.'

'Wel, wel', zei Kerilynn. 'Dominee, u hebt het goed getimed. We hebben dit huis echt precies op tijd ingezegend gekregen.'

Hoofdstuk

5

Een moment van geschokte stilte ging voorbij voordat het nieuws van Charlottes veranderde plannen doordrong. Maar zodra dat het geval was, merkte ze dat haar nieuwe vrienden opsprongen en gejaagd en behulpzaam actief werden.

'Mensen.' Kerilynn klapte in haar handen. 'Alles moet perfect in orde zijn voordat het eerste meisje van Tanglewood aankomt. De reputatie van Ruby Prairie staat op het spel.'

Zo had Charlotte er nu niet precies tegen aangekeken. Maar ja, zij was natuurlijk ook nooit burgemeester geweest.

'Vlug, Chilly, pak jij alle borden en kopjes even', beval Kerilynn. 'Liefje,' – ze legde haar hand op Charlottes arm – 'wijs hem even waar je de vuilniszakken hebt liggen. Dominee, deze stoelen moeten teruggezet worden waar ze vandaan kwamen. Dat tafeltje daar ook. Ginger, waar heb je de bezem gelaten? Er heeft hier iemand met moddervoeten gelopen. Heb je stoffer en blik kunnen vinden?'

Charlotte kon geen stap verzetten zonder over iemand van de 'Verlichte Weg' te struikelen.

Terwijl Ginger Collins aan het vegen was, schudde Kerilynn de kussens van de bank op en nam de salontafel af met een stofdoek die ze in Charlottes werkkast had gevonden. Dominee Jock veegde cakekruimels van het aanrecht, en Chilly goot de overgebleven punch in de gootsteen. In de wc beneden spoot Nomie een wolk lysol, neusde daarna rond tot ze toiletpapier had gevonden om de rol te vervangen die bijna op was.

Charlotte vloog met bonkend hart en een maag die opspeelde, de trappen op om een paar laatste spulletjes op hun plaats te zetten in de kamer van het nieuwe meisje.

Kerilynn ging achter haar aan. 'Vertel me alleen maar even wat er nog gedaan moet worden', zei ze. 'Dan help ik je.'

'Ik weet niet wat de maatschappelijk werkster zal denken. Ik heb zelfs nog geen lakens op de bedden gedaan', zei Charlotte.

Ze beet een onwillige verpakking open met haar tanden. 'Ik kan gewoon niet geloven dat ze al binnen vijftien minuten hier zal zijn. Ik had gepland de kamer helemaal klaar te hebben, maar ik dacht dat ik het hele weekend de tijd zou hebben om dat te doen. Eerlijk gezegd had ik die paar laatste dingetjes uitgesteld om nog iets te doen te hebben tijdens het wachten.'

'Rustig maar, schat. We spelen het wel klaar', zei Kerilynn. 'Geef me dat kussensloop eens aan.'

'Ik wil dat het er goed uitziet.' Charlotte sloeg het onderlaken open. 'Niet zozeer voor die maatschappelijk werkster – voor het meisje zelf. Ik stel me zo voor dat ze bang zal zijn ... dat zou ik tenminste wel zijn. Denk je eens in, weg van je familie, in een vreemd huis, bij iemand die je niet kent. Dat moet wel angstaanjagend zijn. Ik heb heel veel boeken gelezen en artikelen en zo, maar ik weet nog steeds niet hoe je iemand op zijn gemak stelt. Het minste wat ik kan doen, is ieder van hen het gevoel te geven dat er een speciaal plekje is, alleen voor haar.'

'En dat zullen ze hebben. Maak je geen zorgen. Het is geweldig hoe je dit grote huis zo'n sfeer van een echt thuis hebt gegeven', zei Kerilynn.

Samen maakten ze de twee bedden in de kamer op, met witte broderie overtrekken en nieuwe roze stretch lakens. Ze legden er spreien bovenop met een trouwringpatroon en donzige met wol gevulde kussens.

Kerilynn zette de lampenkapjes op de bedlampjes, deed er een gloeilampje in en stopte de stekker in het stopcontact, terwijl Charlotte van het halletje naar de badkamer liep om de wastafels te doen, een nieuwe bijpassende handdoek en een washandje klaar te leggen en een stuk Dove-zeep uit de verpakking te halen. Kerilynn schoof de slaapkamergordijnen open en zette het raam open om een beetje frisse lucht binnen te laten.

Met een laatste blik op de kamer was Charlotte gerustgesteld toen ze merkte dat alles zo goed als gedaan was.

'Heb je dit allemaal in je eentje klaargespeeld?', vroeg Kerilynn. 'Het schilderwerk en alles?'

Dat had ze.

'Het ziet er leuk uit.'

En dat was ook echt zo.

Charlotte had het huis gekocht vanwege de zes slaapkamers – één voor haarzelf beneden, vijf voor de meisjes boven. In deze kamer waren de muren geschilderd in een zacht turquoise, met al het houtwerk in wit. De hardhouten vloer blonk dankzij de uren die ze op haar knieën had doorgebracht met een doek en een potje boenwas. Om de kamer gezellig te maken had ze er een ronde gevlochten mat in de kleuren blauw, roze en geel neergelegd. Twee bureaus en twee toilettafels stonden tegen de ene wand, met daartegenover een paar kamerhoge ramen met vitrage ervoor. Op een plank in de hoek stonden pluchen dieren, spelletjes en een keur aan jeugdboeken. Een paar waren oude favorieten uit haar eigen kindertijd. Het was maar goed dat ze die al die jaren bewaard had. Andere waren nieuw, heel attent aanbevolen door Alice Buck, die les gaf op de middelbare school.

'Het ruikt hier lekker', zei Kerilynn. 'Naar citroenolie en vanille. Dat zal de boenwas wel zijn en de potpourri in die schaal. Ieder meisje moet deze kamer wel leuk vinden.' Ze legde een kussen recht op een van de bedden. 'Het lijkt erop dat we klaar zijn. Is er nog iets anders wat je gedaan wilt hebben?'

Op de kop af binnen tien minuten stond iedereen weer bij elkaar bij de voordeur van Charlottes huis, te kletsen en te lachen, een paar van hen weliswaar buiten adem, maar ze waren het er allemaal over eens dat het huis er geweldig uitzag.

'Enorm bedankt', zei Charlotte tegen de groep. 'Jullie zullen nooit weten hoeveel deze middag voor mij betekend heeft. Ik vind het echt geweldig wat jullie hebben gedaan.'

'Tot je dienst, schat.'

'Het was ons een genoegen.'

'Graag gedaan.'

'Oké, luitjes. Laten we maken dat we wegkomen', zei dominee Jock. 'Er zijn hier te veel mensen. Zo'n grote groep zou een kind maar afschrikken. Laten we allemaal vlug weggaan voordat ze hier aan komen rijden.'

'Dominee heeft gelijk. Tot ziens, liefje.'

'Veel plezier.'

'De zegen.'

'Laat ons weten als je iets nodig hebt.'

Charlotte had haar laatste gasten nog niet omhelsd, bedankt en uitgezwaaid, of ze zag vanuit de deur een auto de hoek van de straat om draaien, op weg naar haar huis. De witte vierdeurs Chevrolet die, naar ze zich herinnerde, van Kim Beeson was – de maatschappelijk werkster die aan Tanglewood was toegewezen –, ging langzamer rijden, stak de weg over en stopte ten slotte bij haar brievenbus pal naast de stoep.

Charlotte streek wat verwaaide krullerige haarlokken uit haar gezicht. Uiterlijk glimlachend maar van binnen trillerig liep ze naar de trap van de veranda. Ze greep de leuning vast en bad: *Ik ben er klaar voor. Dat weet ik. Maar alstublieft, God, alstublieft, laat me niet flauwvallen!*

Een golf van misselijkheid overviel haar.

… of overgeven.

'Hallo, daar zijn we.' Kim sprong uit de auto. 'Wat een mooie dag, hè?', riep ze vanaf het pad. 'Kijk al die bloemen eens. Die heb je geplant nadat ik hier de laatste keer was. Ze zijn schattig.'

Ze liep naar de auto om de achterdeur open te maken.

Charlotte slaagde erin de verandatrap af te komen en naar de stoep te lopen. Ze hield haar adem in terwijl ze het stuk aflegde naar de straat. Dit was het dan – het moment waaraan ze al die maanden had gedacht en waarvoor ze had gebeden. Charlotte herinnerde zich een verhaal dat ze ooit had gelezen over een vrouw die op het punt stond te bevallen en die, in delirium tijdens de overgangsperiode vlak voor het persen, haar man had opgedragen de auto klaar te zetten. Ze was van gedachten veranderd en had besloten in plaats daarvan haar tas te pakken en naar huis te gaan. Net als bij die vrouw wisselden Charlottes emoties razendsnel van duizelig makende opwinding en beverige ongerustheid tot totale paniek bij de gedachte aan wat ze zichzelf op de hals had gehaald.

Er was geen ontkomen meer aan.

Ze deed de grendel van het hek en opende het poortje in de omheining.

'Charlotte,' zei Kim, 'ik wil je graag voorstellen aan Nikki ...'

Charlotte wachtte.

'... en Vikki', besloot Kim.

Er stapten twee meisjes uit de auto.

'Vikki?' Wie was Vikki? Charlottes mond viel open.

'Lieve deugd. Heb ik je dat niet verteld?'

Kim, tweeëntwintig jaar oud en nog maar vijf maanden aan het werk, rommelde in haar aantekeningen. 'Ik dacht van wel.'

Twee meisjes. Twee silhouetten van dezelfde afmetingen, afgetekend tegen de avondhemel. Het moesten wel zusjes zijn. Nee, niet alleen zusjes. Een tweeling. Een eeneiige tweeling. Zelfs al droegen ze niet dezelfde kleren, er was geen twijfel aan. De twee meisjes leken op elkaar als twee druppels water, negen jaar oud.

'Meisjes, dit is Charlotte', zei Kim.

'Hallo.'

'Hallo.'

Charlotte kwam ogen tekort. Bruin haar, bruine ogen, broodmager, atletische bouw. Net als iedere andere moeder telde ze twee stel vingers met afgekloven nagels en twee paar in sandalen gestoken voeten. In een vlaag van moederlijke emotie, op de stoep van Tanglewood, werd ze onverwacht en op slag waanzinnig verliefd. Hoewel haar was verteld niets te overhaasten of te verwachten dat gevoelens al vlug beantwoord zouden worden, moest Charlotte zich beheersen om de meisjes niet in haar armen te nemen en hun te beloven dat ze voor eeuwig en altijd zou proberen het hun aan niets te laten ontbreken.

Charlotte bleef hen zo lang aanstaren dat de meisjes begonnen te giechelen – wat haar uit haar trance haalde, aan de grond genageld als ze was.

'Welkom in mijn huis. Ik bedoel: jullie huis.' Ze struikelde over haar woorden. 'Eigenlijk is het ons huis. Zal ik jullie helpen je spulletjes naar binnen te brengen? Misschien willen jullie eerst even rondkijken?'

De tweeling bracht weinig bezittingen mee. Rugzakken, ieder een. De rest van hun spullen zat gepropt in drie plastic tassen van een kruidenierswinkel.

'Ik moet naar de wc', zei Nikki.

Of was het Vikki? Charlotte vroeg zich af hoe ze hen uit elkaar zou kunnen houden.

'Ik ook', zei de ander. 'Heel nodig.'

'Een lange rit. Ze hebben het de laatste twee uur alleen maar uitgehouden door hele sloten frisdrank te drinken.'

'Ik had Cola.'

'Ik Sprite.'

'Geen probleem. Het eerste waar we naartoe gaan, is de wc.' Charlotte ging Nikki, Vikki en Kim voor op het pad terug.

'Hebt u een hond?', vroeg een van de meisjes.

'Nee, maar wel twee katten.'

'En hebt u ook vissen?'

'Nee. Geen vissen.'

'Dat is goed. Katten eten vissen.'

'Laten we alles hier eerst maar even neerzetten', zei Charlotte. Ze liet de meisjes hun rugzakken op de onderste traptrede zetten en wees hun de wc beneden, net aan de andere kant van de gang bij haar slaapkamer.

'We hoeven niet geholpen te worden', zei een ernstig kijkende Vikki – vlak voordat ze de deur dichtdeed en Charlotte en Kim buitensloot en henzelf binnen.

'Oké. Goed. Roep me maar als je iets nodig hebt.'

'Doen we', klonk het gedempt door de dichte, op slot gedraaide deur.

Terwijl de meisjes in de badkamer waren, gingen Charlotte en Kim op de bank zitten. Kim grabbelde in haar tas. 'Alles wat u nodig hebt, zit hierin', zei ze. 'Inentingspapieren, aanmeldingsformulieren voor school en papieren van de ziektekostenverzekering. Ze moeten binnenkort naar de tandarts. En hier is een tegoedbon die u kunt gebruiken om wat kleren voor hen te kopen.'

'Is er nog iets wat ik moet weten?'

'Het dossier zit erbij. Hun moeder is ziek. Kan een paar maanden niet werken of voor hen zorgen. Het ziet ernaar uit dat ze kanker heeft. Nog niet alle uitslagen van de onderzoeken zijn binnen. Maar de dokters zijn er wel bang voor. Hun oma is een lieve vrouw, maar zelf ook niet al te gezond en oververmoeid. Ze heeft geprobeerd voor alle drie te zorgen, maar de situatie is nu meer dan ze aankan. Er zijn ook nog eens grote financiële problemen.'

'En hun vader?'

'Die zit in de gevangenis. Naar verwachting zal hij over negen maanden vrijkomen.'

'Hoeveel weten de meisjes?'

'Ze weten van hun vader af en er is hun verteld dat ze bij jou blijven wonen tot het beter gaat met hun moeder. Ze begrijpen dat ze ziek is en veel rust nodig heeft.'

'Belt ze nog of komt ze op bezoek?'

'Ze zal bellen. Van de familie van de meisjes komt hier niemand op bezoek. Dat is een beleidskwestie. Hoewel we geen problemen verwachten, lijkt het ons beter op safe te spelen. Als er wel sprake is van familiebezoek – soms zal dat het geval zijn –, haal ik de meisjes op en breng ik ze naar een plaats halverwege. Vooralsnog zullen Nikki en Vikki het met telefoontjes en brieven moeten doen. Moeder en oma willen allebei contact houden. Ze zullen één keer per week bellen. Ik heb hun verteld dat dat op zaterdagochtend kan. Schikt dat jou?'

'Natuurlijk.'

'Ik denk dat dat alles is. Ik kom over een week nog even langs om te kijken hoe het gaat. Als alles goed loopt, beginnen we aan de volgende plaatsing. Charlotte, je hebt een fijn huis. Heel veel meisjes hebben een stabiel thuis nodig. Er zijn zes meisjes aan je toegewezen, nietwaar? Ik schat in dat je tegen Thanksgiving vol zult zitten. Ben je daar klaar voor?'

Charlotte was voorbereid op meer meisjes volgende week al, maar plotseling was ze er niet klaar voor Kim vandaag al te laten gaan. Ze probeerde wat uitstel te krijgen. 'Wil je niet wat drinken voordat je weggaat. IJsthee, cola?'

'Nee dank je.'

'Een plakje cake dan?'

'Misschien volgende keer. Maar ik wil wel even naar de wc voordat ik weer op pad ga.' Kim stond op.

'De meisjes zouden nu wel klaar moeten zijn. Ik kan maar beter even gaan kijken', zei Charlotte.

'Nikki, Vikki? Alles goed met jullie daarbinnen? Kim gaat zo weg. Ze wil jullie gedag zeggen.'

Charlotte hoorde water lopen, het toilet doorspoelen en het openen en sluiten van een la.

'We zijn bijna klaar.'

Na nog een paar minuten wachten en nog meer geloop van water en doortrekken wees Charlotte Kim de badkamer boven. Kim maakte er gebruik van, bekeek Nikki's en Vikki's nieuwe kamer en kwam terug naar beneden. Nog steeds geen meisjes te bekennen.

'Nikki, Vikki, nu moeten jullie naar buiten komen', zei Charlotte.

'Doe open', zei Kim.

Eindelijk klikte het slot en zwaaide de deur open. En een golf van *Obsession*, Charlottes eigen geurtje, daalde op haar en Kim neer.

De beide meisjes kwamen tevoorschijn. Ondanks heldhaftige pogingen het hoofd omhoog te houden en nonchalant te kijken, was het geen vraag meer wat hen zo lang had opgehouden. Ze waren druk bezig geweest, heel druk – wat duidelijk bleek uit hun roze bepoederde wangen, bruinomrande ogen en bourgognerode lippen.

Kim keek naar Charlotte.

Charlotte deed moeite om haar gezicht in de plooi te houden.

Nikki nieste. 'Waarom moet je al weg?'

'Wanneer kom je ons weer halen?', vroeg Vikki.

'Ik moet naar huis voor mijn hond', zei Kim. 'Weet je nog hoelang we erover gedaan hebben om hier te komen? Ze zal wel uitgehongerd zijn. Ik kom over een week terug om jullie op te zoeken, zoals we hebben afgesproken. Jullie blijven hier bij Charlotte.'

De meisjes keken verslagen.

Charlotte nam ieder van hen bij de hand. 'Laten we eens gaan kijken of we in de keuken iets lekkers kunnen vinden. Daarna gaan we naar boven om jullie nieuwe kamer te bekijken. Ik weet trouwens nog iets anders. Jullie zien er alle twee zo mooi uit. Ik doe een nieuw filmpje in mijn camera om een foto van jullie te nemen.'

'Kunnen we een foto naar mamma sturen?', vroeg Nikki.

'Natuurlijk. We maken er twee.'

'Tot ziens, meiden.' Kim ging op weg naar de voordeur. 'Bel me als je iets nodig hebt', fluisterde ze Charlotte toe.

Tien uur later, toen de meisjes boven in slaap waren, zat Charlotte in het donker heen en weer te wiegen op de schommel op de veranda voor. Ze hield hem in beweging door zich zachtjes af te zetten met haar voeten tegen de koele planken vloer en genoot van het gezellige kraakgeluid. Ze leunde met haar hoofd achterover en sloot haar ogen.

Had deze dag echt maar vierentwintig uur geduurd?

Was het werkelijk nog pas vanmorgen geweest dat het koortje van de middelbare school op deze veranda had staan zingen? Had dominee Jock vandaag haar huis ingezegend, en hadden de katten vandaag die muis binnengebracht?

Charlotte glimlachte terwijl ze aan het schommelen was.

Misschien was het wel een jaar.

Of zelfs meer, een heel leven.

Ze dacht aan haar oma Ruby. Dol op kinderen, had die jaar na jaar haar verdriet geuit dat Charlotte geen kinderen kreeg.

Misschien moet je vitamine gaan slikken, lieverd. Denk je dat het zou helpen als je meer zou gaan rusten?

Oma Ruby zou de tweeling geweldig vinden.

Ik heb nu een paar kinderen, oma. Ik zou willen dat u ze kon zien. Ze zijn echt leuk.

Charlotte klom de trap op om nog een keer naar de meisjes te gaan kijken voordat ze ging slapen. Toen ze in hun kamer stond, zag ze dat er een bed leeg was. Een moment raakte ze in paniek, benauwd dat het stel op een of ander manier opgestaan was en in huis aan het zwerven was gegaan of naar buiten was gegaan.

Toen keek ze naar het andere bed. Daar lag de tweeling, zonder dekens, op hun zij, tegen elkaar aan gerold, met hun knieën tegen elkaar, hand in hand te slapen.

Jullie hebben met z'n tweeën een hoop meegemaakt. Wat een dappere meiden zijn jullie.

Ze hadden de hele middag niet gehuild, hoewel ze er na aan toe waren geweest toen het bedtijd was.

'Ben je hier wanneer we wakker worden?', had Nikki gevraagd.

'Soms word ik wakker en dan ben ik bang in het donker. Kun je een lampje aan laten?', had Vikki gezegd.

'Ja. En ja', had Charlotte beloofd. Ze ging naar hen toe om hen toe te dekken. Met hun gestalten afgetekend tegen het laken vormden hun spiegelbeeldige lichaampjes een hart. Charlotte stopte de sprei stevig in, gaf ieder van hen een kus op hun voorhoofd en glipte de kamer uit.

Pas toen ze in haar eigen bed bijna in slaap was gevallen, bedacht ze met een schok dat het de dag erna zondag was. Hoe kon ze dat vergeten? Zondagsschool. Kerk. De meisjes de eerste keer mee naar de 'Verlichte Weg'. Was de kerk er klaar voor. Was zij er klaar voor? En waren zij het?

Charlotte keek op de klok. Ze zouden het allemaal gauw genoeg merken.

Hoofdstuk
6

Beth Hollis lag op haar buik in haar hoogslaper, strekte haar blote tenen uit en kauwde op haar pen.

Anne, de welzijnswerkster, deelde roze gelinieerd blocnotepapier uit. 'Hier, alsjeblieft. Laten we dit afspreken. Ik moet een stafvergadering leiden. Die zal waarschijnlijk zo'n drie kwartier duren. Terwijl ik weg ben, wil ik dat jullie, meiden, een lijstje maken om me te vertellen waarom je naar het kamp bent gekomen.'

Van vier stellen houten stapelbedden klonk gekreun en gejammer.

'Ik weet het. Ik weet het. We doen dit elk jaar. Toch is het belangrijk. Wanneer ik terug ben, gaan we kijken wat iedereen heeft opgeschreven. Het helpt me om te weten hoe ik dit kamp tot het beste ooit kan maken. Vragen? Oké. Eén ding nog.' Ze keek hen streng aan. 'Geen gepraat over jongens terwijl ik weg ben.'

Iedereen giechelde.

Beth was nog nooit eerder met een kamp van de kerk mee geweest. Had ook nog nooit zo'n lijstje gemaakt. Ze kauwde nog eens op haar pen. Waarschijnlijk werd er van je verwacht dat je iets over God zei.

Vier redenen waarom ik naar kamp 'Kristallen Meer' ben gekomen
1. *Om nieuwe vrienden te ontmoeten*
2. *Om dichter bij God te komen*
3. *Om nieuwe liedjes te leren*
4. *Om meer tijd buiten in de natuur te kunnen doorbrengen.*

Toen Beth klaar was, trok ze een kronkellijntje om haar naam heen. Daarna ging ze naar het begin van het papier en veranderde alle punten boven de i's in leuke hartjes. Nadat die taak voltooid was, tekende ze een regenboog in elke hoek van de bladzijde. Toen ze klaar was, probeerde ze te spieken op de lijstjes van haar hutgenoten. Ze hoopte dat wat zij had geschreven, goed was.

Shelly, Beths slapie, richtte zich op een elleboog op. 'Beth, is dit echt je eerste kamp? Hoe komt het dat je hier nog nooit eerder bent geweest?'

'Ik wist er niet van', zei Beth.

'Ben je net naar Texas verhuisd of zoiets?', vroeg Rachel. 'Je klinkt als een van mijn nichtjes die in Oklahoma wonen. Misschien ken je ze wel.'

'Ik ben nog nooit in Oklahoma geweest. En dit is de eerste keer dat ik naar welk kamp dan ook ben gekomen.'

'Echt waar? Gingen de andere kinderen van jullie kerk ook niet?', vroeg Marty.

'Toen ik nog bij mijn moeder woonde, gingen we niet naar de kerk.'

'Waar woon je nu dan?', vroeg Gloria.

'Bij mijn pleeggezin.' Beth krabde aan een muggenbeet op haar been.

De groep werd stil. Hoewel niemand van hen Beth in de ogen keek voelde zij de aandacht van elk meisje in de hut op haar gevestigd.

'Ik heb geluk gehad. Mijn pleegouders zijn echt aardig.' Ze ging rechtop zitten en zwaaide haar benen over de rand van het bed. 'Hun huis staat op het platteland. Ik ga minstens één keer per week paardrijden. En je zult niet geloven hoe vaak we naar de kerk gaan. De hele tijd. Zondagmorgen, zondagavond. Zelfs woensdagavond. We zijn ook nog eens een hele week elke dag naar de vakantiebijbelschool geweest.'

'Wat is er met je moeder gebeurd?', flapte Rachel eruit. 'Je echte moeder. Is die dood?'

'Rachel!', vermaande Ami.

Beth beet op een nagel. 'Nee, mijn moeder is niet dood. Ik kan alleen niet bij haar wonen. Ze heeft wat problemen. Ik ga in de zomer bij haar op bezoek, en soms met Kerstmis. Ik probeer haar te helpen, maar ze heeft last van haar zenuwen. Daarvoor slikt ze medicijnen.'

'Dat is echt rot', zei Gloria.

'Noem je je pleegouders mamma en pappa?', vroeg Misty.

'Neehee. Ze hebben me gezegd dat ik ze Tim en B.J. mag noemen. Zij hebben me naar dit kamp gestuurd. B.J. kwam hier ook al toen ze nog klein was.'

'Blijf je altijd bij hen?', vroeg Ami.

'Als ik geluk heb, tot mijn achttiende, zegt mijn maatschappelijk werkster.'

'Zou je niet terug willen naar je moeder en bij haar willen wonen?', vroeg Lynn.

'Soms wel', schokschouderde Beth. 'Maar het kan nu eenmaal niet. Het zou nooit goed gaan. Mijn moeder heeft problemen. Ik ben al in zeven pleeghuizen geweest vanaf groep zes. Tim en B.J. zijn echt aardig. Ze houden van kinderen, maar ik denk dat ze ze zelf niet kunnen krijgen. Ik denk dat ze me daarom hebben genomen. B.J. kan heel goed koken. Je zou haar wentelteefjes eens moeten proeven.'

'Heb je een eigen kamer?'

'Moet je meehelpen met het huishouden?'

'Ja, ik heb mijn eigen kamer. Dat moet. Ik denk dat het een afspraak is of zoiets. Ik stofzuig en ruim elke avond de afwasmachine in. Natuurlijk maak ik ook mijn bed op en stof ik af. Soms vergeet ik het wel eens, maar B.J. wordt niet boos of zo. Ze doet gewoon de deur dicht.'

Die avond waren Anne en Beth de laatste twee in de het badhuis. Alle anderen waren al klaar en waren teruggegaan naar de hut.

'Mag ik je tandpasta lenen?', vroeg Anne. 'Ik ben de mijne vergeten.'

'Tuurlijk', zei Beth. Haar gezicht en dat van Anne werden weerkaatst in de spiegel boven de wasbak. Poetsen, spugen, spoelen. Ze waren tegelijk klaar.

Anne veegde haar mond af aan een handdoek. 'Ik dacht net aan wat je op jouw lijstje hebt geschreven', zei ze. 'Wat je zei over dicht bij God willen zijn. Hoe dichtbij wil je dan zijn?'

'Ik weet het niet', schokschouderde Beth. Het had haar indertijd een goed idee geleken dat op te schrijven.

'Weet jij hoe je dicht bij God kunt komen?', vroeg Anne.

Dat was makkelijk. 'Je moet naar de kerk gaan', zei Beth.

'Naar de kerk gaan is goed', zei Anne. 'Nog iets anders?'

'Ik weet dat je geen slechte dingen moet doen als je dicht bij God wilt zijn', zei Beth.

'Dat is wel moeilijk, hè,' zei Anne, 'omdat iedereen van ons slechte dingen doet.'

'Ik denk het wel, ja.' Beth wilde maar dat ze over iets anders konden praten.

'Weet je,' zei Anne, 'God weet alles van je.'

Er waren wel wat dingen waarvan Beth hoopte dat God ze niet wist.

'En Hij houdt in elk geval van je', ging Anne door. 'Jij kunt wel dicht bij Hem willen zijn, maar Hij wil dat nog altijd veel meer. Hij houdt zo veel van je dat Hij zijn Zoon Jezus voor jou heeft gestuurd.'

'Dat weet ik allemaal wel', zei Beth. Ze draaide de dop weer op de tube en hoopte dat Anne niet van haar verwachtte dat ze ging flossen. 'Hoe laat moeten we morgen op?'

'Om zeven uur', zei Anne. 'Als je wilt, kunnen we morgen nog wel eens over dit soort dingen doorpraten.'

'Misschien.'

'Heb je je zaklamp?'

'Vergeten', zei Beth.

'Geen probleem. Ik heb de mijne bij me.'

'Heb je nog nooit oogschaduw op gehad? Nog nooit eerder in je leven? Kom hier, Beth. Ik zal je voordoen hoe je het moet opbrengen. Wil je koningsblauw of zinnelijk geelgroen?' Ami hield een applicator met een sponsje bovenop in haar hand, alsof het een toverstok was.

Anne deed haar haar in een paardenstaart, trok een schoon T-shirt aan en zei berispend. 'Meisjes, dit kamp is niet de plaats om je druk te maken over hoe je eruitziet.'

'Maar vanavond is er kerk.'

'Wil je dan niet dat we er op ons best uitzien?'

Anne rolde met haar ogen.

'Dit shirt van mij zal je echt goed staan, Beth. Nee, niet in je broek stoppen. Heeft iemand een riem?', vroeg Shelly.

'Zal ik je haar recht föhnen?', bood Misty aan.

Die avond plofte de leukste vijftien jaar oude jongen van het hele kamp op het kussen naast Beth neer. De andere meisjes werden niet eens een klein beetje boos. De volgende morgen, toen ze arm in arm de heuvel af sprongen naar de vlaggenstok, zongen ze: 'Wij zijn van hut acht, en we hebben de meeste kracht. Wij hebben de achtste hut, en we hebben de meeste fut.' En terwijl ze in de rij stonden voor het ontbijt, zongen ze: 'Wij zijn het best van de hele rest.'

'Wees erop bedacht, of je mist hut acht!', hoonden de meiden wanneer ze met andere kampbewoners deden wie het eerst bij het zwembad was.

'Een lekker pittige groep heb je daar, Anne', zei Charlie, de kampleider. 'Iedereen lijkt wel goed met elkaar op te kunnen schieten.'

Ze stonden beiden aan de rand van het softbalveld en keken naar de meisjes van Ann die oefenden in malle toejuichingen, terwijl ze wachtten tot ze aan slag waren.

'Klopt', zei Anne. 'Ze zijn nu al een hechte groep, en het is pas de eerste week. Deze club meiden is sneller een hechte eenheid dan welke andere groep die ik ooit gehad heb.'

'Hoe komt dat zo, denk je?'

'Beth speelt daar een grote rol in. Dat is dat kleine blondje in dat rode shirt. Daar op het eerste honk. Ze woont in een pleeggezin. Is dol op haar pleegmoeder en -vader. Heeft het de hele tijd over hen. Schrijft hun elke dag.'

'Sneu zeg, maar fijn dat ze bij mensen is die goed voor haar zorgen', merkte Charlie op. 'Ze lijkt geen enkele moeite te hebben met aanpassen.'

'De anderen zijn ook heel aardig voor haar. Je kunt zien dat ze snakt naar genegenheid. Eerst hadden ze medelijden met haar, maar nu niet meer. Ze maakt deel uit van de groep.'

'Gaat ze vaak naar de kerk?', vroeg Charlie.

'Zo nu en dan, denk ik. Ze gelooft wel, maar is nog een heel jonge christen. Denkt nog steeds dat 'gered worden' te maken heeft met goed zijn.'

'Ben je met haar aan de praat geraakt?'

'Zoveel als ze toelaat.'

'Beth', fluisterde Rachel. 'Beth, ... ben je wakker?'

'Ja.'

'Ik ben ook wakker', siste Ami.'

'We zijn allemaal wakker', zei Shelly.

'Heeft iemand iets lekkers?'

'Ik', zei Gloria. 'Starbursts.'

'Koekjes', zei Lynn.

'Wat voor?'

'Oreo's. Dubbele.'

'Laten we even wegsluipen. Wie gaat er mee? We kunnen buiten bij het zwembad gaan zitten.'

'Denk dat maar niet.' Anne knipte haar zaklantaarn aan en scheen er mee de hut in het rond, waarmee ze acht schuldige gezichten in het licht zette.

'Ga maar weer slapen. Jullie allemaal.'

'Maar we zijn niet moe.'

'Ik ben klaar wakker.'

'Kunnen we dan tenminste niet met z'n allen op de bovenste bedden gaan liggen, zodat we kunnen praten?'

'Goed dan, maar doe zachtjes.'

Alle acht meisjes drongen samen in twee van de bovenste bedden. Ze zaten in kleermakerszit met hun knieën tegen elkaar en probeerden te eten en te lachen tegelijk, zonder het uit te proesten.

'Hé, zet je voeten niet op mijn kussen', zei Shelly. 'Dit is mijn bed, en het zit al vol zand.'

'Het mijne ook', zei Ami.

'Alles wat ik naar het kamp heb meegenomen, zit vol zand. Mijn bed, mijn koffer, zelfs mijn ondergoed. Ik heb genoeg van dat zand', zei Rachel. 'Het kamp is prima, maar ik mis mijn schone bed en mijn schone kamer.'

'Ik heb je kamer gezien, en die was nooit schoon', protesteerde Ami.

'Hij ligt tenminste niet vol zand.'

'Ik mis mijn moeders brownies', zei Marty.

'Ik mis mijn hond', zei Misty.

'Ik mis Tim en B.J., en ik vraag me af wat ze aan het doen zijn terwijl ik weg ben', zei Beth.

'Heb je gisteren geen post van ze gekregen?', vroeg Rachel.

'Een kaart. Maar ze hebben er niets op geschreven.'

'Komen ze zondag nog op bezoek?'

'Ik weet het niet. Ze hebben er niets over gezegd.'

'Ik wed dat ze komen. Vermoedelijk hebben ze je het niet verteld om je verrassen. Alle ouders komen 's zondags.'

'O ja?'

'Ja. Ze komen 's morgens, zodat ze mee kunnen naar de kerk. Dan lunchen ze met je, en ben je tot vijf uur vrij.'

'Mijn vader en moeder komen niet, omdat pappa op zakenreis moet en mijn moeder met hem meegaat', zei Ann. 'In plaats van hen komt mijn tante Faith.'

'Mijn moeder komt wel. Ze neemt mijn opa mee. En het is maar dat je het weet – mijn oma heeft een afro-kapsel', zei Marty.

'Ik dacht dat je oma blank was.'

'Is ze ook. Maar toch heeft ze een 'afro'. Om de twee maanden krijgt ze een permanent. Ziet er elke keer uit als een Afrikaanse.'

'Ik neem aan dat we tot zondag moeten wachten voordat we dat zien', onderbrak Anne haar vanaf haar benedenbed.

'Kom op, meiden, terug in je eigen bed. Het is al middernacht geweest. We moeten over zes en een half uur weer op.'

Binnen een paar minuten genoot iedereen op één na van zoete, zanderige dromen.

Beth lag op bed. Eerst op haar rug, daarna op haar zij. Ze trok haar knieën op tot haar borst, strekte ze dan weer.

Zondag zie ik Tim en B.J. weer. Ik kan hun het vogelhuisje geven dat ik aan het maken ben met handvaardigheid. Morgen moet ik het geschilderd zien te krijgen. Ik hoop dat er tijd genoeg is om te drogen. Zal ik hun schrijven om hun te zeggen dat ik weet dat ze komen of zal ik verbaasd doen wanneer ik hen in de kerk zie. Ik zal Ami vragen me met mijn haar te helpen. Ik hoop dat we dat nieuwe liedje gaan zingen dat ze ons gisteravond hebben geleerd. Tim zal het wel mooi vinden. Na de lunch zal ik B.J. meenemen om naar het paard te gaan kijken waarop ik gereden heb. Ik hoop dat we de hut nog gaan opruimen voordat alle ouders komen. Het is een troep hier …

Zondagmorgen. Beth werd wakker voordat de kampleider het reveil blies op zijn fluitje. Ze was haar bed al uit en onder de douche geweest voordat de voeten van iemand anders de korrelige vloer van de hut hadden geraakt.

Zelfs voor de zondagse kerkdienst was de kleding in het kamp nog nonchalant. Beth maakte zich druk of ze de gele Capri-broek aan moest die B.J. voor haar had gekocht, of het leuke blauwe rokje dat Anne haar had geleend. Ze koos voor Capri.

'Wil je dat ik je met je haar help?', vroeg Gloria. 'Ik kan het invlechten als je wilt.'

'O ja, dat zou geweldig zijn.'

'Ik heb een geel lint dat je wel kunt lenen.'

'Dank je wel.'

Aan het ontbijt zat Beth alleen maar wat in haar eten te prikken, zelfs al waren muffins met bosbessen haar lievelingseten.

'Geen honger?', vroeg Anne.

'Ben waarschijnlijk wat zenuwachtig voor vandaag. Hoe laat begint de kerk?'

'Om tien uur. Maar de meeste ouders komen al tegen negenen binnendruppelen.'

Het was kwart voor negen.

'Ik kan maar beter mijn tanden gaan poetsen', zei Beth.

'Je hebt nog tijd genoeg', riep Anne tegen Beths rug.

Om negen uur dreef Anne haar groep meisjes naar de openluchtkerk. 'Iedereen klaar? Laten we maar op pad gaan. Het kan geen kwaad te vroeg te zijn. We kunnen helpen met het klaarzetten van de banken.'

De meisjes van hut acht gingen op weg naar de kapel en begonnen verlangend uit te kijken of de auto van hun ouders de poort van het kamp al binnen kwam rijden.

De eersten die aankwamen, waren Rachels moeder en vader in een rode Suburban. Zodra haar vader geparkeerd had, rolde Rachels kleine broertje eruit en rende in volle vaart naar zijn zusje. 'Rach,' riep hij, 'ben je blij me te zien? Mamma heeft koekjes voor je gebakken.'

Rachel grijnsde en knuffelde hem.

Daarna kwamen de moeders van Lynn en Misty. Omdat de vaders van beide meisjes dominee waren, die op zondag geen vrij konden nemen, kwamen hun moeders samen.

Al gauw daarna kwamen Gloria's vader en moeder aan.

Daarna de moeder van Arty en haar oma, die inderdaad een afrokapsel had – nogal blauw.

Ami's tante Faith trok veel bekijks toen ze door het hek gereden kwam in een babyroze cabriolet met het dak open. 'Hoe gaat het met mijn lievelingsnicht?', riep ze al uit de verte. 'Heb je een fijne week gehad, liefje?'

Je kon aan Ami goed merken dat dat zo was.

Geen Tim en B.J.

Behalve zij moest alleen Shelly's moeder nog komen.

'Ik maak me geen zorgen. Ze is altijd te laat', lachte Shelly. Ze lachte nog steeds toen haar vader en moeder hun auto op een plaats vlak bij de ingang parkeerden.

Maar toen was het ook wel tijd om met de kerkdienst te beginnen.

Geen teken van B.J.

Geen teken van Tim.

Beth ging aan het eind van een bank zitten en hield wat ruimte over, zodat ze, wanneer ze aankwamen, niet naar haar zouden hoeven te zoeken of over de knieën van een stel mensen heen hoefden te kruipen. Misschien waren ze verdwaald. Of hadden ze autopech. Hadden ze vergeten hoe laat ze geacht werden te komen. Als ze nu eens niet wisten dat ze uitgenodigd waren?

Anne kwam naast Beth zitten. Ze greep haar hand toen ze gingen bidden.

'Ze zijn er niet', fluisterde Beth. 'Ik vraag me af wat er is gebeurd.'

Anne hield Beths zweterige hand de hele dienst door vast. Ze zat naast Beth tijdens de lunch. Ten slotte, toen ze klaar waren met eten, liep ze met Beth de heuvel op naar de hut.

'Ik ben een beetje moe', zei Beth. Ze kroop op haar bed.

'Ik vind het naar dat ze niet zijn gekomen', zei Anne.

'Het is wel goed.' Beth sloot haar ogen.

Anne stond een tijdje bij haar, streelde over Beths hoofd en streek haar haar uit haar gezicht.

Toen Anne dacht dat Beth in slaap was, rende ze naar Charlies kantoor. 'We moeten haar pleegouders bellen om te kijken of ze nog komen', zei Anne.

'Ik denk niet dat dat een goed idee is. Ze kunnen wel andere plannen hebben gehad. Het is alleen maar een suggestie van ons dat ouders 's zondags komen. Zeker geen regel.'

'Dat begrijp ik, maar haar hart is gebroken. En ze maakt zich zorgen. Ze verwacht hen. Ze zullen vast een goede reden hebben om niet te komen. Als ik daar maar achter kon komen. Ik weet dat ze zich dan beter zal voelen. Alsjeblieft.'

Charlie belde op.

Anne stond naar hem te kijken en wipte van de ene op de andere voet, terwijl ze aan haar paardenstaart draaide als een zenuwachtige vijfdeklasser.

Charlie bleef niet lang aan de lijn. Er was iets niet in orde.

'Wat is er? Een ongeluk? Is er iemand ziek? Iemand van de familie overleden?'

'Erger.' Hij bleef druk in de weer met het rechtleggen van wat papieren naast de telefoon. Ik weet niet hoe ik dit moet zeggen.'

'Wat? Vertel op.'

Beth gaat niet naar hun huis terug. Ze weet het nog niet, maar haar pleegouders hadden dit al lang van tevoren gepland. Ze willen haar niet terug. Vrijdag komt een maatschappelijk werkster haar halen om haar naar een ander huis te brengen.'

'Nee', zei Anne. 'Waarom dan?'

'Heb ik niet gevraagd, en degene met wie ik sprak – B.J. geloof ik dat ze heette – bood niet aan het te vertellen. Ze wilde er duidelijk niet met me over praten. Ze vroeg me niet meer te bellen en ook Beth niet te laten bellen. Ze zei steeds maar dat de maatschappelijk werkster voor alles zou zorgen en dat ik me maar met haar in verbinding moest stellen als ik nog vragen had. Hier heb ik haar naam en telefoonnummer.'

Hij hield het papier in zijn hand. Anne raakte het aan alsof ze er, door dat te doen, iets van zou kunnen begrijpen.

Kim Beeson, 982-3300.

Dat was het enige wat erop stond.

Hoofdstuk
7

'Hallo?'

'Dominee? Heb ik u wakker gemaakt?'

'Nee. Natuurlijk niet', jokte Jock Masters. Hoe had hij zich kunnen verslapen? Wat was er met de wekker aan de hand? Zonder zijn contactlenzen moest Jock zich voorover buigen tot vlak bij het klokje naast zijn bed om de verlichte cijfers te kunnen zien. 4:45. Hij sloeg de lakens terug en ging op de rand van het bed zitten. Nieuws zo vroeg in de ochtend kon nooit goed zijn.

'Ik ben bang dat we een probleempje hebben.' Het was Chilly Reed. 'Ik had net Gabe aan de lijn. Hij heeft deze maand elke zaterdagnacht dienst. Een uur geleden kreeg hij een telefoontje vanuit het huis naast de school. Gelukkig was het vals alarm. Een groepje middelbare scholieren probeerde een of andere poets te bakken. U kent dat wel.'

Dominee Jock probeerde ongemerkt zijn neus te snuiten.

'Dominee,' zei Chilly, 'al sinds die koudegolf in het begin van de maand hebben de dames het erover dat de lokalen van de zondagsschool niet genoeg worden verwarmd.'

Jock krabde op zijn hoofd. Chilly was geneigd wat omhaal van woorden te gebruiken. 'Ja, ik heb gehoord dat ze bezorgd waren.' Zijn ochtendjas hing buiten het bereik van de telefoon en hij rilde in zijn korte broek. 'Ik heb erover gedacht een tijdschakelaar aan te schaffen om de verwarming op tijd te laten aanslaan.

'Denk je ze bij Radio Shack zoiets verkopen?'

'Ik neem aan van wel.'

'Nou ja, dominee, Gabe had blijkbaar hetzelfde idee als u. Niet helemaal precies hetzelfde. Ik denk niet dat hij iets wist van tijdklokken bij Radio Shack. Wat ik bedoel, is de kou in de kerk. Hij vertelde me dat hij, omdat hij toch in de buurt was vanmorgen, even bij de kerk was gestopt om de verwarming een beetje vroeg aan te kunnen zetten. Om het gebouw wat extra tijd te geven op te warmen.'

'Goed idee', zei Jock. Waarom belde Chilly hem voor vijven met dit nieuws?

'Hoe het ook zij, toen hij naar binnen stapte, werd hij nat tot aan zijn enkels.' Chilly pauzeerde. 'Ik vind het vervelend om het u te moeten vertellen, maar de kerkzaal staat onder water'.

'Niet weer', steunde dominee Jock.

'Nog erger dan de vorige keer. Ik heb de waterstofzuiger van mijn winkel al in de vrachtwagen gezet.'

'Heb je de diakenen gebeld?'

'Ze zijn allemaal onderweg. Behalve Catfish. Die ligt met jicht op bed. De dokter heeft hem gezegd dat hij niet mocht lopen en moest stoppen met zo veel vette maaltijden te eten bij 'De Klok Rond'. Ik vermoed dat Kerilynn wat minder vet moet gaan koken.'

'Het spijt me dat te horen.'

'Het is niet zo erg. Mijn vrouw zit sinds kort bij de Weight Watchers. Bij sommige recepten kun je het nauwelijks merken.'

'Ik bedoel dat Catfish jicht heeft.' Dominee Jock probeerde een geeuw te onderdrukken. 'Zodra ik aangekleed ben, kom ik naar de kerk.' Hij hing de telefoon op. Dan – net als aan het begin van elke morgen – knielde Jock naast zijn bed neer.

'Heer, gebruik me vandaag. Help me om sterk van zin en geest te zijn. Ik vraag om wijsheid om deze kerk die U aan mijn zorg hebt toevertrouwd, te leiden. Geef me alstublieft het hart van een dienaar. Amen.'

Hij trok zijn spijkerbroek aan en begon zijn sleutels te zoeken. Het was tijd voor de dienaar om de dweil te gaan pakken.

'Doopbassin?'

'Ik weet het niet. Zou kunnen. Maar het zou ook een overgestroomd toilet kunnen zijn.' Gewapend met zaklantaarns waren Gabe Eden en dokter Lee Ross aan het proberen de oorzaak van de overstroming te achterhalen. 'Ik weet het nog niet. Is de hoofdkraan dicht?'

'Ik zie geen enkele kapotte pijp', zei Ben Jackson.

'Het is tenminste schoon water.'

'Het doopbassin zit nog vol.'

Binnen twee uur hadden de mannen zoveel water weggezogen als ze konden. Ze pakten het vloerkleed op, legden dat over stoelen in de kleuterruimte en zetten de industriële ventilatoren aan die Chilly van de naaifabriek aan het eind van de straat had geleend.

'Denken jullie dat het tapijt kan worden teruggelegd?', vroeg Gabe.

'Dat weten we niet voordat het is opgedroogd', zei Ben.

'Dat spul is gevoelig voor schimmel', zei Chilly. 'Kan ook krimpen.'

'Van het verzekeringsgeld zouden we deze keer misschien een nieuw kunnen kopen', zei dominee Jock.

De mannen stonden in de hal en overzagen de troep in het heiligdom.

'Wat doen we met de morgendienst?', vroeg Ben.

'Die kunnen we niet hier houden', zei Gabe.

'Dominee?'

Hij was daar het laatste half uur al over aan het denken en bidden geweest. Het was te koud om de dienst buiten te houden. De baptisten van de Vriendschapskerk zouden graag helpen, maar zelfs op een gewone zondag barstte hun kleine ruimte al bijna uit zijn voegen. Zij hadden de hele vorige week opwekkingsdiensten gehouden, en naar verluidt waren die een kolossaal succes geweest. Veel mensen die in oude fouten waren vervallen, hadden hun leven weer toegewijd aan de Heer. Met al die extra belangstelling zou het in de 'Vriendschap' al zo vol zijn dat ze waarschijnlijk klapstoelen in de zijbeuken moesten neerzetten voor hun gewone leden.

'We zouden misschien een keer kunnen overslaan', zei Chilly.

'Zouden we kunnen doen', geeuwde Gabe.

'Hoe lang zijn jullie al op?', vroeg Chilly.

'Vanaf twee uur.'

Dominee Jock zag zich nog geen kerkdienst afblazen vanwege een lekkage. De Heer zou daar vast niet blij mee zijn. 'Mannen, kom op. Christenen over de hele wereld komen elke zondag bij elkaar voor de eredienst. Om te bidden. Op heel veel plaatsen hebben ze niet eens een gebouw. Ben, zouden we niet in de school bij elkaar kunnen komen?'

'Normaal gesproken zou ik ja zeggen, maar de onderhoudsploeg is gisteren de hele dag bezig geweest om een nieuw soort lak op de vloer aan te brengen. De verkoper zei dat we er minstens vierentwintig uur niet op mochten lopen om het goed in te laten trekken.'

'Ik ken niemand die een huis heeft dat groot genoeg is om onze club te herbergen', zei dokter Ross.

'Met z'n hoevelen zijn we meestal op zondagmorgen? Tegen de negentig?', vroeg Ben.

'Vijfenzestig in de zondagsschool, achtentachtig in de dienst vorige week.'

'Kan in het centrum geen andere plaats bedenken', zei Chilly.

'Zoals ik al zei, we kunnen misschien ...'

'Wat denken jullie van de rolschaatsbaan?', onderbrak Jock hen. Die was het eigendom van de stad.

'Dat is een idee', zei Chilly.

'En een goed idee ook', zei dokter Ross.

'Groot genoeg', zei Ben.

'Genoeg zitplaatsen', zei Gabe. Ze hebben daar allemaal klapstoelen om de baan heen staan.'

'En er zijn ook nog stoelen en tafeltjes in de snackbar, niet te vergeten.'

'Laten we dat maar doen.' Ben keek op zijn horloge. 'Kerilynn zal nu wel wakker zijn. Ik ga naar haar toe voor de sleutel.'

'Dan zie ik je daar wel. Het zal ons niet zo veel tijd kosten om de zaken daar klaar te zetten', zei Chilly.

'We kunnen maar beter een bordje op alle deuren hangen, zodat de mensen weten dat we niet hier kerken', zei Gabe.

'Daar zal ik voor zorgen', zei Ben. 'Hebben we plakband?'

'Dominee, gaat u maar terug naar huis. Wij redden het nu wel', baste dokter Ross.

'Weet u het zeker?' Jock was dankbaar voor het aanbod. Hij moest een douche nemen en nog even een paar minuten naar zijn preek kijken.

'Ga maar. Tot over ...' – dokter Ross keek op zijn horloge – 'anderhalf uur.'

'Wacht even, dominee. Ik moet u nog iets vragen', riep Chilly hem na.

'Wat dan?'

Hij knipoogde. 'Denkt u dat we nu 'gelovigen op wieltjes' genoemd kunnen worden?'

De andere diakenen grinnikten.

Charlotte werd wakker van het doordringende geluid van een rookalarm. Sneeuwbal en Visa sprongen van Charlottes warme bed. Geschrokken van het ongewone geluid holden de katten de kast in en verstopten zich achter Charlottes schoenen. Ze rook rook. Wat kon dat zijn? Slechte bedrading? Iets op het fornuis? Ze stommelde eerst naar de keuken, bedacht zich toen met een schok.

De tweeling!

Ontruimen. Om hulp roepen. Brand blussen. Dat stond in de veiligheidsinstructies van de brandverzekering. Of was het blussen, ontruimen en dan om hulp roepen. En waar had ze de brandblusser ook al weer gezet? De wc in de hal? Onder de gootsteen?

Charlotte herinnerde zich dat ze beide plaatsen had overwogen. Nu moest ze zoeken. Wat werd je geacht te doen? Moest je de pin nu uittrekken of dat andere kleine dingetje induwen? Het had zo duidelijk geleken indertijd. Waarom had ze niet beter opgelet?

Charlotte vloog de trap op, met twee, drie treden tegelijk. Haal adem. Blijf kalm. Geen paniek. Ging vuur niet altijd eerst naar boven?

'Nikki, Vikki!', riep ze. 'Wakker worden. Vlug. Opschieten. We moeten naar buiten.' Ze stormde hun kamer binnen. Beide bedden waren leeg. Ze rende de hal door naar de badkamer. Daar waren ze ook niet.

Het brandalarm hield op. Begon daarna opnieuw. Stopte vervolgens weer.

Boven aan de trap stond Charlotte stil om op adem te komen. De meisjes moesten het alarm hebben gehoord en waren zelf naar buiten gegaan. Wat een slimme meiden. Ze durfde te wedden dat ze dat op school hadden geleerd. Als ze nu maar de brandblusser kon vinden. Aangezien het alarm was opgehouden, was het misschien niet zo erg, alles bij elkaar.

Charlotte ging de trap af naar de keuken. Ze nam de hoek van de hal zo scherp dat haar voeten onder haar weggleden en ze bijna viel.

'Hoe heet u ook alweer? Ik ben het vergeten', klonk Nikki's stem nuchter van ergens boven haar.

Charlotte keek op.

In een nachtpon en een paar sokken die erbij vloekten, stond het meisje boven op een keukenstoel en sloeg kalmpjes met een afwasborstel tegen de rookdetector, telkens wanneer het alarm afging.

'Wat ben je aan het doen?' De rook in de keuken maakte Charlotte aan het hoesten.

'Brood aan het roosteren.'

Charlotte draaide zich om en zag Vikki staan.

'Ze werden een beetje te bruin', zei ze met een net zo kalme stem als haar zusje.

'Dat merk ik.' Wat een opluchting. Er was geen brand. Alleen rook. En op het aanrecht in de keuken brood, boter, een mes en drie borden. Om het maar niet te hebben over de geroosterde boterham die aan het eind van Vikki's vork geprikt zat, zwart en omgekruld. Charlotte deed de afzuigkap aan en zette de achterdeur op een kier.

'Zijn jullie al lang op, meiden?' Ze dwong zich haar stem net zo nonchalant te laten klinken.

'Niet zo lang. Heb je ook jam?'

'Jazeker. Maken jullie meestal je eigen ontbijt klaar?'

'Alleen de toast.'

'Wat vinden jullie van wat pannenkoeken in plaats daarvan?', zei Charlotte.

'Ik heb nog nooit pannekoeken gebakken. Ik kan wel een ei klaarmaken. Op alle manieren behalve gebakken'.

'Zij maakt het eigeel altijd kapot.'

'Maar ik kan roerei maken. Is dat goed?', vroeg Vikki met het verkoolde brood nog steeds in haar hand.

Charlotte slikte. 'Nee. Ja. Wat ik bedoel, is dat roerei heerlijk is. Maar wat vind je ervan als ik ontbijt voor jullie maak?'

Nikki en Vikki keken elkaar aan en haalden hun schouders op. 'Nou en of.'

'Dat klinkt goed,' zei Nikki.

'Beter dan verbrande toast', zei Vikki. 'Dat is zeker.'

De kerk staat blank.
De dienst wordt gehouden
op de Buffalo Gedachtenis Rolschaatsbaan
op de gebruikelijke tijd.
Komt allen. Iedereen is welkom.

Alice Buck, met haar Bijbel in de hand en haar leesbril in haar tas, stond op de stoep en las hardop wat er op het briefje stond. 'Rolschaatsbaan? Kerk houden op de rolschaatsbaan? Dat kan niet kloppen.'

'Maar het staat er wel', zei Nomie Jenkins.

Zij tweeën, zondagschooljuffen, met samen meer dan vijfendertig jaar ervaring, hoorden bij de eersten die aankwamen en ontdekten dat de deuren van de 'Verlichte Weg' stijf dicht zaten.

'Overstroomd?'

'Toch niet opnieuw?'

'Moet het doopbassin zijn'.

'Als we net als de methodisten water zouden sprenkelen in plaats van onder te dompelen zoals de baptisten, zouden we deze problemen niet steeds hebben.

'Nomie!'

'Nou, het is toch zo. De waterrekening zou ook niet zo hoog zijn. Bovendien is het een wonder dat er nog niemand longontsteking heeft gekregen en is doodgegaan door de kerk met een nat hoofd te verlaten.'

'Ze zouden dan tenminste gered zijn doodgegaan', zei Alice. 'Kom op. Jij en ik kunnen maar beter daarnaartoe gaan om te kijken wat die diakenen ervan hebben gebakken. Wedden dat ze hulp nodig hebben.'

Nog drie auto's reden de parkeerplaats op terwijl zij wegreden. Alice beduidde de chauffeurs hun ramen naar beneden te doen. 'We kerken niet hier. De boel staat blank. We hebben de dienst moeten verplaatsen naar de schaatsbaan', legde ze uit. 'Dat staat op het briefje op de deur.'

Alice en Nomie zagen auto na auto omkeren en precies de andere kant opgaan dan naar de schaatsbaan. 'Ik denk dat sommige mensen een overstroming als een teken van God beschouwen dat ze moeten omkeren en naar huis terug moeten gaan', zei Alice.

Met z'n tweeën voegden ze zich in de rij van het trouwe en nieuwsgierige deel van de kerkleden van 'Verlichte Weg' dat drie huizenblokken verder reed om te kijken hoe een dienst in de schaatsbaan uit zou vallen.

De diakenen hadden het voorbereidende werk goed gedaan. Het gebouw was lekker warm. De stoelen stond op hun plaats.

'Kijk daar eens', zei Nomie.

De discobal draaide almaar rond en wierp psychedelische schaduwen over de schaars verlichte baan.

'Ik heb alle schakelaars geprobeerd. Kan het ding niet uit krijgen', legde Ben Jackson uit. 'Zal wel op een of andere manier gecombineerd zitten met de verlichting.'

'Het leidt wel een beetje af.'

'De tieners zullen het fantastisch vinden.'

'Heeft dominee nog om een speciaal openingslied gevraagd?'

'Het ruwhouten kruis.'

'Misschien zou hij het kunnen veranderen in 'Zend het licht'.'

Alice en Nomie gingen vlak vooraan zitten.

Dominee Jock vroeg zich af hoe deze dag uit zou pakken.

Tegen tien uur stonden er op de parkeerplaats van de rolschaatsbaan meer dan tien auto's van leden van de 'Verlichte Weg'. De diakenen Ben Jackson en dokter Lee Ross stonden aan de deur om iedereen welkom te heten die binnenkwam. De mensen wandelden naar binnen en knipperden met hun ogen vanwege het contrast tussen het heldere zonlicht buiten en de flauw verlichte baan.

'Deze kant op. Kom meteen maar hierheen.' Burgemeester Kerilynn stond te wachten bij de ingang van de houten vloer van de baan.

'Sorry. Jullie moeten je schoenen uittrekken, behalve als je rubber zolen hebt. We kunnen de vloer niet laten ruïneren, zelfs niet voor een kerkdienst. Ga maar naar binnen. Vooruit nou. Doe ze maar uit. U kunt ze hier wel laten staan. Dan hoeft niemand zich zorgen te maken over de geur van zijn voeten. Tenminste zo zou het moeten zijn.'

'Bedoel je dat het hier heilige grond is?', plaagde Lester Collins. Hij worstelde met zijn laarzen.

Dominee Jock grinnikte.

Kerilynn keek naar de deur. 'Daar komt Charlotte Carter aan. Heeft ze de kleine meid bij zich?'

'Het lijkt er wel op.'

'Ik ben zo benieuwd hoe ze eruitziet.'

'Dag dames', verwelkomde dominee Jock hen. 'Charlotte, ik zie dat je een paar gasten hebt meegebracht.'

'We zijn geen gasten.'

'We zijn zusjes.'

'Dat kan ik wel zien.'

'Wanneer gaan we schaatsen?'

'Dominee Jock, dit is Nikki, en dit is Vikki.'

'Twee meisjes? Ik dacht ...'

'Ik ook', glimlachte Charlotte. 'Een grote verrassing. Twee voor de prijs van één.'

Ze ging Nikki en Vikki voor naar een drietal drie lege stoelen achterin.

'Meisjes, laten we hier maar gaan zitten.'

Dominee Jock bleef wat praten. Mensen zochten zich een weg naar binnen. Ten slotte, maar vijftien minuten later dan normaal, begon de dienst.

De locatie leidde iedereen af, en was vooral voor vaders en moeders een beproeving. Dominee Jock hoorde meer dan eens ouders fluisterend uitleggen waarom hun kinderen niet konden gaan rolschaatsen. Wat de disco bal betreft, zelfs hij vond het moeilijk niet naar het ronddraaiende geval te kijken. De opvallende professioneel beletterde borden waarmee vaste klanten werden gewaarschuwd zich te onthouden van de drie ondeugden duwen, vloeken en spugen, hadden niet echt betrekking op deze dag des Heren.

U kent ons hart, Heer. Help ons op onze weg.

Ben ging de groep voor bij het zingen van de eerste coupletten van de liederen die bijna iedereen kende. Daarna werd er gebeden en stond dominee Jock op om te preken.

Hij was al meer dan halverwege de preek toen het schrapende geluid van de zware buitendeur hem onderbrak. Hij werd een stukje opengedaan, dan weer dicht, vervolgens wijd opengeduwd, waarbij een heldere lichtbundel naar binnen viel en een zoetgevooisde vrouwenstem klonk.

Alle kerkgangers draaiden zich om om te kijken.

Eenmaal binnen veegde de vrouw, gekleed in een extra grote

maat zonnejurk van een met aardbeien bdrukte stof, haar voeten op de rubber mat.

'Lieve deugd', zei ze, duidelijk perplex. 'Ik dacht dat ik te vroeg was.' Ze blikte rond. 'Dit had ik niet verwacht.'

Ze nam de groep op: voornamelijk blanke mensen. 'Jullie moeten allemaal van de andere tak van de familie zijn. Leuk jullie te ontmoeten.'

Ze had een groene Tupperware-schaal met deksel in de ene hand en twee op elkaar gestapelde, in aluminiumfolie verpakte schalen in de andere. Binnen een paar seconden zweefden de geuren van zelfgemaakt eten over de gemeente heen, waardoor een paar magen begonnen te knorren, en een paar hongerige baby's begonnen te huilen. Het was tenslotte al tien voor twaalf.

'Kan ik u helpen?' Dominee Jock bleef in zijn Bijbel aanwijzen waar hij gebleven was.

'Dank u. Ik kan inderdaad wel wat hulp gebruiken met het naar binnen dragen van alle spullen. Ik heb de achterbak van mijn minibus helemaal volgeladen. Het is een heel eind vanaf Oklahoma. Liefje, waar wil je dat ik dit eten neerzet? Ik heb een groene salade in deze kom. Perzikcocktail in de ene schaal en saliedressing in de andere.'

'Diakenen?', zei dominee Jock.

Ze sprongen op om haar te helpen, terwijl de rest van de gemeente bleef staren.

'Dat stel ik erg op prijs. Ik heb het gevoel dat mijn armen ze op het punt staan eraf te vallen.'

Plotseling ging Kerilynn een lichtje op. Ze stond op. Met een gezicht als een boei. 'Erewoord. Dat ik dat vergeten ben. Dominee, vandaag is het de dag van de familiereünie van de Evans. Ze hebben de baan ruim drie maanden geleden gereserveerd. Ze mogen de plek van half een tot laat in de avond te gebruiken. Er komen mensen overal vandaan hierheen.'

De vrouw met het eten keek verbaasd. 'Bedoelt u dat jullie van geen enkele kant zijn? Maar wie zijn jullie dan?'

Dominee Jock verliet zijn plaats en stak zijn hand uit. 'Welkom. Ik ben Jock Masters, predikant van de 'Verlichte Weg'-kerk.'

'Treasure Evans. Bedoelt u dat jullie hier een *kerkdienst* houden? *Hier?*'

'Alleen vandaag. Ons gebouw staat blank, en we moesten een plek vinden om samen te komen.'

'Dominee, het spijt me. Ik wist niet dat ik in het huis van de Heer was. Ik heb herrie geschopt. Neem me niet kwalijk. Gaat u door. Dit eten kan wel wachten, beste mensen, totdat jullie klaar zijn met datgene waarvoor jullie gekomen zijn.' Treasure ging zitten. 'Ga door. Let maar niet op mij.' Ze vouwde haar handen op haar schoot. Leunde achterover en sloot haar ogen. 'Dank U, Jezus', zei ze.

Dominee Jock keek naar zijn afgeleide, hongerige kudde en besloot mevrouw Evans' voorbeeld te volgen. 'Vrienden, laten we ons hoofd buigen om te bidden.'

Spoedig had het laatste amen geklonken en maakten de leden van de 'Verlichte Weg' zich klaar om te vertrekken.

'Leuk u te ontmoeten.' Ze schudden de hand van de vrouw.

'Ik hoop dat u en uw familie een fijne dag hebben.'

'Mevrouw Evans, excuses voor de verwarring', zei dominee Jock. 'Ik ben blij dat u er begrip voor heeft.'

'Het was allemaal mijn schuld', zei burgemeester Kerilynn.

'Maak u er alstublieft niet druk om', zei Treasure. Ik hoop dat jullie de kerk weer op orde krijgen voor volgende week zondag. Ik zal voor jullie bidden.'

Aan de andere kant van de ruimte probeerde Charlotte de deur uit te gaan. Iedereen wilde kennismaken met de tweeling, dus het ging langzaam. Zij was net bij de uitgang, toen Treasure Evans haar in het vizier kreeg en verstarde.

'Heer, ik kan mijn ogen niet geloven. Liefje, zeg eens, ben je dat meisje van Ruby Pratter?'

Nikki en Vikki waren zonder Charlotte de deur uit gegaan; die stond van verbazing als aan de grond genageld. 'Wat zegt u?'

Treasure nam Charlottes handen in de hare. Ze bestudeerde haar gezicht en zei hoopvol: 'Ruby Pratter was onze buurvrouw toen mijn vader en ik in Durant woonden, jaren geleden. Je lijkt precies op haar. Ben je familie van haar?'

'Zij was mijn grootmoeder.'

Toen Charlotte dit gezegd had, sloot Treasure haar met een enorme omhelzing in haar armen, ging daarna met een plof zitten en begon te huilen.

Hoofdstuk
8

'Kalkoen of tonijn?' vroeg Kerilynn. Een hele week werken bij 'De Klok Rond' had haar niet bepaald in de stemming gebracht om uitgebreid te koken. Ze was niet van plan meer dan het gebruikelijke zondagsmaal klaar te maken, een opgewarmd blik kippensoep of een makkelijk in elkaar gedraaide sandwich. Niet voor haarzelf, maar zeker ook niet om de honger van haar tweelingbroer Catfish te stillen – zelfs al was hij met jicht uit zijn bed gekomen.

'Ham en Zwitserse kaas. Met sandwichspread. Wat gesneden uien erbij. Maar geen sla', zei Catfish, die zijn pijnlijk gezwollen voeten omhoog hield.

'Geen ham, te vet.'

'Oké, kalkoen dan, maar wel wit brood.'

'Zijn jullie een tweeling?' had Charlotte aan Kerilynn gevraagd toen ze hen beiden net had leren kennen.

'Jazeker. Mensen die ons niet kennen, kunnen het nauwelijks geloven', had Kerilynn gezegd. 'Vanaf dat we kleine kinderen waren, zijn we al zo verschillend geweest. We kunnen meestal goed met elkaar opschieten – als we maar niet langer dan een paar uur achtereen bij elkaar zijn. Duurt het iets langer, dan beginnen we op elkaars zenuwen te werken.'

Charlotte had niet grof willen zijn. 'Ik weet zeker dat hij een aardige man is. Alleen een beetje mopperig, wilde ik alleen maar zeggen.'

'Schat, je hoeft bij mij niet op je woorden te passen. Ik ken mijn broer. Wat voor dag het ook is, zodra Catfish wakker wordt, is hij gespitst op wat er maar fout kan gaan. Het geval wil alleen dat hij er zo goed in slaagt problemen te vinden dat hij er altijd wel een tegenkomt. Begrijp me niet verkeerd: we houden van elkaar. Ik denk dat we, als de nood aan de man komt, alle twee als een leeuw voor de ander zouden vechten.'

'Wonen jullie dicht bij elkaar?', vroeg Charlotte.

'Naast elkaar. In hetzelfde jaar waarin ik mijn man verloor, verloor Catfish zijn vrouw. Dat is nu tien jaar geleden. Omdat we allebei zo plotseling alleen kwamen te staan, zijn we tegelijk verhuisd en hebben we samen twee huizen onder een kap gekocht. Je hebt ze vast wel gezien: rode baksteen, even voorbij de school. Hij woont aan de ene kant, ik aan de andere. Ik blijf druk bezig in het café, hij is in de weer met zijn videowinkel en zijn hengelsportzaak. Soms zien we elkaar amper. Het gaat best goed.'

Dat kon Charlotte wel merken.

'Nou, je hebt wel een goede dag uitgezocht om geen dienst te hebben.' Kerilynn zette het kartonnen bord voor Catfish neer op de televisietafel naast zijn stoel.

'De diakenen waren al voor dag en dauw bezig om die vreselijke bende in de kerk op te ruimen.'

'Dat komt doordat het gebouw op instorten staat. Het loodgieterswerk is al vanaf het begin niet in orde. En het dak is ook slecht', zei Catfish. 'Het zal ons een smak geld kosten om alles te fiksen wat kapot is.' Hij veegde zijn mond af en nam een slok ijsthee. 'Er zit hier iets bij wat niet goed smaakt. Weet je wel zeker dat de kalkoen niet bedorven is?'

'Het is magere wonderslagroom.'

'Had ik kunnen weten. Dat spul heeft een bijsmaakje.' Hij nam nog een hap. 'Ik verwacht dat dominee ons binnenkort ook wel eeen keer zal laten schrikken door om salarisverhoging te vragen.'

'Wanneer heeft hij er voor het laatst eentje gehad – twee jaar geleden?'

'Het geld van de Heer groeit niet aan de bomen.'

'Aardig wat mensen vandaag', stuurde Kerilynn het gesprek in een andere richting.

'De kerkdienst naar de rolschaatsbaan verplaatsen …Wie kwam er op dat idee?'

'Dominee, denk ik. Pakte goed uit.'

'Nog gasten?'

'Nee. Maar Charlotte Carter was er. Je weet wel – die vrouw die van Tanglewood een tehuis voor meisjes gaat maken.'

'Ik weet heus nog wel wie zij is', gromde Catfish.

'Ze had twee van de leukste kleine meisjes bij zich die je ooit gezien hebt. Een tweeling. Lijken sprekend op elkaar. Als twee druppels water. Verdorie, dat ik hun namen niet kan onthouden. Ik geloof dat ze Brenda en Linda heten. Misschien ook wel Annie en Nannie. Hoe dan ook, ze zei dat ze deze week nog een meisje verwacht. Waarschijnlijk heeft ze het huis tegen Thanksgiving vol.'

Catfish liet het voeteneind van zijn luie stoel zakken, en dat plofte naar beneden.

'Lieve deugd, Kerilynn, ik begrijp niet waarom jij denkt dat dit een goede zaak is. Ik weet wel, iedereen zegt maar dat ze voor weeskinderen zorgt. Begrijp me niet verkeerd, dat is allemaal prima.' Hij leunde voorover, zette zijn ellebogen op zijn knieën en begon met het lemmet van zijn mes de nagels van zijn vingers schoon te maken. 'Ik zeg alleen maar dat we eerst maar eens voor onszelf moeten zorgen. Er zijn genoeg arme kinderen hier in Ruby Prairie die wat hulp kunnen gebruiken. Kinderen van wie de mamma's en pappa's hardwerkende burgers zijn, die belasting betalen. Ik heb niets tegen wat die vrouw doet, maar het steekt me wel dat heel veel van onze eigen kinderen het zonder hulp moeten doen.'

'Ik voel me geroerd', zei Kerilynn. 'Catfish, ik denk dat je oude hart plotseling zacht aan het worden is. Je bezorgdheid heeft me tot tranen toe bewogen. Maar nu ik zie hoe bezorgd je plotseling bent voor de kinderen van Ruby Prairie, zal ik je een handje helpen. Je kunt vandaag nog een cheque uitschrijven voor de Culturele Vrouwenclub. Ik weet toevallig dat we dit jaar geld tekortkomen. De actie voor schoolbenodigdheden en het studiebeurzenfonds hebben allebei hard geld nodig.'

Catfish gromde: 'Daar heb je het al. Je draait de hele zaak om, Kerilynn. Ik heb nog nooit een vrouw gezien die zo makkelijk in de war raakt.'

Ze pakte haar broers chequeboek van het bureau dat vlakbij stond en legde het met een klap op zijn knieën. 'Je geld in plaats van je praatjes, oude baas. Tweehonderd. Geen stuiver minder.'

Met eigen wapens verslagen haalde Catfish een pen tevoorschijn en deed, nijdig, precies wat hem gezegd was.

'Die twee zien er precies hetzelfde uit. Het kost je aardig wat moeite ze uit elkaar te houden', zei Treasure Evans. Op Charlottes uitnodiging was Treasure op de terugweg na de reünie langsgekomen.

'Vikki heeft een spuuglok aan de linkerkant', zei Charlotte.

'Dat is tenminste iets.'

Na de kerkdienst in de rolschaatsbaan, hadden Nikki en Vikki, hun buik vol van de lunch, andere kleren aangetrokken en waren ze ontsnapt naar de beschaduwde tuin. Ze hadden de hele middag buiten gespeeld, geschommeld op de van een autoband gemaakte schommel en het prieel verkend.

Sneeuwbal en Visa, nieuwsgierig en blij met het gezelschap, hoewel nog steeds een beetje schrikkerig, hielden de meisjes in het oog en zichzelf net buiten hun bereik. De katten zaten elkaar achterna en hielden heftige schijngevechten. Zo nu en dan klauwde een van hen naar een denkbeeldige muis.

In de herfstlucht klonken de meisjesstemmen helder en levendig. Door het licht van de late middagzon leken ze van een afstand net op ondeugende, schaars geklede elfjes, hun magere bruine armen en benen bloot, hun wapperende paardenstaarten glanzend door de glimpjes licht.

'Laten we teruggaan naar de geheime plek', riep een van hen, en ze holden de tuin door naar het met druivenranken begroeide prieel.

Charlotte was meteen verliefd geworden op het gedeeltelijk verborgen groene hoekje, nog voordat ze besloot het huis te kopen. Het was de volmaakte plaats voor de meisjes om naar toe te gaan wanneer ze alleen wilden zijn of zich wilden verstoppen. Ook haarzelf zou het als gezellig toevluchtsoord kunnen dienen, als ze dat ooit nodig zou hebben. Om de sfeer van de beschutte ruimte te verhogen had ze in de schaduw twee smeedijzeren stoelen neergezet en een rond tafeltje, op de kop getikt bij een huisverkoop. Aan de ene kant had ze aan een metalen frame een hangmat opgehangen, met franje versierd en een kussentje erin. Vroege herfstbloemen bloeiden in de borders eromheen, en een windgong die aan een dichtbebladerde boomtak hing, tinkelde in de wind.

'Je oma Ruby zou zo trots op je zijn', zei Treasure, terwijl ze naar Charlottes tevreden glimlach keek. 'En wat lijk je op haar. Dezelfde ogen. Dezelfde neus. Zij had net zo'n lichte huid en datzelfde kuiltje links als jij. Je hebt ook haar bouw, slank in de heupen, sterke schouders. En als ik zie wat je hier allemaal aan het doen bent, heb je ook dezelfde instelling als zij.'

Charlotte schommelde heen en weer en luisterde.

'Wat hield die vrouw veel van kinderen. Het maakte je oma niet uit of ze blank waren, zoals zijzelf, of zwart zoals ik. Er waren daar toen geen Mexicanen in de buurt, maar anders zou ze ook voor hen goed zijn geweest. In de tijd dat ik haar leerde kennen, was ze een jonge bruid. Twintig jaar. Ze had niets te makken, maar dat belette haar niet de helft van de kinderen uit de buurt, die er slechter aan toe was dan zij, eten te geven en hen aan kleren te helpen.'

Charlotte nam een slok ijsthee.

'Ik zal haar nooit vergeten', zei Treasure. Ze veegde haar ogen af met een zakdoekje dat ze uit het lijfje van haar jurk tevoorschijn trok. 'Ik woonde met mijn vader een eindje van haar huis vandaan. Mijn moeder stierf toen ik vijf was, en op mijn pa kon je niet rekenen. Hij dronk dag en nacht. Wist niet wat hij met me aan moest, en liet me dus alleen.'

'Dat moet moeilijk geweest zijn.' Charlotte stopte met schommelen.

'Dat was het ook. Ik kreeg niet fatsoenlijk te eten en nooit fatsoenlijke kleren. Dat was al erg, maar het ergste was zo eenzaam te zijn. Mijn vader praatte niet met me. Ik bedoel dat er dagen voorbijgingen waarop hij echt geen woord zei. Jouw oma praatte wel. Bijna elke dag ging ik naar haar toe. Ik was geen mooi kind, ik zag er niet knap uit en ik was smerig, maar ze deed altijd alsof ze blij was me zien. 'Treasure,' zei ze dan, 'kom erin. Ga je handen wassen en kom aan tafel zitten. Lust je een plakje cake en een glas zoete melk?'

'Ze maakte de beste cakes van de hele wereld', zei Charlotte. 'Kokosnoot met citroenvulling en een chocoladecake die ze maakte met cacao en hete koffie, die vond ik het lekkerst.'

'Ik hield het meest van haar kruidcake met bruine suikerglazuur', zei Treasure.

'Die was ook heerlijk, ja. Weet je, ik heb al haar recepten, maar mijn baksels zijn nooit zo lekker geworden als die van haar.'

'Je oma bakte met boter en liefde', gniffelde Treasure.

'Ze zei altijd dat het geheim van haar baksucces het Gouden Medaille-meel was, maar ik weet wel beter.'

'Hoe lang heb je haar gekend?', vroeg Charlotte.

'Van toen ik vijf was tot ik trouwde, op mijn vijftiende. Ik ben verhuisd, en ik heb haar daarna nog maar een paar keer gezien. Tien jaar in totaal, schat ik. Maar ik ben haar nooit vergeten. Daarom trof het me zo toen ik jou vandaag zag. Het kwam allemaal terug. Toen ik jouw gezicht zag, dat zo op het hare leek, en jou die kleine meisjes zag verzorgen, voelde ik me weer helemaal dat kleine eenzame meisje van vijf. Sommige dingen raak je nooit kwijt.'

'Oma is pas vorig jaar gestorven.'

'Gecondoleerd. Dat ze in vrede moge rusten. Ze was aardig oud, niet?'

'Ze was vierentachtig toen ze stierf.'

'Een goed en lang leven.'

'Van het geld van oma Ruby heb ik dit huis gekocht.'

'Nee maar, zeg.'

'Opa was in goede doen.'

'Die man heeft hard gewerkt.'

'Nou eigenlijk niet. Hij had een slecht hart en kon nooit zo veel doen. Wat hij wel deed, was aandelen kopen van Lay's chips. Toen ze net werden uitgegeven. Hij is al meer dan twintig jaar geleden overleden. Mijn moeder en vader kwamen om bij een auto-ongeluk tijdens mijn eerste jaar op de universiteit. Ik had geen broers en zusjes, alleen oma. Toen zij stierf, was ik als enige van de familie overgebleven. Zij heeft alles wat ze bezat, aan mij nagelaten.'

'De Heer kan uit iets slechts iets goeds laten voortkomen. Wat een zegen. Ik weet dat je oma fijn zou vinden wat je ermee gedaan hebt.'

'Ik hoop het. Ik denk het ook wel ... op één ding na.'

'Wat dan?'

'De kleur van het huis. Ze hield niet van roze.'

Treasure lachte. 'Ik denk dat je ook iets van jezelf in deze plek hebt gestopt.'

'Waar woon je nu?', vroeg Charlotte.

'Edmon. Pal benoorden Oklahoma.'

'Ik ken de stad. Mijn man en ik hebben westelijk ervan gewoond.'

'Is hij ook dood?', vroeg Treasure.

'Hij is bijna een jaar geleden gestorven.'

'Lieve deugd. Je hebt dus helemaal geen familie meer over. Geen ouders. Je man en je oma ook dood. Maar liefje, je moet wel erg heel veel tranen hebben gestort, is het niet?'

Charlotte slikte. 'Het is moeilijk geweest. Maar het heeft me er wel toe aangezet naar Ruby Prairie te gaan en mijn huis voor meisjes op te zetten, en het heeft geholpen mijn zinnen te verzetten.'

'Dat zou ik zeggen. Het is een groot huis om voor te zorgen. Wanneer je eenmaal al die mooie slaapkamers vol met meisjes hebt, zul je je handen vol krijgen. Je krijgt toch wel hulp?'

'Had ik niet echt gepland', zei Charlotte. 'Ik ga er maar van uit dat de Heer me tot zo ver heeft geleid. Hij zal me ook verder wel nabij blijven. Dat ik mijn familie op mijn negentiende verloor, heeft me snel volwassen laten worden. Ik ben er inventief door geworden. En ik heb geleerd niet afhankelijk te zijn van andere mensen, zelfs niet van mijn man – wat maar goed was ook, omdat ik uiteindelijk voor hém moest zorgen.'

'Lieve hemel.'

'Je hoeft geen medelijden met me te hebben.' Charlotte ging wat rechter op in haar stoel zitten. 'Er was niets dat ik niet aankon; als ik maar hard genoeg wilde werken.'

'Liefje, je bent nu geen negentien meer. Je hoeft jezelf voor niemand meer te bewijzen', zei Treasure.

'De mensen in de stad zijn vriendelijk en aardig geweest, maar ik verdenk sommigen ervan dat ze vinden dat ik wel gek moet zijn om dit allemaal alleen te doen. Ikzelf zie het zo. Ik ben gezond, nog redelijk jong. En ik heb veel energie. Ik geloof dat ik het aankan voor deze plek te zorgen en voor de meisjes die naar mij toe komen. Als ik had gedacht dat ik het zelf niet kon, zou ik er nooit aan begonnen zijn.'

'Ik geloof je op je woord', zei Treasure. 'Maar bedenk wel – er zijn tijden dat zelfs de sterksten onder ons hulp nodig hebben.' Ze leegde haar glas. 'Zou ik je nog een glas thee mogen vragen?'

'Natuurlijk. Staat in de keuken. Ik breng de kan wel hier.'

Op hetzelfde moment dat Charlotte opstond, sprong Vikki de houten verandatrap op. 'Waar is je zusje?', vroeg Charlotte.

'Daar achter', wees ze. 'We hebben je hulp nodig. Ze is uit de boom gevallen.'

Toen Charlotte en Treasure bij Nikki aankwamen, lag ze huilend en kronkelend op de grond.

Was haar been gebroken? Van hoe hoog was ze gevallen?

Moest ze het alarmnummer bellen? Een soort spalk aanbrengen? Charlotte had ooit een EHBO-cursus gevolgd bij het Rode Kruis en in gedachten ging ze snel alle kennis na die ze bij elkaar had gesprokkeld.

'Sst ... Stil maar. Het komt wel goed.' Treasure knielde in het gras. Ze hield de knokige knie van het kind in haar hand. 'Hoe heet je? Nikki? Hoe spel je dat? En ben je negen jaar? Wat een mooie nagellak heb jij op je vingernagels. Is dat rood of donkerroze? Kom, vertel eens, waar doet het pijn? Doet het hier pijn? En hier?'

Nikki hield op met huilen.

Treasure voelde en drukte zacht. 'Ik denk dat je op een steen bent gevallen. Volgens mij is het een schaafwond. Een beetje ijs op je knie en misschien wat ijs in je maag – dan denk ik dat je weer gauw helemaal de oude bent. Laat me eens kijken of je kunt opstaan.' Dat kon Nikki.

'Wie bent u?', vroeg Vikki.

'Ik ben Treasure. Je moe..., ik bedoel Charlotte, is mijn vriendin.'

'Bent u dokter?', vroeg Nikki.

Treasure lachte. 'Nee, maar ik weet wel een beetje hoe ik pijntjes moet behandelen. Nu we het er toch over hebben, ik zit hier maar op de grond en jullie staan, kunnen jullie me even een handje geven, meiden? Mijn oude knieën zijn niet meer zo goed als ze vroeger waren. Ik ben ook wat dikker geworden in de overgang. Ik denk dat daardoor nog erger wordt. Charlotte en de meisjes, ook Nikki, die alweer aardig opgeknapt leek, staken hun handen uit.

'Ben je verpleegster?', vroeg Charlotte.

'Nee, maar ik heb wel iets in die richting geleerd. Anatomie. Fysiologie. Hoe alles in elkaar zit en werkt.'

'Echt?', zei Charlotte. 'Maar je bent geen verpleegster?'

'Nee. Ik ben masseuse. Tegenwoordig noemen we onszelf massagetherapeuten. Ik doe het nu bijna twintig jaar. Werk in een kleine winkel vlak bij mijn huis. Ik geef massages en daarnaast verkoop ik vitamines en supplementen. Gaat goed. De laatste paar jaar is Edmon zo gegroeid dat ik meer klanten heb dan ik behappen kan. Vroeger was het zo dat als je een bordje buiten hing waarop stond dat je massages gaf, de mensen dachten dat je een of andere perverseling was. Nu niet meer. Er zijn zelfs dokters die patiënten naar me doorsturen.'

'Doe je dat de hele week?'

'Kan ik niet meer. Ik heb last van een peesontsteking aan mijn hand. Als ik te veel werk, krijg ik er bij vlagen last van. Als ik maar niet langer dan twintig uur per week bezig ben, gaat het redelijk goed.'

Nikki en Vikki sprintten naar het huis, belust op de beloofde koekjes en frisdrank. Charlotte en Treasure keken naar hen. Zo'n beetje bij elke derde stap herinnerde Nikki zich dat ze moest hinken.

'Je kennis kwam goed van pas vandaag, Treasure. Dank je wel. Ik ben zo blij dat je net hier was. Je bleef zo rustig. Ik raak helemaal zenuwachtig wanneer er onverwachte dingen gebeuren', zei Charlotte.

Treasure gooide haar hoofd achterover en schudde van het lachen. 'Liefje, je kunt er maar beter aan wennen dat er van allerlei gedoe in dit huis gebeurt. Als je een stelletje kinderen om je heen hebt, gaat er niets volgens plan.'

Charlotte keek wat sip.

'Schat,' Treasure omhelsde haar stevig, 'voel je niet gekwetst. Het zal je vast goed afgaan. Alleen moet je één ding onthouden. Onverschillig hoe je er nu over denkt, je kunt dit nooit in je eentje aan. Dat wordt ook niet van je verwacht. God zet mensen op plaatsen waar Hij ze nodig heeft. Hij heeft jou hier gebracht voor deze meisjes. Maar er is ook iets anders. Waarom zou hij mij hier vandaag naar jouw veranda hebben geleid? Wees eens eerlijk. Je stond op het punt dat kind in je auto naar het ziekenhuis te brengen – is het niet waar?'

Charlotte knikte.

'Dat zou je een hoop geld gekost hebben. En je zou er waarschijnlijk de rest van de dag, en misschien nog wel de helft van de avond gezeten hebben.'

'Je hebt gelijk.'

'En kijk haar nu eens kiplekker de trap op rennen. God wist dat ik je grootmoeder nodig had toen ik een klein meisje was. En op een bepaalde manier had jij mij vandaag een beetje nodig. Daarom ben ik hier.' Ze nam Charlottes handen in de hare. 'Liefje, je zult vast al gauw ontdekken waarom we hier allemaal zijn. Het wordt' – Treasure keek op haar horloge – 'al laat. Ik kan maar beter op weg gaan.'

'Je rijdt toch niet vanavond nog naar Edmon?'

'Nee, alleen maar naar het huis van mijn zus in Telephone. Weet je waar dat is? Ver weg, zo'n beetje net ten zuiden van de grens met Oklahoma.' Ze grabbelde in haar tas met de vele vakken. Toen ze eenmaal had opgeduikeld wat ze zocht, riep ze Nikki en Vikki.

'Meiden, ik moet gaan. Kom me even een pakkerd geven. Hier heb je een kauwgummetje, voor na je frisdrank. Treasure sloeg haar armen om hen heen en kuste hen op hun voorhoofd, wat een roze lippenstiftafdruk achterliet.

'Wees lief. Doe je best op school. En denk om Charlotte.'

'Doen we. Tot ziens.'

Die avond, na het bad en het eten stond Charlotte in de deuropening van de donkere slaapkamer van de meisjes. Welterusten, slaap lekker, liefjes, allebei.'

'Welterusten.'

'Laat je het licht in de gang aan?'

'Ja.'

'Komt Treasure morgen terug?'

'Nee, ze is naar haar eigen huis.'

'Ik wou dat ze hier gebleven was.'

Later, in haar eigen bed naar de zolder starend, had Charlotte diezelfde wens.

Hoofdstuk
9

'Haal je de meisjes van school of gaan ze met de bus?', vroeg Kim Beeson, de maatschappelijk werkster. Ze zat bij Charlotte aan de keukentafel en maakte aantekeningen op een gele blocnote.

'Geen van beide. Ze lopen.'

Kim verborg haar verrassing niet. Ze duwde haar haar achter haar oren en kauwde op het uiteinde van haar pen.

Doorbrak ze daarmee soms een bepaalde regel? Charlotte pijnigde haar hersens, begon dan vlug uit te leggen. 'De eerste paar dagen heb ik ze met de auto gebracht. Daarna smeekten ze me hen te laten lopen. Het schijnt dat alle kinderen dat doen hier. Voor Nikki en Vikki is het maar drie huizenblokken ver. Ik heb eens rondgevraagd. Iedereen met wie ik het erover had, benadrukt dat het veilig is. De mensen die in de buurt wonen, naast de school, weten hoe laat die uitgaat. Ze letten op ieders kinderen – niet alleen op die van henzelf.'

Kim maakte een notitie, sloeg daarna een nieuwe bladzij op.

'Je hebt Nikki en Vikki nu iets meer dan een week meegemaakt. Ik weet zeker dat je behoorlijk hebt moeten wennen. Heb je het gevoel dat alles goed gaat?'

'Ja hoor.'

'Hoe gaat het op school?'

'Wel goed. Volgens de laatste rapporten van hun vorige school zijn ze met lezen wat achter. Ze hadden geen problemen met rekenen – wat wel zo goed is, omdat ik niet zeker weet of ik ze daarmee helpen kan. Hun onderwijzer vertelde me dat ze zich goed gedragen. Ze denkt dat ze, sociaal gezien, wat minder rijp zijn dan de rest van de klas, maar ik ben het niet met haar eens. Ze zijn alleen een beetje verlegen bij kinderen die ze niet kennen. En wie kan hun dat kwalijk nemen? Ze zullen vast gauw vriendjes krijgen. De laatste paar dagen zijn ze steeds thuisgekomen met verhalen over klasgenootjes.'

'Lijken ze je hier thuis bij jou op hun gemak?'

'Ik denk het wel. Er zitten een paar hiaten in mijn opleiding doordat ik zelf geen kinderen heb gekregen. Maar ik ben nu druk bezig te leren hun haar te doen en havermout te maken met precies de goede hoeveelheid suiker en boter.'

'Slapen ze een beetje?'

Charlotte glimlachte. 'Samen in hetzelfde bed.'

'En hoe gaat het met eten?'

'Geen probleem. Drie maaltijden per dag en ze komen uitgehongerd thuis uit school.'

'Heeft hun moeder nog gebeld?'

'Hun oma wel. Zaterdag. Ze hebben bijna een half uur met elkaar aan de lijn gehangen.'

'Waren ze er nog door van slag?'

'Kan ik niet zeggen.'

Hoe kon iemand weten wat er in kinderen omging? Zodra Nikki en Vikki de telefoon hadden neergelegd, hadden ze een pakje drinken en wat crackertjes gepakt en waren ze achter elkaar aan naar hun toevluchtsoord in de tuin vertrokken. Vanachter het aanrecht uit het keukenraam kijkend had Charlotte ernaar gesnakt hen te volgen. Haar intuïtie had haar echter ingegeven de twee even alleen te laten.

Ze hadden zich bijna een uur in het groene prieel verborgen gehouden voordat ze weer naar binnen kwamen en de trap op waren gegaan naar hun kamer. Charlotte stond net op het punt te gaan kijken toen ze weer naar beneden kwamen, waarbij ze uiterlijk geen spoortje verdriet vertoonden. Het leek erop dat de twee de zaken onderling op een rijtje hadden gezet.

De maaltijd die avond was wat gejaagd geweest en flauw, hoewel het geklep van de tweeling onder het het eten doorspekt was geweest met herhaalde toespelingen op het moment van 'naar huis gaan'.

'Ze missen hun moeder en hun oma. Dat weet ik. Het is goed dat ze heeft opgebeld. Ze moeten iets van hun familie horen. Doordat ze elkaar hebben, kunnen ze de scheiding goed verwerken.'

'Zo werkt het vast', zei Kim. 'Heb je me nog iets te vragen? Is er nog een probleem waar we het over moeten hebben?'

'Nee. Ik kan niets bedenken.'

Kim sloot de map over de tweeling en aarzelde even.

Was er iets mis? Misschien het lopen van school naar huis?

'Ik wil dat je ruim de tijd neemt om aan Nikki en Vikki te wennen,' zei Kim, 'en dat je je niet opgejaagd voelt. Maar ik kan je al wel vast laten weten dat er – wanneer je eraan toe bent – nog een meisje een plekje nodig heeft.'

Charlottes hart maakte een sprongetje. 'Echt waar? Dat is fantastisch!'

'Ze heet Beth.'

'Hoe oud is ze?'

'Vijftien.'

'Waar is ze nu?'

'Op dit moment zit ze in een opvanghuis voor daklozen in Dallas', zei Kim.

'Waarom?'

'Dat was de enige mogelijkheid die ik had. Alle pleeggezinnen voor noodopvang zaten vol. Soms gebeurt dat. De noodzaak voor Beth een plekje te zoeken kwam erg plotseling op.'

'Wat is er aan de hand?'

'Een lieve meid. Ze is al meer dan tien jaar in de pleegzorg geweest. Ik dacht dat het bij het laatste gezin goed zou uitpakken. Alles leek zo goed te gaan, dat ik dacht dat ze haar wel tot haar achttiende zouden houden. Maar ik heb het bij het verkeerde eind gehad. Ze zijn ermee gestopt.'

'Zorgde ze voor moeilijkheden?' Charlotte moest ook aan Nikki en Vikki denken.

'Nee, geen sprake van. Drie weken geleden kwam Beths pleegmoeder erachter dat ze in verwachting was. Ze is een eind in de dertig en dacht dat ze zelf nooit kinderen zou kunnen krijgen. Toen ze te horen kreeg dat ze zwanger was, veranderden haar gevoelens voor Beth. Misschien komt het door de hormonen. Ik weet het niet. Maar bijna van de ene op de andere dag heeft ze besloten dat Beth moest vertrekken. Haar man was zo geschokt door dat alles, dat hij niet tegen haar inging.

'Hebben ze haar toen plompverloren verteld dat ze niet meer terug hoefde te komen. Charlottes hart deed pijn. Hoe kon iemand een kind zoiets aandoen?

'Nog erger. Hoewel ze heel goed wisten dat ze Beth niet terug zouden nemen, lieten ze haar naar een kamp van de kerk gaan. Toen ze daar eenmaal was, hebben ze opgebeld en mij verteld dat ze haar niet meer zouden gaan halen. Wat ik ook zei, het maakte niets uit. Ze hebben haar spulletjes naar mijn kantoor gestuurd en zeiden me dat ze haar niet meer wilden zien.'

'Dat is verschrikkelijk! Hebben ze haar niet eens gedag gezegd?' *Welke kamer zou ze Beth geven? Wat voor sprei zou een meisje van vijftien het liefst op haar bed hebben?*

'Dus hoelang zit ze nu al in dat opvanghuis?'

'Bijna een week.'

'Je had me moeten bellen.'

'Neem je haar in huis?'

'Natuurlijk. Breng haar meteen vandaag maar.'

'Ik ben blij dat je haar wilt hebben, maar is misschien beter als je er nog een nachtje over slaapt', zei Kim. 'Je moet nog wennen aan Nikki en Vikki. Er is zowel voor jou als voor hen zo veel veranderd. En je moet weten dat het met Beth niet echt makkelijk zal zijn. Ze is ouder en is vreselijk gekwetst. Je hoeft niet zo snel te beslissen. Ze zit nu op een veilige plaats.'

'Noem je een opvanghuis veilig?' Charlotte had niet de bedoeling gehad te snauwen. 'Het spijt me, maar ik ben er wel eens geweest. Ik ben er een tijdje vrijwilligster geweest. Het is daar afschuwelijk.'

'Niet ideaal. Maar ze moeten zich nu eenmaal aan regels houden. En dit is beter dan de meeste. Ik ken de directeur. Tieners en volwassenen zitten in aparte woongedeelten.'

'Ik heb geen langere bedenktijd nodig. Ik vind het aardig dat je me er niet mee wilde overvallen, maar het gaat prima met me. Met de tweeling gaat het goed. De reden waarom ik dit huis heb geopend, is juist voor meisjes als Beth te zorgen. Ik ben er klaar voor. Wanneer kun je haar hier hebben?'

'Als je het zeker weet, kan ik haar morgen tegen twaalven komen brengen.'

Zodra dominee Jock bericht had gekregen van de verzekeringsagent, riep hij de ambtsdragers van de 'Verlichte Weg' voor een spoedvergadering bij elkaar. Omdat het in de kerk nog steeds een troep was, zei hij tegen iedereen dat de bijeenkomst bij hem thuis zou worden gehouden. Ter voorbereiding stofzuigde hij, maakte hij een pot koffie en zette hij een diepvriestaart klaar op het aanrecht om te ontdooien.

'Mannen, we hebben twee mogelijkheden', verklaarde hij na het gebed. 'De vloerbedekking die nat is geweest, uitrekken en weer neerleggen of wat extra geld uitgeven om nieuwe te kopen.'

'Wacht even', zei Catfish, wiens jicht licht verbeterd was. 'Er zit nogal wat aan vast. Daar moeten we wel eerst over praten. Hoe oud is de vloerbedekking die we nu hebben?'

'Twee jaar, wat ik me herinner', zei Gabe.

'Dan zou die nog een heel tijdje mee moeten kunnen', zei Catfish.

'Ongeveer twee jaar, zei de man van de winkel', zei dominee Jock. 'Het vocht verkort de te verwachten levensduur.'

'Op hem kun je helemaal niet afgaan. Ze willen natuurlijk geld verdienen door ons nieuwe te laten kopen. Volgens mij zou die vloerbedekking nog minstens vijf jaar mee moeten kunnen.'

'Hoeveel kost het om het spul weer op zijn plaats te krijgen?', vroeg dokter Ross.

'Meer dan wat de verzekering zal betalen, ongeveer twaalf-honderd dollar', zei Jock.

'Hoeveel geven we uit als we hetzelfde laten leggen als wat we nu hebben?'

'Vierduizend', was het antwoord. 'Maar alleen doordat ze er bij Hardy mee akkoord gingen het voor de kerk tegen kostprijs te bestellen en door te leveren.'

'Plus vrachtkosten', bracht Catfish in herinnering.

'Als ik die bedragen bekijk, denk ik dat we door de zure appel heen moeten bijten en nieuw moeten neerleggen. Dat scheelt ons flink wat op de lange duur', zei Chilly.

'Mee eens', zei Ben.

'Ik ook', zei Gabe.

'Akkoord dan, maar gezien het krappe budget van de kerk, betekent dit grapje wel dat we ergens anders in de kosten moeten snijden. We moeten offers brengen. Ook het geld van de Heer groeit niet aan de bomen.' Catfish keek dominee Jock recht in de ogen. 'We kunnen niet van de mensen blijven verlangen dat ze nog dieper in de buidel tasten. Heel veel leden hebben altijd hetzelfde inkomen. De meeste anderen hebben vrouwen en kleintjes om groot te brengen.'

Jock wist precies waar dit heen ging.

'Ik kan het net zo goed meteen aansnijden', vervolgde Catfish. 'Ik weet dat de dominee het verwacht, maar ik zie niet goed in hoe we hem volgend jaar opslag kunnen geven.'

'Zal ik maar even naar buiten gaan?', vroeg Jock.

'Nergens voor nodig', mengde dokter Ross zich in de discussie. 'Catfish, we waarderen allemaal je zorg om de begroting, maar je bent een beetje van het onderwerp afgedwaald. Dit is de tijd noch de plaats om het salaris van de dominee te bespreken. De vloerbedekking is onze enige zorg vanavond – en als ik naar de cijfers kijk, zou ik zo zeggen dat we genoeg hebben om zonder al te veel problemen nieuwe neer te leggen.' Hij keek Catfish indringend aan. 'Mannen, zullen we erover stemmen?'

'Iedereen akkoord?' Het was een unaniem ja, afgezien van Catfish, die, met zijn armen over zijn borst gekruist, op het laatste moment verklaarde dat hij zich van stemming onthield.

'Mooi zo', zei dokter Ross toen de stemming voorbij was. 'Dat was het makkelijkste stuk. Nu moeten we de dames zo ver zien te krijgen dat ze het eens worden over de kleur die we deze keer moeten nemen.'

Er klonk gekreun door het vertrek.

'Kunnen we niet gewoon beige bestellen?', zei Gabe.

Dokter Ross reageerde met een grijns, maar negeerde hem wijselijk, als getrouwd man met veertig jaar ervaring. 'Chilly, kun jij Hank Hardy vragen te bekijken wat voor deal we met hem kunnen sluiten?'

'Geen probleem. Ik ga morgen wel even naar hem toe.'

'Goed', zei dokter Ross.

'Vertel me nu eens even, dominee, verbeeldde ik het me nou of zag ik daarnet een cake op je aanrecht staan toen ik binnenkwam?'

Later, alleen in zijn keuken, spoelde Jock de koffiemokken om en gooide hij de kartonnen bordjes in de afvalbak. Het commentaar van Catfish speelde elke keer weer door zijn hoofd. Met zeventien jaar pastoraal werk achter de rug en zijn veertigste verjaardag op komst was dominee Jock gewend aan scherp commentaar op zijn status van vrijgezel. Toch bleef het schrijnen.

Het was nu vijf jaar geleden dat ze hem bij de 'Verlichte Weg' beroepen hadden. Natuurlijk hadden ze hem eerst horen preken. Ze hadden ook antwoord willen hebben op een stortvloed aan vragen, zoals wat hem er in de vrede toe gebracht had naar deze plaats te komen. Hij had hun vragen zo goed mogelijk beantwoord.

Er waren speciale dingen die een kerk moest weten over iemand die ze dachten aan te stellen – zaken die een van de oudere mannen, inmiddels overleden, als algemeen huishoudelijke details aanmerkte, feiten die, naar mocht worden verwacht, zwart op wit ondersteund werden met ingelijste documenten, diploma's, certificaten en zo.

Makkelijk genoeg.

Hij had hun de waarheid verteld. Hoe hij christen was geworden op zijn vierentwintigste. Met zijn kandidaats geschiedenis op zak was hij theologie gaan studeren. Op zijn zesentwintigste was hij met lof afgestudeerd, als nummer drie van zijn groep. Het curriculum dat hij had meegestuurd, bevatte namen en plaatsen van drie tevreden kerken die hij had gediend.

Hij wilde desgewenst best referenties opgeven.

Dat gedeelte was kort en zakelijk geweest.

Met het andere gedeelte, de persoonlijke kant van zijn leven, had Jock Masters meer moeite. Hij kon nooit goed bedenken hoe hij dat op een nette, zorgvuldige manier moest meedelen en toelichten.

'Alleenstaand, gescheiden eigenlijk', had hij geleerd er vlug aan toe te voegen. Op zijn negentiende getrouwd, voordat hij tot geloof was gekomen. Zij, knap en zwanger indertijd, hij dwaas en gewend in alles zijn zin te krijgen. Hun huwelijk had het krakend en wel achttien maanden uitgehouden. Tegen de tijd dat het eindigde, had zijn bruid een miskraam gehad en ontdekt dat hij een verhouding had.

Weer vrijgezel.

En nog steeds vrijgezel.

Jaren geleden, toen hij negentien was, had Jock nooit de bedoeling gehad te trouwen. Noch was het bij hem opgekomen dat wat hij had gedaan, zou leiden tot het vaderschap. Plezier was alles wat ertoe deed. Het was een schok geweest op een zekere dag te ontwaken naast een vrouw met ochtendmisselijkheid en het geluid van een toilet dat bleef doorlopen – een ongemak waarvan hij als echtgenoot geacht werd te weten hoe dat hersteld moest worden. Tegen de tijd van zijn scheiding, had Jock, nog maar eenentwintig jaar oud, zich niet schuldig gevoeld, alleen opgelucht dat hij zich van de hele verwarrende en beperkende troep kon ontdoen.

Volgens hem kon hij nu zijn oude vertrouwde leventje weer oppakken.

Alleen gebeurde dat nooit.

Wanneer Jock op zijn leven terugkeek, zag hij dat God herhaaldelijk roet in het eten had gegooid, en daarmee al snel begonnen was na het verlies van zijn ongewenste en niet geplande vrouw en kind. Dat jaar, en het volgende ook, kwam hij elke keer weer mensen tegen die eens net als hijzelf waren geweest, maar die tegen iets nieuws waren aangelopen. Eerlijke collega's. Een bevlogen hoogleraar op de universiteit. Een stel behulpzame buren in het appartement naast hem. In hun voordeel kon worden gezegd dat niemand van hen met een Bijbel op hem had ingebeukt. Niemand van hen had een preek tegen hem afgestoken over zijn zonden. In plaats daarvan vertelden ze hem verhalen over de manier waarop God hun gebroken levens had hersteld en hun gekwetste harten had geheeld. Toen hij eenmaal weer een beetje goed in zijn vel stak, vertelden ze hem dat Jezus was gestorven om al het verkeerde dat iemand ooit had gedaan, weg te nemen.

Jock, die zich in die tijd zelfs niet een beetje gebroken of bezwaard voelde, luisterde en genoot van hun gezelschap en verhalen. Maar hij had niet de indruk dat iets daarvan met hem te maken had. Hij was als een vis in een vijver die terechtkomt bij een uitgeworpen hengel met aas – een vis die aan de wurm knabbelt, maar erin slaagt de haak te vermijden.

In het jaar waarin Jock vierentwintig werd, ging hij op een zondagmiddag bij zijn moeder op bezoek. Ze luchten samen en keken ondertussen naar de televisie. Tussen neus en lippen door vertelde ze hem over haar kanker. *Geef de popcorn even aan, alsjeblieft.*

Ze was gaan verzitten in haar leunstoel, had haar ene been over het andere geslagen en had aan een muggenbeet op de rug van haar hand gekrabd. *Rechter long. Maak je geen zorgen.* Het zou wel goed komen.

Jock was gestopt met kauwen en had zich afgevraagd of hij de televisie niet uit moest zetten.

Doe niet zo mal. Het spelletje is nog niet afgelopen. Maar geef me nog een Pepsi, wil je, en een handje van die pinda's in het gele kommetje.

Chemo, bestraling – niets hielp. Het gebeurde na een lange nacht die Jock opgevouwen in de klapstoel naast zijn moeders ziekenhuisbed had doorgebracht. Hij stond op, rekte zich uit en vertelde haar dat hij naar beneden ging om een frisse neus te halen. In plaats van, als gewoonlijk, de lift te nemen liep hij de trap af. Bijna beneden, maar nog niet helemaal, stapte hij het trappenhuis uit, struikelde het felle licht van de verkeerde etage in en kwam terecht tegenover de slecht aangegeven, bijna verstopte petieterige ziekenhuiskapel. Om wat voor reden dan ook, alleen bij God bekend, ging Jock de kleine ruimte binnen. En op zijn knieen. En hij zei tegen God dat hij bereid was het allemaal over te geven.

Parttime ziekenhuispredikant Grady Moore was toevallig binnengekomen op zijn vrije dag om zijn salaris op te halen. Hij vond Jock in de kapel. Die had daar een half uur op zijn knieën gelegen en vroeg zich net af wat hij geacht werd vervolgens te doen.

Grady kocht een ontbijt voor Jock, doopte hem en gaf hem een Bijbel.

Twee weken later preekte hij bij zijn moeders begrafenis.

Grady bleef Jocks vriend en mentor. Toen hij in de gaten kreeg dat bij Jock een intense behoefte bestond om te dienen, moedigde hij hem aan naar het seminarie te gaan. Ze verloren elkaar nooit uit het oog. Alle jaren door hielp hij bij de begeleiding van Jocks loopbaan. Hij bad voor hem, luisterde naar hem en adviseerde hem hoe hij moest omgaan met de onvermijdelijke moeilijke situaties die pastores meemaken.

Grady was ook degene die alles van Jocks verleden wist en tot wie hij zich wendde wanneer hij weer eens overspoeld werd door zelfverwijt over alles wat hij vroeger had gedaan. Jock wist dat het hem vergeven was. Hij had notie van de genade die over hem uitgestort werd, elke dag dat hij leefde. Toch werd hij achtervolgd door de gedachte aan wat hij zijn vrouw had aangedaan, en meer nog aan het verlies van het kind waarom hij indertijd niet eens had gerouwd. Na al die jaren keek hij met ontzetting terug. Wat voor iemand was hij, dat hij zoiets had gedaan? Kon hij er ooit van op aan dat hij niet nog steeds dezelfde egoïstische vent was?

Hij raakte er nooit van overtuigd.

Voor Jock Masters betekenden achttien maanden uit zijn jeugd een leven lang hartzeer. Die maanden waren de bron van een ontstoken zweer, een wond die hij niet liet genezen. Hoewel zijn ex-vrouw hertrouwd was en het volgens alle berichten goed met haar ging, betreurde hij in het diepst van zijn hart dat hij nooit terug kon en niet kon herstellen wat hij had aangericht.

Vrijgezel toen.

En vrijgezel sindsdien.

Grady zei dat hij het verleden moest laten rusten, maar Jock was het niet met hem eens. Hij kon het verleden niet ongedaan maken, maar hij kon wel degelijk maatregelen nemen voor de toekomst.

Verteerd door de vrees dat hij misschien een karakterfout of -slapte bezat, had Jock zichzelf sinds die dag in de kapel niet toegestaan een vrouw nader te leren kennen. Niet op het seminarie, niet in de andere kerken waar hij had gestaan, niet in Ruby Prairie of bij de 'Verlichte Weg'.

Jock had wel afspraakjes gehad. Een man moest wel wat handiger zijn en minder aantrekkelijk om de romantische valstrikken te ontlopen die door koppelende dames van de kerk werden gezet. Dames die erop uit waren hun kleindochters, nichten of aardige alleenstaande buren uit te huwelijken. Hij had jonge en niet-zo-jeugdige dames mee uit genomen, maar hij had er altijd voor opgepast de zaken gevoelsmatig niet te ver te laten gaan. Zodra een vriendin aangaf meer dan oppervlakkige belangstelling voor hem te hebben, had Jock een goede reden gevonden om haar niet langer te ontmoeten.

Meestentijds dacht Jock dat hij het prima kon redden zonder vrouw. Had de apostel Paulus niet gezegd dat ongetrouwd blijven een wenselijke staat was? Hij kon duidelijk merken hoe waar dat was. Dat hij alleen was, maakte de zaken er in tal van opzichten eenvoudiger op. Hij had meer tijd om te studeren en bezat een vredig huis waarin hij in alle rust kon bidden. Hij kon tot laat in de avond in het ziekenhuis of verpleeghuis blijven zonder dat hij iemand hoefde te bellen of iets hoefde uit te leggen.

Geen kinderen te hebben was ook niet zo gek. Hij kon een balspelletje doen met de kinderen van gemeenteleden en hen, wanneer ze ruzie begonnen ruzie te maken, naar huis sturen, naar hun ouders.

Tenminste, dat was wat hij zichzelf wijsmaakte.

Omdat er de volgende dag vuilnis zou worden opgehaald, bond dominee Jock zijn overtollige rommel bij elkaar en bracht het naar de stoep. Hij liep voorzichtig, in het donker.

Was het leven voor twee mensen samen echt net zo goedkoop als voor iemand alleen? Catfish was niet het enige gemeentelid dat dacht dat een alleenstaande herder minder hoefde te verdienen dan een man met een gezin; hij was alleen wel degene die het ook zei. Misschien zat er ook wel wat waars in dat gezichtspunt. Maar toch ... De laatste tijd ging er elke maand wel iets in prijs omhoog of er ging iets kapot. Benzineprijzen, onroerendgoedbelasting, verzekeringspremies, de verwarming van zijn auto, de vullingen in zijn gebit. Hij kwam niet altijd met zijn geld uit.

'Dominee? Bent u dat?'

'Wat?' Jock sprong geschrokken op van dat onverwachte geluid. Het was Alice Buck, gekleed in een lavendelblauw joggingpak met reflecterende strepen langs beide mouwen. 'O, hallo. U liet me schrikken.'

'Wandelingetje aan het maken?'

'Een beetje laat, niet?'

'Ik was een film aan het kijken op televisie. Toen ging de telefoon. Ik had de tijd niet in de gaten gehouden. Maakt u zich geen zorgen Ik ga één blokje om, daarna weer naar binnen.'

'Doe voorzichtig', zei dominee Jock.

'Wees om mij maar niet bang.' Ze regelde haar stappen naar de zijne. 'Wat ik wou zeggen, dominee, Nomie en ik waren net aan het bellen. We dachten dat zachtpaars met lichtblauwe vlekjes wel mooi zou staan.'

'Pardon?'

'Nou ja, ik bedoel de nieuwe vloerbedekking natuurlijk.'

Hoofdstuk
10

Ondanks veel andere moeilijke gevallen, extra zwaar door haar onervarenheid, had Kim Beeson elke dag de tijd gevonden om het opvanghuis, op zo'n honderdvijftig kilometer afstand, te bellen om te vragen hoe het met Beth Hollis ging. Elk gesprek met de vrouw die de telefoon beantwoordde, leverde een joviale verzekering op dat Beth het goed maakte. En zo snel was de vrouw daarmee dat Kim niet de indruk kreeg dat ze zelfs maar wist over welk kind de vraag ging. De derde dag dat ze belde zocht Kim het hogerop

'Kan ik Holly Payne spreken, alstublieft?' De directeur van het opvanghuis was een persoonlijke vriendin, die ze nog kende van vroeger op de universiteit.

'Holly wie? Eh, ik denk dat die hier niet meer werkt. Nee, we hebben op het moment geen directeur. Ze hebben nog niemand aangenomen. Ik val in.'

Geweldig.

Toen ze in haar auto onderweg was om de tiener op te halen, probeerde Kim zichzelf te troosten. Ze had geen andere keuze gehad. En Beth was tenslotte niet lang in het opvanghuis geweest, maar iets meer dan een week. Wat een opluchting haar in Charlottes huis een plekje te hebben bezorgd, zeker te weten dat ze veilig was.

Had ze genoeg gelet op alle details, alles wat verband hield met het verhuizen van het meisje naar Tanglewood? Dossier en schoolrapporten in haar pukkel, persoonlijke bezittingen die haar vroegere pleegouders, Tim en B.J., hadden gestuurd, in de kofferbak. Ze had alles nagekeken. Charlotte wist dat ze zouden komen, en ze had het opvanghuis op de hoogte gesteld dat Beth vandaag zou vertrekken.

Kim kon niets meer bedenken wat ze over het hoofd zou hebben gezien. Bij het opvanghuis ging een jonge vrouw met bleke ogen en treurig hangende blonde dreadlocks, Kim voor, zonder zelfs naar haar identiteitskaart te vragen.

'Laat eens kijken. Ik denk dat ze op die afdeling zit.' Ze stond met één hand op haar heup in de deuropening van een slecht verlichte woonkamer en keek in het rond.

'Hé! Hallo! Heeft iemand dat meisje gezien – hoe zei u ook alweer dat ze heette – Beth?'

Een stuk of zes tieners zaten als zombies op viezige gevlekte banken voor een televisie met sneeuw op het scherm. Sommigen van hen sliepen. Niet eentje keek op. Bob Barker was op de televisie. Een vrouw in korte broek won een rode Impala.

'Het zal wel niet', schokschouderde ze. 'Hoe was uw naam ook alweer?'

'Kim Beeson. Van maatschappelijke werk.'

'O ja. Hebbes. Jongens, weet iemand waar Beth is.'

Ook in de volgende kamer had niemand haar gezien.

De vrouw leek onbewogen. En elke minuut die voorbijging, groeide het vervelende gevoel in Kims maag.

'Kinderen mogen overdag niet in het slaapgedeelte komen, maar misschien is ze stiekem naar achteren gegaan. We kunnen even gaan kijken.'

'Laten we dat maar doen.' Kim moest moeite doen om zich in bedwang te houden bij het zien van de nonchalant afzakkende schouders van de vrouw, terwijl ze achter haar aan liep naar een andere kamer. De vrouw knipte een schakelaar aan. Een fluorescerend licht flikkerde even boven hun hoofd, ging dan helemaal aan.

'Daar is ze. Ik vraag me af hoe ze hier terecht is gekomen. Die deur moet dicht zitten.'

Kim zag Beth aan de andere kant van de kamer, opgerold als een bal, liggen slapen op een van de twaalf bedden. Haar hoofd lag op een soort kussen dat ze in elkaar had gedraaid van een T-shirt, opgevuld met haar vuile kleren.

'Beth, wakker worden, liefje. Ik ben het, Kim. Alles goed? Ik ben gekomen om je naar je nieuwe plek te brengen.'

Beth ging rechtop zitten en wreef in haar ogen. 'Wat? Zijn Tim en B.J. hier?'

'Wie zijn dat?', vroeg de vrouw.

Kim negeerde haar. 'Nee, die zijn hier niet. Ik ben het maar. Laten we je spullen bij elkaar zoeken. Heb je honger? Het wordt een lange rit. Zullen we eerst iets gaan eten? Is Mexicaans goed?'

'Zal wel. Ik moet plassen.'

Mevrouw Dreadlocks ontpopte zich plotseling als een iemand die op regels gesteld was. 'Voordat jullie weggaan, moet u eerst wat papieren invullen.' Ze keek op de klok aan de muur. 'En het spijt me, maar u zult even moeten wachten. Het is nu mijn pauze.'

Knabbelend op een tussendoortje zaten Nikki en Vikki aan de keukentafel huiswerk te maken en schopten tegen de poten van elkaars stoelen. 'Hoe laat kan ze hier zijn?'

'Heel laat pas. Misschien wel wanneer jullie tweeën al in bed liggen.' Charlotte stond bij de kast en probeerde iets te bedenken om klaar te maken voor het eten. De dagen in haar eentje, waarop yoghurt of cornflakes, die ze leunend tegen het aanrecht naar binnen werkte, doorgingen voor een diner, waren verleden tijd. Vikki en Nikki hadden goed gebalanceerde maaltijden nodig. Kon je bonen met ham als groente beschouwen? Waarschijnlijk niet.

'Mogen we niet opblijven?', vroeg Vikki.

'Alsjeblieft!', zei Nikki.

'Ik weet het niet. Misschien. Als het niet te laat wordt.'

Nikki stopte een druif in haar mond. 'Krijgen we veel meisjes hier in huis?

'Niet heel veel. Misschien zes', zei Charlotte.

'Dat zijn wij dan en het nieuwe meisje en nog drie anderen', zei Vikki.

'En jij er ook nog bij. Jij bent ook een meisje.'

'Eh ... nee hoor ... Charlotte is geen meisje', zei Nikki. 'Zij is een vrouw.'

'Ja, dat is ze. Dat zijn er dan zeven.'

'Je hebt gelijk', zei Charlotte.

'Alleen maar meisjes. Geen jongens.'

'We kunnen wel een bordje maken met *Verboden voor jongens*', zei Vikki.

'Dat kunnen we wel op het hek schilderen', zei Nikki. 'Dan kan iedereen het zien. Ik heb wel een rode viltstift.'

'Wat vinden jullie ervan om een bordje te maken en dat op de deur van jullie slaapkamer te plakken? Dat lijkt me een beter idee', zei Charlotte.

'Oké.'

'Wat eten we?'

Kim wendde haar ogen van de weg af en keek naar Beth. Volgestopt met nacho's lag ze in de gordels, weer diep in slaap. Donkere randen omkransten haar ogen. Haar lippen zagen er gezwollen en vol barsten uit. Het was verbazingwekkend hoe het uiterlijk van het meisje de laatste acht dagen in het opvanghuis veranderd was. Tijdens het verblijf daar had ze haar blonde haar geknipt. Een kort, stekelig kapsel was in de plaats gekomen van de vroegere lange lokken. Ze had extra piercings in haar oren, volgens zeggen als cadeautje aangebracht door een knul die Kirby heette, een tiener die ook in het opvanghuis verbleef. Toen Kim haar vroeg hoe hij dat had gedaan, vertelde Beth haar dat hij een veiligheidsspeld had gebruikt die was gesteriliseerd door hem in de vlam van een aansteker te houden. Ze had haar oren een beetje verdoofd door er ijs op te doen tot vlak voordat hij ging prikken. Met een ander meisje had ze een spijkerbroek geruild voor de oorbellen.

Kim kromp ineen wanneer ze naar die rode oren keek. Ze hoopte dat ze niet ontstoken waren. Zou ze niet een of andere zalf moeten hebben om erop te doen? Antibiotica? Misschien zou Charlotte wel weten wat ze eraan kon doen.

Charlotte keek voor de zoveelste keer op haar horloge. Al negen uur geweest. De tweeling lag al in bed, hoewel ze aannam dat ze nog niet sliepen. Waar bleef Kim? Wat was er aan de hand? En hoe zat het met het nieuwe meisje? Kwam ze nu wel of niet? Charlotte wist dat Kim vandaag had gezegd. Dat had ze echt niet verkeerd begrepen. Maar nog steeds had ze geen telefoontje gehad. Misschien lag de lijn er wel uit. Ze kon ook de hoorn van de haak hebben laten liggen. Niks daarvan. Er was een kiestoon. Ze zette een bak popcorn in de magnetron, zette de televisie aan, deed hem weer uit. Liet de popcorn verbranden, probeerde te lezen. Niets kon haar zenuwen tot bedaren krijgen.

Charlotte dacht na over Beth en alles wat ze had doorgemaakt – ze besefte dat ze waarschijnlijk de helft ervan zelfs nooit zou kunnen bevroeden of te weten komen.

Hoe zou Beth eruitzien?

Wat voor karakter zou ze hebben?

Ze zou boos zijn, hoogstwaarschijnlijk. Wie kon haar dat kwalijk nemen – het grootste deel van haar leven van het ene naar het andere huis geschoven te worden. Met haar vijftien jaar verdiende het kind naar een huis te gaan waarvan ze wist dat ze er kon blijven. Charlotte wist één ding zeker: Tanglewood zou die plek worden. Het maakte niet uit of ze had verwacht dat de meeste meisjes een jaar of nog korter zouden blijven.

Ze zou Beth, nog zonder haar gezien te hebben, tot haar achttiende bij zich houden.

Charlotte keek op de klok.

Als ze tenminste ooit zou komen.

Om vijf voor half tien hoorde Charlotte de honden van de buren aanslaan. Ze tuurde door de vitrage naar buiten. Kims auto stond geparkeerd aan het eind van het pad.

Lang zo gespannen niet als toen Nikki en Vikki aankwamen, zwaaide Charlotte de voordeur open en stapte naar buiten om hen te begroeten.

'Charlotte, het spijt me', zei Kim. 'Het was niet mijn bedoeling zo laat aan te komen. We begonnen al met een langzame start. Het duurde eeuwen totdat Beth weg mocht. Daarna zijn we verdwaald toen we uit Dallas vertrokken. We namen de verkeerde afslag op de ringweg. Ik had je wel willen bellen, maar uitgerekend vandaag heb ik mijn telefoon thuis laten liggen.'

'Het is al goed.' Charlotte stak haar armen uit om Beth te omhelzen, maar hield zich in toen ze de verstarde houding van het meisje zag. Hun blikken ontmoeten elkaar een tel voordat Beth haar ogen afwendde.

'Hallo. Ik ben Charlotte. Ik heb de hele middag op je zitten wachten om kennis met je te maken. Ik ben blij dat je er eindelijk bent.'

'Sorry,' zei Kim, 'ik ben zo bekaf dat ik nauwelijks mijn eigen naam nog weet, en nog minder hoe ik jullie behoorlijk aan elkaar moet voorstellen. Beth, dit is Charlotte. Charlotte, dit is Beth.'

'Hoi', zei Beth. Zij en Kim volgden Charlotte naar binnen. De voordeur was nog maar vijf minuten dicht of Kim keek op haar horloge. 'Ik vind het erg vervelend, maar ik moet echt nu alweer weg. Ik heb morgen om acht uur een vergadering, en mijn hond had drie uur geleden al moeten worden uitgelaten. Charlotte, alle papieren van Beth zitten hierin. We hebben het onderweg over Tanglewood gehad. Ik heb haar alles over jou en de andere meisjes verteld en alles wat ik over de stad weet.' Ze overhandigde een dikke map, wendde zich toen tot Beth die haar tas nog steeds vasthield.

'Je hebt alles wat je nodig hebt, hè? Is er nog iets wat je me wilt vragen voordat ik wegga?'

Beth schudde haar hoofd.

'Ze heeft meer dan genoeg kleren, maar waarschijnlijk is alles nu wel vuil. Hebben ze bij het opvanghuis nog iets voor je gewassen?'

'Nee.'

'Dacht ik wel.'

'Geen enkel probleem', zei Charlotte. 'We kunnen vannacht wel een was draaien als dat nodig is.'

'Ik vind het vervelend zo vlug weg te moeten, maar het duurt een uur voordat ik thuis ben. Geen bezwaar, jullie twee, als ik ga?', vroeg Kim.

Ze aarzelde met haar hand op de klink van de deur. 'Charlotte, ik bel je morgen meteen om er zeker van te zijn dat alles goed gaat. Dan praten jij en ik ook nog wel even, Beth.'

Charlotte en Beth stonden op de veranda en keken toe hoe ze wegging. 'Doe voorzichtig', riep Charlotte. En weg was Kim.

'Heb je honger?'

Beth schudde haar hoofd. 'We hebben onderweg gegeten.'

'Wat vind je van een warm bad?'

Dat bracht een lachje teweeg. 'Goed.'

Charlotte gokte erop dat Beth al een paar dagen niet had gedoucht. 'Kom mee naar boven, dan wijs ik je je kamer. En de badkamer waar de handdoeken en shampoo en al dat soort zaken liggen. Ik wed dat je iets nodig hebt om in te slapen tot we je spullen hebben gewassen. Is een van mijn pyjama's goed voor vannacht?'

'Natuurlijk.'

'Wacht even.' Charlotte liet Beth onder aan de trap staan, terwijl ze uit haar eigen slaapkamer een pyjama opduikelde. Toen ze terugkwam, stond Beth een ingelijste foto van haar en J.D. te bestuderen.

'Je man?'

'Ja.'

'Woont hij hier ook?'

'Nee. Hij is dood.'

'O, sorry.' Beth beet op haar lip.

'Geeft niet. Er hangen door het hele huis foto's van hem. Hij heette J.D. We zijn twintig jaar getrouwd geweest.'

'Dat is lang. Hij ziet er aardig uit.'

'Dat was hij ook. Echt aardig.' Charlotte moest slikken.

Sinds J.D. gestorven was, had ze op de meest onvoorspelbare

en ongeschiktste momenten meegemaakt dat ze naar adem moest happen en niet kon praten. Ze stonden samen te kijken naar de foto van J.D. Er werd geen woord tussen hen gewisseld. Ten slotte, net zo vlug als het haar had overmand, was het gevoel weer weg. Als Beth de lange stilte vreemd had gevonden, liet ze dat niet merken.

'Zou deze pyjama passen?' Charlotte hield er een op van flanel, medium, met blauwe sterren op een lichtgele ondergrond.

'Ik denk het wel.'

'Goed zo. Ik heb hem nog nooit gedragen. Ik had nooit flanellen moeten bestellen; daar krijg ik het altijd te warm in. Maar hij zag er zo leuk uit in de catalogus.' Charlotte lachte haar toe. 'Je mag hem wel houden als je hem leuk vindt. Er ligt nieuw ondergoed in verschillende maten in een van de kasten boven. Sokken ook, voor als je koude voeten krijgt. We zullen morgen je spullen wassen. Laten we maar naar boven gaan. Om je te installeren.'

Anderhalf uur later, vanonder een violet en blauwe sprei, keek Beth de kamer rond en nam ze denkbeeldige foto's van de muren en ramen, het meubilair, de kast. Ze dwong zichzelf alles te onthouden over de ruimte waarin ze zou slapen, zodat ze deze keer misschien zou weten waar ze was wanneer ze de eerste keer wakker zou worden.

Niet dat het zou helpen. Niets wat ze probeerde, hielp ooit. Dat duizelig makende richtingloze gevoel van paniek overkwam haar altijd de eerste morgen wanneer ze ergens nieuw was. Wat moest het vreselijk zijn voor baby's. Dat overkwam hun altijd. Ze vielen in slaap in de auto of de winkel of op een warme schoot, en werden dan op een totaal andere plaats wakker, zoals in het huis van een oma of het bed van de babysitter, met een heel ander laken erop. Soms hadden ze niet eens dezelfde kleren aan.

Geen wonder dat ze huilden.

Zou het zo moeilijk zijn om te wachten – om hen wakker te laten worden op de zelfde plek als waar ze waren neergelegd? Eén ding was zeker. Als zij een kind zou hebben en als dat eenmaal zou slapen, zou ze het nooit ergens anders neerleggen totdat het uit zichzelf wakker zou worden.

Natuurlijk kon Beth zich, toen ze tien uur later haar ogen opendeed in haar bed in Tanglewood, niet herinneren waar ze was. De kamer draaide. Ze was bang dat ze moest overgeven, maar kneep haar ogen dicht tot het gevoel voorbijging.

Ten slotte drong het tot haar door. Haar maatschappelijk werkster, Kim. Charlotte Carter. Een huis met twee verdiepingen. Tanglewood. Wat was dat voor naam? Beth deed haar ogen open, maar bleef stil liggen. Met haar benen opgetrokken op haar zij liggend zag ze in de stoel naast het bed het bijna lege glas, de kruimels van de crackers en de restjes van de in partjes gesneden appels die de vorige avond op haar hadden liggen wachten nadat ze uit bad was gekomen. Op de vloer naast de stoel lag haar rugzak. Er zat niet veel in. Vuile kleren, een kam en een tandenborstel, schoenen, een jack en de brief die Kirby haar gegeven had op de morgen dat ze het opvanghuis had verlaten.

Beth rekte zich uit en draaide zich op haar andere zij. 'Aah' gilde ze.

Ze was niet alleen.

Muisstil waren Nikki en Vikki – al wakker, met hun eten op en aangekleed – haar kamer binnengekropen. Ze stonden te kijken naar de nieuwe gast van Tanglewood.

'Er zit bloed aan je oor.'

Beth voelde aan haar oorlelletjes.

'Een klein beetje maar. Charlotte heeft wel een pleister.'

'Sta je nog op?'

'Jawel', zei Beth.

'We kunnen je wel helpen.' Nikki trok aan het dekbed dat Beth stevig vasthield.

'Heb je sokken nodig? We hebben heel veel sokken. Alle kleuren', zei Vikki.

'We hebben ook twee katten. Wil je ze zien?'

'Onze kamer ligt vlak naast de jouwe. Wil je hem zien?'

Beth ging in bed zitten en sloeg haar armen om haar opgetrokken knieën heen. 'Hoe heten jullie?'

'Ik ben Nikki, en zij heet Vikki.'

'Is Charlotte jullie moeder?'

Dat vonden ze grappig. 'Nee', giechelden ze.

'Ze is geen moeder. Zij is Charlotte', zei Nikki. 'Onze moeder
is ziek. Charlotte zorgt voor ons totdat ze weer beter is.'

'Zijn jullie hier al lang?'

'Nog niet zo lang', zei Nikki. 'Al best lang', zei Vikki. 'Sta je nu
op?'

'Ik denk het wel.' Beth stapte het bed uit.

De tweeling nam haar bij de hand. 'Kom mee. We laten je alle
kamers zien die we hier boven hebben. Charlotte zegt dat je, als
je deze niet leuk vindt, een andere mag kiezen die je wel wilt.'

'Ik vind deze prima.'

Charlotte stond boven aan de trap. 'Hebben ze je wakker gemaakt?'

'Nee. Ze was al wakker.'

Charlotte glimlachte. 'Dat zal wel. Heb je lekker geslapen,
Beth?'

'Ik heb goed geslapen.'

'Als je liever een andere kamer wilt, kun je wisselen', zei Charlotte.

'Deze is goed.'

'Als je wilt, kun je de meubels verschuiven en wat van je eigen
spulletjes op de muren hangen, alles zo neerzetten als je zelf wilt',
zei Charlotte.

'Dank je wel. Het is heel goed zoals het nu is.'

Waarom zou ze iets veranderen? Het maakte niets uit, de
kamer niet, het bed niet, de leuke kleine meisjes niet, zelf Charlotte niet, die zo haar best deed het naar haar zin te maken. Niets
van ervan maakte iets uit, omdat zij, Beth Hollis, hier niet lang
zou blijven. Bij de eerste de beste gelegenheid zou ze hier weggaan.

Zij en Kirby hadden het allemaal al uitgedokterd.

Hoofdstuk

11

Nomie Jenkins riep een speciale vergadering bijeen van de Culturele Vrouwenclub van Ruby Prairie. De groep kwam bij elkaar in het huis van Alice Buck.

Boots, de man van Alice, had haar beloofd dat hij zich tijdens de vergadering op de achtergrond zou houden en wat buiten in de tuin zou gaan werken. 'Op mijn woord van eer, liefje, ik laat jullie, meiden, met rust', had hij gezegd.

Alice wist wel beter.

Boots, een man die meer van aanspraak hield dan van cake, en die, als hij de keus had, liever de lycra onderbroek van zijn vrouw zou strijken dan dat hij een middag doorbracht met niemand om tegen te praten, bleef smoesjes verzinnen om binnen te komen. Eerst had hij dorst. Had een glas water nodig. Met ijs natuurlijk, dat hij blokje voor blokje lawaaierig in het glas gooide.

Dan reiniger om kleverig gereedschap schoon te maken. Ten slotte een bus wespen- en horzelverdelgingsspray, helemaal van onder de gootsteen in de keuken vandaan. Bij elke tocht die hij door het huis maakte, grijnsde Boots en zwaaide hij naar de kamer vol vrouwen. 'Ik ben het maar, alweer.'

Alice beantwoordde Boots glimlach bij zijn eerste trip. Lachte de tweede keer iets minder. Ten slotte kreeg ze het op haar zenuwen van het storende heen-en-weergeloop.

'Boots, we proberen hier te vergaderen! Mag het?'

Boots dook in elkaar en ging op weg naar de achterdeur. Alice rolde met haar ogen. Ginger, wier man Lester op dezelfde manier op gezelschap gesteld was als Boots, keek haar met een blik vol sympathie en begrip aan. Alice wist dat ze zijn gevoelens kwetste, maar wat werd je als echtgenote dan precies geacht te doen?

Nomie negeerde de huwelijksperikelen tussen Alice en Boot, schraapte haar keel en probeerde het opnieuw. 'De braderie zal het laatste weekend van november plaatsvinden. Dames, we hebben nog een heleboel te doen. Laten we beginnen met het verslag van onze voorzitster. Ginger, jij gaat over het eten. Hoe staat het daarmee?'

'Uit onze eigen plaats hebben we het Makelaarskantoor met ketels maïs. De debatclub van de middelbare school gaat kalkoenpoten grillen en de mannen van de methodistenkerk gaan zelf ijs maken. En Lester gaat natuurlijk weer zijn perziktaartjes verkopen. Vergeet niet', zei Nomie, 'dat dit de belangrijkste geldinzamelingsactie van het jaar is. Elke organisatie die een stand wil huren, moet het vaste tarief betalen. Dat kunnen we hen het beste meteen laten voldoen wanneer ze intekenen.'

'Laten we die lui van buiten de stad dubbel betalen?', vroeg Alice.

'Ja. Hetzelfde als vorig jaar. Hoeveel hebben we er tot dusverre?'

'De familie Martinez komt zeker', zei Ginger. 'Met hun tamales-kraam. Vorige keer waren ze erg in trek. Dit jaar, vertelden ze me, zullen ze ook chips en salsa verkopen. Ik wacht nog op bericht van die lui van de cakerollen. Sinds dat ongelukje met de vlam in de pan bij het Okra-festival in Ella Louise zijn ze het een beetje kalmer aan gaan doen.'

'Ik weet niet hoe het jullie vergaat, dames, maar van al dat gepraat over eten krijg ik honger. Je hebt het goed gedaan, Ginger. We waarderen je inzet. Alice, zou je ons een overzicht kunnen geven van het amusementsgedeelte?'

'Jazeker. Met alle liefde. De band en het koor van de middelbare school komen. Iemand van de toneelafdeling vertelde me dat ze twee voorstellingen van hun stuk zullen geven, één om tien uur en de andere om drie uur. Wisten jullie dat die kinderen vorige week de regionale wedstrijd hebben gewonnen?'

'Ze speelden *Een Midzomernachtsdroom*. Ze zijn echt goed', zei Alice.

'Wat denkt die leraar drama eigenlijk wel – om die kinderen jaar in jaar uit buitenlandse programma's te laten doen?', onderbrak Sassy Clyde haar. 'Ikzelf zou het wel leuk vinden om iets te zien dat in gewoon Engels werd gedaan. Dit is Amerika tenslotte.'

Nomie wist dat de kleindochter van Alice de hoofdrol speelde. In de hoop gekwetste gevoelens te voorkomen kwam ze vlug tussenbeide. 'Ik weet zeker dat we allemaal van het stuk zullen genieten. Nog iets anders?'

'Het Hardy Boys-kwartet heeft toegezegd te komen zingen.'

'Iets met vaderlandse liedjes?', vroeg Sassy.

'Ik zal het vragen', zei Alice.

'Kijk eens of ze 'Home on the Range' willen doen.'

Alice schreef het op.

'Kerilynn is belast met de afdeling kunst en handvaardigheid. Weet iemand waar ze is?', vroeg Nomie.

'Hier ben ik', schreeuwde Kerilynn. 'Boots zei dat ik wel achterom kon gaan. Hij is aan de voorkant aan het spuiten tegen de wespen. Wat is er trouwens met hem aan de hand? Hij ziet eruit alsof zijn hond net is doodgegaan.' De hordeur sloeg achter haar dicht.

'Hij zal gestoken zijn', knipoogde Nomie naar Alice.

'Let maar niet op hem, Kerilynn', verklaarde Alice. 'Niets mis met Boots.'

Sassy schoof haar tas opzij, zodat Kerilynn een plekje had om te zitten.

'Sorry dat ik zo laat ben. Ik heb me toch een middag gehad. Vandaag zou ik cakejes maken voor de kinderen van de kleuterschool. Ik had chocolade genomen – met die goede zevenminutenglazuur, uit de diepvries – het duurt eeuwen, maar ze vinden het allemaal heerlijk. De cakejes waren heel goed gelukt, maar de onderwijzer vergat me te vertellen dat ze er twee kinderen bij heeft die allergisch zijn voor chocolade. Toen ze die vertelde dat ze ze niet mochten hebben, begonnen ze te huilen. Het ging me aan het hart. Dus ben ik naar de Quick Stop-winkel gerend en heb twee doosjes Twinkies gekocht. Daarmee waren ze dik tevreden, maar ik raakte er wel door achterop. Had geen tijd om naar huis te gaan en me te verkleden. En dat niet alleen, ik was door mijn zoete thee heen voor 'De Klok Rond'. Je hebt nog nooit zo'n ophef meegemaakt. Ik dacht dat er een oproer van zou komen. Ik probeerde, voor deze ene keer, een beetje suiker in de ongezoete thee te doen, maar ze deden alsof ik zand in een badpak stopte.'

'Het smaakt nooit goed als je de suiker er niet in doet terwijl het nog heet is', zei Sassy. 'Je kunt de thee dan net zo goed weggooien en opnieuw beginnen. Dat doe ik altijd.'

'Vertel me eens wat ik allemaal gemist heb?' Kerilynn zwaaide zichzelf koelte toe met een kerkblad dat ze uit haar tas trok. 'Hebben jullie het ook zo warm of ben ik de enige?'

Ginger Collins stond op, ging naar Alice' keuken en haalde een koude cola voor Kerilynn. Alice zette de plafondventilator aan.

'Tweeënvijftig', zei Kerilynn. 'Jullie weten allemaal dat ik met bijna alles in mijn leven laat ben.'

'Neem er je tijd voor, schat. Niemand heeft haast', zei Nomie. 'Wanneer je zover bent, horen we het wel.'

Kerilynn nam een slok cola, leunde achterover in haar stoel, sloeg haar in een broek gestoken magere kuiten over elkaar en wuifde zich nog een beetje meer koelte toe. Eindelijk was ze klaar om verder te gaan. 'Laat me eens kijken. Ik heb het allemaal hier opgeschreven.' Ze grabbelde in haar tas op zoek naar een gebloemde blocnote en hield die op armlengte vast. 'Lieve deugd. Ik kan mijn eigen handschrift niet lezen. Sassy geef me je bril eens.' Ze graaide hem gelijk van Sassy's neus.

'Dat is beter, dank je wel. Wel een beetje vet hè,?' Ze veegde hem even goed af met de slip van haar bloes. 'Om mee te beginnen, we hebben de dames van bejaardenoord 'Nieuwe Energie' met hun haakwerk. Ik geloof dat ze pantoffels in de aanbieding hebben en die strakke petjes die alle tieners tegenwoordig dragen. De activiteitenleider zei dat ze iets nieuws aan het proberen zijn, met gekleurd garen. De Wal-Mart heeft drie dozen vol knotten gegeven. Natuurlijk is de quiltclub 'Vaardige Vingerhoed' er ook, met een uitstalling van hun laatste producten. Ze zijn ook van plan een demonstratie te geven van een paar nieuwe quilt-technieken. Ik weet nog niet precies wat allemaal.'

'Gaan ze nog een loterij houden?'

'Ja. Voor een dubbele hut. Twee dollar per lot. Maar het beste nieuws is dat ik een man te pakken heb gekregen uit Louisiana, een houtbewerker. Hij maakt dieren. Beren, lynxen, herten – wat je maar wilt. Gebruikt niets anders dan een kettingzaag. Catfish heeft hem vorig jaar bij een of andere rommelmarkt gezien. Zegt dat die man prachtige dingen maakt. Ik heb hem bijna zo ver dat hij komt.'

'Een kettingzaag. Is dat niet een beetje erg veel lawaai?', zei Nomie.

'Ik denk het wel', zei Kerilynn. 'Maar zolang we hem maar een plekje geven flink ver uit de buurt van het podium waar de band en het koor optreden, denk ik niet dat het een probleem zal zijn.'

'Heb je nog iets speciaal voor de kinderen?', vroeg Alice.

'Jazeker. Lila van de schoonheidssalon gaat gezichten beschilderen, en de dominee gaat figuren maken van ballonnen. O, dat vergat ik nog bijna. Mijn nicht Nell heeft toegezegd te komen met haar zandkunst-stand. Ze is echt geweldig met kinderen. Ik heb er nog nooit eentje gezien die haar niet aardig vond. Natuurlijk houden alle kinderen ervan met zand te knoeien. Ze helpt hen met het uitzoeken van kleuren en het leggen van laagjes in een potje.'

'Hoeveel vraagt ze ervoor?', vroeg Sassy.

'Een dollar voor een klein potje, twee voor elke daaropvolgende grootte.'

'Twee dollar. Voor wat grond?', zei Lucky.

'Geen grond – gekleurd zand', zei Kerilynn. 'Gesteriliseerd en wel. En daarbij kunnen ze ook nog kiezen uit lint of dat raffiaspul om er omheen te wikkelen. Niet dat het er veel toe doet.' Ze wierp Sassy een vernietigende blik toe. 'Als ik bedenk dat elke stuiver die het oplevert, bestemd is voor een goede zaak.'

'Ik vroeg maar.' Sassy pakte haar bril terug.

Kerilynn propte haar blocnote terug in haar tas. 'Sassy, ik bedoel het niet kwaad, maar wat is er met jou aan de hand? Je bent zo prikkelbaar als een slang. Liefje, ben je soms weer van je hormoonpillen af?'

'Nu je het zo rechtstreeks vraagt, eerlijk gezegd, ja.' Sassy was in tranen. Ik ben het zat elke dag die pillen in te nemen. Ik heb een artikel gelezen in de *Reader's Digest* waarin staat dat ze slecht zijn. Veroorzaken dementie of kanker of zoiets. Daar zit ik niet op te wachten. Ik slik ze nu al een week niet meer.'

'Och, mijn hartje, geen wonder dat je zo nerveus bent', zei Ginger. 'Ik zou zelf liever mijn ijsthee opgeven dan mijn hormoonpillen. Die vrouw van *Good Morning America* – ik geloof dat ze Katie heet – zegt dat als je er niet tegen kunt, sojapoeder ook wel goed kan werken.'

'Mijn zus zweert bij alfalfa-tabletten. Ze verzekerde me dat ze haar hebben geholpen', zei Alice en gaf Sassy een zakdoekje.

'Ik wil niet kortaf zijn tegen jullie. Ik ben alleen helemaal mezelf niet.' Sassy snoot haar neus. 'Ga maar door Nomie, het gaat al weer.'

'Zeker weten?' Nomie klopte Sassy op haar knie. 'Goed dan. Afgaande op onze verslagen tot nu toe zou ik zeggen dat we geweldig goed van start zijn gegaan. Het enige waar we het nog over moeten hebben, zijn de commerciële stands. Aan wie hadden we dat ook al weer uitbesteed?' Ze bestudeerde haar aantekeningen.

'Was dat Charlotte niet?', vroeg Ginger.

'Ik dacht het wel', zei Nomie.

'Waarom is ze hier niet?', vroeg Sassy. 'Het komt me voor dat ze haar verantwoordelijkheden een beetje serieuzer moet nemen.'

'Nou, Sassy ...', zei Ginger.

'Ik weet zeker dat Charlotte alles onder controle heeft', zei Nomie. 'Maar ze heeft al heel veel op haar bordje. Jullie weten het misschien niet allemaal, maar ze heeft nu drie meisjes. Er kan er best eentje ziek zijn. We weten allemaal hoe het is met kinderen thuis.'

'Ik was al van plan naar haar toe te gaan', zei Kerilynn. 'Ik denk dat ik dat morgen maar even doe. Kan ik gelijk even kijken hoe het met deze opdracht gaat. Nomie, ik zal je daarna wel bellen.'

Charlottes plannen voor die dag werden de hele tijd onderbroken.

Eerst ging de telefoon.

'Mevrouw Carter? Met Ben Jackson spreekt u.'

Ben Jackson. Wie is Ben Jackson?

'Ik bel over Beth.'

O ja, de man van Santa Claus. Het hoofd van de school.

'Het spijt me dat ik het erover moet hebben, maar ik hoop dat u het zult begrijpen. Ruby Prairie is in veel opzichten progressief, maar in de grond van de zaak zijn we maar een kleine stad, met daarbij passende waarden. Wat dat betreft, zou je kunnen zeggen dat we een beetje conservatief zijn in sommige dingen – zaken die in een grotere stad wellicht over het hoofd zouden worden gezien.'

Waar had hij het in vredesnaam over?

'Beth is niet de eerste leerling – nou ja, in feite is ze het eerste meisje voor zover we weten. Maar ik weet zeker dat ze niet het laatste zal zijn.' Hij schraapte zijn keel. 'Het gaat hierom. Wat de leerlingen betreft, is het beleid niet zo dat we ze niet kunnen hebben, alleen niet dat het openlijk gebeurt. Ik denk dat je zou kunnen zeggen dat we een bepaalde regel hebben, iets in de trant van 'vraag niets, zeg niets'.

Charlottes mond viel open. *Vraag niets, zeg niets. Was dat niet de militaire politie wanneer ze te maken hadden met …? Oh, lieve deugd.*

Kim had er geen woord over gezegd. Hoe kon ze nu weten hoe ze met zo'n situatie moest omgaan? Charlotte draaide het snoer van de telefoon om haar pols. 'Mijnheer Jackson, ik had er geen idee van. Beth is nu krap een week in huis. Eerlijk waar, haar maatschappelijk werkster heeft er met geen woord over gerept.'

'Had u het niet in de gaten? Ik zou denken dat u een soort dossier of zoiets zou hebben gekregen.'

'Ja, dat zou ik ook gedacht hebben.'

'Het spijt me dan dat ik de brenger van slecht nieuws moet zijn. Ik weet dat u een beetje geschokt zult zijn, maar eerlijk gezegd, zou ik me ook niet al te veel zorgen maken. Er zijn zat ergere dingen die kinderen kunnen uithalen. Het zijn tenminste geen drugs. Dat gebeurt zelfs hier.'

Charlotte putte weinig troost uit zijn woorden. Ze vond het vervelend te moeten vragen, maar vermande zichzelf. 'Mijnheer Jackson, ik moet het weten. Hoe kwam u erachter? Heeft Beth het iemand verteld? Heeft ze zich op een of andere manier slecht gedragen?'

'Beth? Verkeerd gedrag? O nee, ze is een model-leerling, een rustig meisje. Ze bezorgt niemand ook maar enige last. Als de gymleraar niet in de ruimte van de kluisjes was geweest toen de meisjes zich verkleedden, zou niemand het geweten hebben.'

Charlottes gedachten vlogen alle kanten op. Ze had beloofd Beth te houden zolang ze een huis nodig zou hebben, maar dat was voordat ze hiervan wist. Hoe zat het met de andere meisjes? Wat een gedoe daarover na te moeten denken. Goeie grutten, misschien wist Kim dit al evenmin over Beth ...

'Mevrouw Carter. Ik wil Beth niet in verlegenheid brengen. Ik heb nog niet met haar gepraat, maar ik dacht dat het niet gepast zou zijn, gezien het netelige karakter hiervan. Alles is afgehandeld door de mentor van de meisjes, een vrouw, en de schoolverpleegster. Ze zijn met het volgende plannetje gekomen, en ik ga daarmee akkoord. Als Beth een shirt draag dat lang genoeg is en als ze dat ingestopt of naar beneden getrokken houdt, hoeft er geen probleem te zijn. Alles wat we vragen, is dat ze het uit het zicht houdt.

'Uit het zicht', herhaalde Charlotte. Waar had hij het over? Ze had hoofdpijn. Ze veronderstelde dat ze een beschermd leven had geleid. Nog nooit in haar leven had ze zich zo dom gevoeld.

'Eén dingetje nog', zei mijnheer Jackson. 'De schoolverpleeg-ster zei tegen me dat het er tamelijk vers uitzag. Ze zei dat ta-toeages nogal gauw kunnen gaan ontsteken. Het is misschien een goed idee er voor de nacht wat alcohol op te doen of een of an-dere antibioticazalf.'

Tatoeages.

Beth had een tatoeage.

Daar ging het om!

Charlotte deed moeite om een opgeluchte lach uit haar stem te houden.

'Ik stel uw telefoontje zeer op prijs, mijnheer Jackson. U hebt er geen idee van hoezeer. Zodra ze thuis is, zal ik het er met haar over hebben. Ik verzeker u dat we dit, om zo te zeggen, *sub rosa*, onder de pet zullen houden.'

'Dat vind ik fijn, mevrouw Carter. Als ik u ooit ergens mee van dienst kan zijn, laat u het me dan weten.'

Ze hing de telefoon op. Beth en zij zouden die avond wel pra-ten. Wanneer zou ze de gelegenheid hebben gehad om een ta-toeage te laten zetten?

Charlotte keek naar de klok. De morgen was al voor de helft voorbij. Ze had gepland vandaag boodschappen te doen, naar de kruidenier en de bank te gaan. Ze moest nodig filters voor de af-zuigkap gaan halen bij Hardy's en ze werd gek van haar haar. Het bleef over haar ogen vallen en was bovenop plat gaan liggen. Mis-schien kon Lila haar inplannen voor een knipbeurt. Charlotte grabbelde in haar tas naar haar sleutels. Als ze nu meteen wegging, had ze nog net genoeg tijd.

Ze deed net het licht uit, toen er iemand op de keukendeur klopte. Ze ging op haar tenen staan om uit het raam boven de gootsteen te kijken. Op de stoep achter stond de man van de per-zikbomen. Hoe heette hij ook alweer? Ze kon er niet op komen.

'Morgen, mevrouw, hoe gaat het met u?'

Lester. Dat was het, Lester Collins. De man van Ginger. Hij woonde een eindje verderop in de straat. Ongevraagd plantte hij perzikbomen door de hele stad en hield er daarna een oogje op. Op het kerkhof, bij de bibliotheek, naast de school en bij huizen van willekeurige stadgenoten – of ze nu een perzikboom in hun tuin wilden of niet.

'Ik wilde u niet aan het schrikken maken, voor het geval dat u naar buiten zou kijken en me de bomen zou zien verzorgen. Ik ben alleen maar mijn herfstronde aan het doen. Ik zal vandaag een beetje aangelengde sinaasappelolie gebruiken, gemengd met een beetje compostsap. Hij sprak als een lekkerbek. 'Ik zal er ook wat maïsmeel bij strooien. Uw katten zullen het niet zo lekker vinden, maar het kan geen kwaad. Ze zullen er niet van te lijden hebben. Alles is organisch. Niet giftig voor huisdieren en kinderen. Maar goed ook, omdat u er een stel van beide hebt. Volgende week kom ik terug om een lekker dikke laag mulch neer te leggen. We willen ziekte voorkomen en alles voor de winter lekker instoppen. Als je de vacht van de eekhoorns dit jaar bekijkt, zou het me niets verbazen zijn als we nog vóór Thanksgiving strenge vorst krijgen.'

'Dank u. Heel erg bedankt. Het is bijzonder aardig dat u dit allemaal doet.' Charlotte wist nooit precies hoe zij haar waardering voor Lesters ongevraagde goede daden als hovenier het beste kon laten blijken.

De dominee had haar aangeraden niet te proberen hem te betalen. 'Dan zou je hem echt kwetsen', had hij uitgelegd.

Kerilynn had hetzelfde gezegd. 'Je hoeft alleen maar dank je wel en dag te zeggen. Hem zijn gang laten gaan. Maar je moet wel van tevoren één ding weten, liefje. Lester is een goede man, maar hij houdt erg van praten. Laat hem nooit beginnen, tenzij je er een flink gedeelte van de dag voor kunt uittrekken.'

'Ik wil u niet ophouden.' Charlotte wierp Lester een vrolijke brede glimlach toe. Hoewel ze hem niet binnen vroeg, gaf ze hem koffie in een kartonnen bekertje terwijl hij aan het werk was. Ze stond voor het raam en keek toe hoe hij de bomen verzorgde, alsof het kinderen in de luiers waren. Charlotte legde ten slotte haar sleutels maar neer en begon de afwasmachine leeg te halen. Het voelde niet goed nu in de auto te stappen en weg te rijden terwijl Lester gratis aan het werk was. Hoelang zou het allemaal duren?

Niet lang. Binnen een half uur was Lester klaar met een stuk of zes perzikbomen en ging hij er vandoor in zijn vrachtwagen.

Deze keer bracht Charlotte het tot aan de veranda aan de voorkant voordat ze weer werd opgehouden. Kerilynn parkeerde haar babyblauwe stationcar aan de voorkant. Ze zwaaide breed naar Charlotte en stapte uit. Charlotte zag dat ze een cake bij zich had.

'Hallo, hoe is het ermee? Ik dacht dat ik maar eens langs moest komen om te zien hoe het met je gaat. Ik zag je zondag nog, maar ik kreeg de kans niet om gedag te zeggen.'

'Leuk je te zien', zei Charlotte.

Kerilynn zag dat Charlotte haar sleutels in de hand had en haar tas over haar schouder. 'Je wilde net weggaan, is het niet? Neem me niet kwalijk, ik blijf niet hoor. Ik durf te wedden dat je ik weet niet wat te doen hebt. Ik laat de cake bij je achter en kom een andere keer wel terug.'

'Nee, ga nu niet weg. Kom binnen. Ik was alleen maar van plan wat boodschappen te doen, maar er is niets dringends bij. Ik vind het veel leuker even een kop koffie met je te drinken. Wat een prachtige cake.'

Kon de bank wachten? Als ze goed had gerekend, had ze nog twee dagen voordat er een cheque wegens saldotekort teruggestuurd zou kunnen worden. Het fornuis zou ook nog wel een dag of twee langer goed gaan. Ham en bonen kon ze vanavond wel als groente gebruiken. En ze kon haar haren zelf ook wel even bijwerken.

In de keuken vulde Charlotte de karaf met water. Kerilynn deed alsof ze thuis was. 'Waar heb je de koffie staan?'

'In de kast links.' Charlotte had liever gehad dat Kerilynn was gaan zitten in plaats van te gaan helpen.

Kerilynn mat zes maatschepjes af. 'Liefje, heb je koffiemelk?'

'Nee, het spijt me. Is gewone melk ook goed?'

'Magere? Perfect.'

Ze gingen samen aan de keukentafel zitten. Kerilynn sloeg Charlottes aanbod van een sandwich af. Het was tenslotte al bijna twaalf uur. 'Laten we alleen maar cake nemen. Het is kokoscake met citroenvulling. Gemaakt met vier eieren. Bijna natuurvoeding.'

Charlotte, die een echte zoetekauw was, bedacht dat cake als lunch een prima idee was.

'Je kunt goed bakken', zei ze terwijl ze een tweede plak voor zichzelf afsneed.

'Ik vind het leuk om te doen. Dat begon al toen ik een klein meisje was. Mijn specialiteit toen was ongebakken chocolade-havermoutkoekjes.'

'Met pindakaas? Die heb ik in geen eeuwen gehad. Heb je het recept?'

'Ik ken het uit mijn hoofd. Als je een blaadje hebt, schrijf ik het even voor je op.'

'Ik kan me voorstellen dat voor iemand die zo van bakken houdt, een eigen café een droom moet zijn. Hoe lang heb je 'De Klok Rond' al?'

'Tien jaar. Het openen ervan was inderdaad als een droom – een nachtmerrie komt wat dichter in de buurt, zou je kunnen zeggen.'

'Ik veronderstel dat een restaurant beginnen een grotere onderneming is dan mensen beseffen', zei Charlotte, die het niet helemaal begreep.

'Het is moeilijker dan het lijkt, maar dat was het niet alleen. Het was ook alles wat eraan voorafging. Tot die tijd was ik een gewone huisvrouw, een moeder die thuisbleef. Ik had nog nooit buitenshuis gewerkt, behalve als vrijwilligster. In de ouderraad, als supporter van de band, in het bibliotheekbestuur. Ik hielp ook af en toe in het bejaardenoord. Mijn man Paul en ik hadden onze kinderen jong gekregen – twee rumoerige jongens. We waren nog maar drieënveertig toen de tweede van de middelbare school kwam en naar de universiteit ging. We keken ernaar uit wat tijd voor ons samen te hebben. Vooral Paul. Hij hield van die knullen, maar hij kon nauwelijks wachten om me weer voor zichzelf alleen te hebben.' Kerilynn nam een slok koffie en grinnikte.

'Hij was zoals de meeste mannen. Als je de volgende keer dat je naar een diploma-uitreiking gaat, eens goed oplet, zul je merken dat het altijd de moeders zijn die huilen, en helemaal als het hun laatste kind is dat uitvliegt. De meeste vaders kunnen, terwijl ze druk bezig zijn in hun vrouws schouders te knijpen, met moeite de grijns van hun gezicht halen.'

Charlotte schonk een derde kop koffie in.

Kerilynns gezicht vertrok. 'In de herfst ontdekten we dat Paul ziek was. Net zoals jouw ma, had hij ook kanker. De dokter gaf hem drie maanden hooguit.'

Charlottes ogen werden mistig. 'Dat wist ik niet. Wat erg.'

'Afgezien van zijn ziekte maakte Paul zich erg ongerust om mij, hoe ik mezelf en onze jongens door hun opleiding heen moest krijgen. Ik probeerde het voor hem te verbergen, maar ik was ook bang. Hij was loodgieter. Had een eigen bedrijf. Het liep goed, maar we hadden nooit echt kunnen sparen. Meteen nadat hij ziek werd, ben ik gaan ik solliciteren in Ruby Prairie en de kleine plaatsen in de omtrek. Het duurde niet lang voordat ik doorhad dat ik een van die vrouwen was met vaardigheden waar niemand om verlegen zat. Er was niet veel vraag naar een koekjesbakster of een neuzensnuitster. Paul en ik trouwden meteen na de middelbare school en ik ben nooit gaan studeren. We kregen al meteen kinderen. Eerlijk gezegd, ik kan niet eens typen.'

'Dat moet vreselijk zijn geweest, erover in moeten zitten hoe je de kost moet verdienen terwijl je man zo ziek is. Wij hadden geen kinderen, dus alle jaren dat J.D. en ik getrouwd waren, ben ik blijven werken. Onze financiën stonden er tamelijk goed voor en we hadden een levensverzekering op J.D.'s naam – maar het was evengoed moeilijk.'

'Wij hadden het geluk dat we een verzekering hadden afgesloten, die voldoende was om Pauls begrafenis te betalen en me door de eerste twee jaar heen te helpen. We maakten ons beiden zorgen over wat er met mij en de jongens moest gebeuren wanneer dat op zou zijn. Paul en ik hebben er uren over gepraat wat ik moest doen. We bedachten dat ik een cursus schoonheidsspecialiste zou kunnen volgen en een schoonheidssalon zou kunnen beginnen. Dat kon ik in een jaar doen, maar ik ben nooit erg goed geweest met mijn eigen haar. We hebben gekeken of Avon en Amway iets voor me waren, maar dat leek meer iets om erbij te doen dan dat ik er een volledige baan aan zou hebben. Paul kwam met het idee een café te beginnen. Hij wist dat ik goed kon koken en dat het ook iets was wat ik graag zou doen.'

'Je hoeft in elk geval geen universitaire opleiding te hebben om pannenkoeken om te draaien of biefstuk te bakken', zei hij. In die tijd had Ruby Prairie nog geen enkele zaak waar je buiten de deur kon eten, behalve de grill van het Chevron-benzinestation, en daar hadden ze alleen maar lunches. Nog voordat ik tijd had om verder te denken, had Paul zijn levensverzekering verzilverd, het pand gekocht en de hele uitrusting die ik nodig had om een café op te zetten. Ik wist niet zo zeker dat ik een bedrijfje kon runnen, maar Paul wel. Hij heeft er nooit aan getwijfeld.'

'Hoe lang duurde het voor je na zijn dood 'De Klok Rond' kon openen?'

Dat was daarvóór al geopend. Paul hield het vol, zodat hij bij de grootscheepse opening kon zijn. Ik denk dat dat vooruitzicht hem langer in leven heeft gehouden dan de dokters hadden voorspeld. Tegen die tijd was hij zo mager als een lat en zat hij in een rolstoel, maar hij reed rond en groette iedereen die binnenkwam. We hingen overal ballonnen op en slingers. Er kwam iemand van de Kamer van Koophandel om het lint door te knippen. Het was echt een grote bedoening. Paul vond het geweldig, maar voor mij was het een treurige dag. Het voelde meer alsof ik iets afsloot. Ik wist precies wat het betekende dat Paul me het restaurant zag openen. Hij stierf een week later.'

Charlotte snoot haar neus.

Kerilynn stond op en spoelde haar kopje om. 'Dus zo ben ik aan 'De Klok Rond gekomen'. Paul had het helemaal bij het rechte eind. Ik ben er niet rijk door geworden, maar mijn jongens kwamen ermee door hun opleiding. Natuurlijk was het me nooit gelukt als de mensen hier me niet hadden geholpen. Het eerste jaar had ik te maken met een gebroken waterleiding, waardoor alles onder water kwam te staan. Pal daarna kwam ik plat te liggen met een vervelende griepaanval. Ik weet nog steeds niet wat ze allemaal gedaan hebben om me erdoorheen te helpen. En niet alleen toen. Ik heb niet bijgehouden hoe vaak mijn jongens en ik iets nodig hadden en dat ik geen idee had hoe we eraan moesten komen. Dan pakte ik de telefoon en ik werd nooit teleurgesteld. Op de meest onverwachte manier kregen we, precies op het goede moment, datgene wat we moesten hebben. De dagen dat ik dacht dat ik van eenzaamheid zou sterven – wanneer ik Paul en mijn oude manier van leven zo erg miste dat zelfs mijn tanden zeer deden –, belde er wel een vriend of kwam er iemand langs.'

Charlotte speelde met kruimeltjes cake op haar bord. 'Voelde je je gegeneerd wanneer je om hulp moest vragen?', vroeg ze.

'Gegeneerd? Waarom zou ik me generen? Ik kon het toen niet allemaal voor elkaar krijgen, maar nu zijn er ook bepaalde dagen dat ik het niet allemaal aankan. Ik zie het zo: in die tijd had ik hulp nodig. Maar er zou ook een tijd komen – en dat is al het geval – dat iemand anders iets van mij nodig heeft.'

'J.D. plaagde me wel eens omdat ik een perfectionist was. Omdat ik me een mislukkeling voelde als ik niet meteen de eerste keer dat ik iets probeerde, helemaal in mijn eentje perfect kon doen wat ik me had voorgenomen.'

Kerilynn knikte. 'Mijn nicht Sharon was net zo. Werd bijna gek voordat ze daaroverheen was.'

'Wat gebeurde er?'

'Ze kreeg kinderen.'

'O.'

'Hoe dan ook, over twee jaar heb ik mijn huis afbetaald. Twee onder een kap. Onderhand heb ik hulp genoeg, zodat ik af en toe vrij kan nemen. Dat is plezierig.' Kerilynn schoof haar bord terug. 'Schat, ik was niet van plan zo te blijven kletsen. Hoe is het met *jou*? Daarvoor kwam ik op bezoek. Hoe gaat het met de meisjes? Voel je je al beetje thuis? Is er iets wat je nodig hebt?'

'Het gaat prima. Je weet dat ik drie meisjes in huis heb?'

'Nikki en Vikki?'

'En Beth.'

'Hoe gaat het met het hele stel?'

'De tweeling zorgt echt voor een hoop plezier. Ze komen thuis uit school en praten over van alles en nog wat en daar houden ze niet mee op totdat ze gaan slapen. Soms zelfs dan niet. Mijn nieuwste meisje, Beth, is het tegenovergestelde. Het gaat wel goed met haar, denk ik, maar ze is rustig. Heeft een paar nare dingen achter de rug. Moeilijk te weten wat ze denkt.'

'Hoe oud is ze?'

'Vijftien.'

'Het is ook gedeeltelijk de leeftijd. Bij tieners blijf je je afvragen wat er in hun hoofd omgaat. Ze zal wel bijtrekken.'

'Ik hoop het.'

'Mijn jongens praatten me de oren van het hoofd totdat ze veertien waren; toen droogde het op. De volgende zes jaar hoorde ik niet veel meer uit hun mond. Maar weet je, nu praten ze weer, hoewel Call, elke zondagmiddag, het meest.'

'Dat is goed om te horen.'

Het was drie uur voordat Kerilynn wegging. Ze keken beiden stomverbaasd naar de klok toen ze in de gaten kregen hoeveel tijd er was verstreken.

'Lieve deugd. Je meisjes kunnen elk moment uit school komen. Het was niet mijn bedoeling om de hele middag te blijven.'

'Ik ben zo blij dat je gekomen bent', zei Charlotte, en ze beantwoordde Kerilynns omhelzing op de veranda aan de voorkant.

Pas toen ze weer thuis was, bedacht Kerilynn dat ze was vergeten Charlotte te vragen hoe het liep met de commerciële stands voor de braderie.

Ze hield haar belofte, belde Nomie en vertelde haar alleen maar een zo klein mogelijk leugentje. 'Ik zou zo zeggen dat je je geen zorgen hoeft te maken. Charlotte doet het geweldig. Ze heeft alles onder controle.'

Hoofdstuk

12

Charlottes pen bleef hangen boven weer een formulier dat maatschappelijk werk haar had gevraagd in te vullen. Dit was eigenlijk een van de kortere bladzijden die ze moest invullen. Niets erop was moeilijk, noch vereiste een van de vragen nader zoek- of denkwerk. *Invullen in drukletters, alstublieft. Gebruik alleen een zwarte pen. Plaats uw handtekening onderaan. Terugzenden aan onderstaand adres.* Op het formulier in haar hand, werd net als bij de andere, alleen gevraagd naar simpele zaken – naam, adres, sekse, ras, geboortedatum, burgerlijke staat.

Bij dat laatste punt bleef ze altijd even hangen.

Alleenstaand.

Getrouwd.

Gescheiden.

Weduwe/Weduwnaar.

Hoe kon het aankruisen van een onnozel vakje op een onbelangrijk formulier iemand zich laten voelen alsof ze midden in haar borst door een trein werd geraakt?

Vandaag zou ze eenentwintig jaar met J.D. getrouwd zijn geweest. Het was niet hun gewoonte geweest veel aan verjaardagen te doen, maar hun trouwdag vierden ze altijd grootscheeps. Ze gingen uit eten, soms een heel weekend weg. Altijd cadeautjes. Elk jaar weer een verrassing.

Tegen de vijftiende keer had J.D. tegen Charlotte gezegd dat hij moest overwerken op de dag zelf. Hij vond het heel naar, echt vervelend. Ze zouden het simpelweg moeten uitstellen tot het weekend. Ze had het goed gevonden ... geen andere keus. Maar ze had zich tranen gelachen toen ze die dag uit haar werk thuiskwam en ontdekte dat J.D. eten had gekookt en dat hij zich met een boeket rode rozen in zijn handen verstopt had onder het tot op de vloer hangend tafelkleed van de met kaarsen verlichte tafel. Zo veel goede herinneringen.

Ook wat dingen om te betreuren.

Als ze had geweten dat J.D. zo vroeg zou heengaan, zou ze nooit zo scherp of kortaf tegen hem hebben gedaan als ze wel eens had gedaan. Ze zou zich minder druk hebben gemaakt om het huis, en meer om hem. Tegen het einde had ze de gelegenheid gehad om hem dat te vertellen en hem om vergeving te vragen, om het een beetje goed te maken.

'Waar heb je het over?', had hij gezegd. 'Ik kan me er niets van herinneren. We hebben het heel fijn gehad.'

Dat was ook zo.

Maar vandaag had ze geen plezier.

Er was nog meer reden voor Charlotte om melancholiek te zijn dan alleen de herinneringen aan voorbije gedenkdagen. Sinds haar negentiende jaar was oktober allesbehalve een feestmaand geweest.

Zes weken van het eerste semester aan de universiteit had ze genoten van de vrijheid om de eerste keer weg te zijn van huis.

Haar geluksgevoel had maar kort geduurd.

Engels. Dr Rich. Tweede verdieping, Baxley Hall, Kamer 204.

In die ruimte zat ze toen de decaan in de deur kwam staan, haar riep en daarna met haar naar zijn kantoor aan de overkant van het campusterrein liep.

Charlotte was bang geweest dat ze in de problemen zat door het missen van de avondklok of door een parkeerbon die ze te laat had betaald.

Nee.

Nieuws dat haar leven veranderde.

Haar ouders. Auto-ongeluk. Dood. Beiden op dezelfde dag.

Een tornado had haar wereld niet erger door elkaar kunnen schudden. Als enig kind was ze haar hele leven geknuffeld en was er voor haar gezorgd. Diezelfde morgen nog had ze een doos met zelfgemaakte koekjes van haar moeder gekregen, een grappige kaart van haar vader en een afschrift van de bank met een onverwachte honderd dollar op haar rekening erbij.

Andere mensen hadden de begrafenis gepland. Charlotte was er alleen maar naartoe gegaan. Drie dagen nadat ze hen begraven had, was ze terug geweest op de universiteit. De levensverzekering dekte de opleiding. Ze kreeg een baan. Oma Ruby stuurde cheques.

Iedereen bewonderde haar volwassenheid, haar kracht. Oma zei dat het goed zou zijn als ze huilde.

Ze studeerde binnen drie jaar af.

Ze deed het echt goed.

Maar er gebeurde wel iets met haar gaandeweg. Na een paar prikkelbare jaren in het begin leerde J.D. over Charlottes eigenaardigheden heen te stappen.

'Ik heb geen hulp nodig. Ik kan het zelf', maakte ze hem duidelijk bij de bankafrekening waarvan het saldo niet klopte, de kerstversiering op zolder, een moeilijk te openen deksel van een pot augurken.

'Ik kan niet geloven dat ik zo deed. Wat dacht ik toch?' Ze sloeg zich voor de kop, sloot zichzelf dagen lang op, vocht zelfs tegen tranen over een verkeerd weggeborgen, onbetaalde rekening die nu achterstallig was, een vergeten kappersafspraak, roestig tuingereedschap dat per ongeluk in de regen buiten was achtergelaten.

Onafhankelijkheid en perfectie. Charlotte hunkerde naar het ene, en eiste van zichzelf het andere.

Waar was God bij dat alles?

Was Hij er nog steeds?

Charlotte, die vanaf haar twaalfde christen was, raakte haar geloof niet kwijt. Ze had altijd in God geloofd. Nadat haar ouders waren gestorven, begon ze alleen wat meer in zichzelf te geloven.

Zo bood ze het hoofd aan de dood van haar ouders.

Zo ging ze ook om met het verlies van J.D.

En zo raapte ze zichzelf ook vandaag bij elkaar.

Charlotte was klaar met invullen, ondertekende het formulier, plakte er een postzegel op en deed het in de brievenbus op de veranda buiten. Geen tijd voor zelfmedelijden. Kim Beeson zou over een paar uur komen, om Tanglewoods vierde meisje te brengen. Ze heette Donna, en ze was veertien jaar.

Vier meisjes. Haar huis begon aardig vol te raken. Volgende week verwachtte ze er nog twee.

Boven snoot Charlotte haar neus, en begon daarna aan de klus om Donna's kamer klaar te maken.

'Kom binnen.' Charlotte was er onderhand aan gewend. 'Ik ben zo blij dat je er eindelijk bent.'

Kim en Donna liepen het pad op.

'Jij moet Donna zijn. Wat heb je mooi haar.' Het was glanzend, steil, donkerbruin en hing halverwege de rug van het meisje. Charlotte stak haar hand uit en streek een verdwaalde lok uit Donna's gezicht.

Alsof die aanraking net even te veel was, begon Donna meteen te snikken.

'Maar liefje. Het spijt me.' Toen Charlotte haar in haar armen nam, stribbelde ze niet tegen. 'Het is vast een moeilijke dag voor je geweest, niet?'

'Ik wil naar huis. Alsjeblieft, laat me naar huis gaan.'

Charlotte keek naar Kim over het hoofd van het meisje heen.

'Laten we maar naar binnen gaan. Daar praten we verder', zei Kim.

Met z'n drieën gingen ze op de bank in de woonkamer zitten. Charlotte en Kim aan de zijkanten, Donna in het midden.

'Ik mis mijn vader zo. Wanneer zie ik hem weer?'

'Je kunt hem morgen bellen', zei Kim. 'Weet je wel? Dat hadden we gezegd.'

'Het is niet eerlijk dat ik hiernaartoe moet. Ik weet niet waarom dat nodig is.'

'We hebben het er al over gehad', zei Kim. 'Je vader kan door zijn nieuwe baan op dit moment niet zelf voor je zorgen.'

'Ik kan wel voor mezelf zorgen. Dat heb ik altijd al gedaan. Ik deed de was, maakte eten klaar, hield de boel schoon. Ik kan alles doen.'

'Dat is prachtig', zei Charlotte. 'Ik denk dat je vader echt trots op je is. Hij zal je vast missen.' Ze wendde zich tot de maatschappelijk werkster. 'Kim, is er een speciale reden waarom Donna tot morgen moet wachten voordat ze haar vader kan bellen? Waarom laten we hem niet nu al weten dat ze hier veilig is aangekomen?'

Donna hield op met huilen, belde haar vader, huilde nog eens, begon weer te snikken, stopte een tijdje, begon dan opnieuw toen Kim wegging. Charlotte hield haar vast, praatte tegen haar en keek op haar horloge. De andere meisjes zouden elk ogenblik thuis kunnen komen. Er moesten nog hapjes worden klaargemaakt, drie wassen gedraaid, er moest worden gepoetst en iets aan het avondeten worden gedaan. En zij zat met een snikkend meisje in haar armen.

Kim belde de volgende dag: 'Gaat het goed?'

'Beter', zei Charlotte. 'Ze begint te wennen. Klampt zich een beetje aan me vast, maar het gaat beter. Echt erop uit om een handje te helpen.'

'En de andere meisjes?'

'Gaat goed. Nikki en Vikki houden al van haar. Ze lijkt wel een klein moedertje voor hen. Beth is beleefd, maar houdt nog steeds een beetje afstand.'

'Ben je al klaar voor nog twee?'

Charlotte slikte. Dat zou *full house* maken. 'Natuurlijk', zei ze.

Kim aarzelde. 'Er is wel iets wat je moet weten.'

Charlotte ging in gedachten razendsnel wel duizend mogelijkheden na.

'Een van de meisjes is zwart. Ik bedoel dat ze een Afro-Amerikaanse is. Ik hoop dat dat goed is?.'

'Is dat alles? Ik dacht dat je me iets vreselijks zou vertellen.'

'We hebben het er eigenlijk nooit uitdrukkelijk over gehad
hoe je ertegen aankeek een meisje van een ander ras op te
nemen.'

'Dat hoeft ook niet.'

'Ze heet Sharita. Ze is dertien, en ze houdt van zingen.'

'Geweldig. De 'Verlichte Weg' heeft een tienerkoor. Ze zullen
het fijn vinden haar erbij te krijgen.'

'De andere is Maggie. Zij is een jaar ouder.'

'Wanneer breng je ze?'

'Maandagmiddag.'

Charlotte probeerde zich te herinneren wie er volgende week
welke afspraak had. Eentje had er een afspraak bij de dokter,
maandag – of was dat een gesprek met de schooldecaan? Ze slikte. 'Natuurlijk. Maandag is uitstekend.'

'Tot ziens dan.'

Maandag hadden ze geen school. Charlotte was het vergeten.

Toen Kim en de nieuwe meisjes aankwamen, was Beth in haar
kamer boven. Donna was in de keuken brownies aan het bakken
van een pak mix. Nikki en Vikki waren buiten op de veranda.

'Hallo, meiden,' zei Kim. 'wat zijn jullie aan het doen?'

'We hebben walkie-talkies', zei Nikki. 'Zie je wel?'

'We roepen de katten', zei Vikki. 'Kijk maar.' Ze graaide er een
uit haar zusjes hand. 'Hier, poes, poes, poes.' Ze hield haar stem
laag.

Op het geluid van Vikki's door de ether klinkende stem sprongen Sneeuwbal en Visa door de tuin heen naar de plek waar ze
eten verwachtten. Toen ze halverwege waren, stopten ze en keken
rond, beide in verwarring.

'Hier, poesie, poesie, poes ...'

De katten keken nog verbaasder. Sneeuwbal ging zitten en jankte.

'Waar is de andere walkie-talkie?', vroeg Kim.

'We hebben hem in die boom verstopt.'

Nikki en Vikki hadden het niet meer.

'Ah, wat zijn jullie voor meiden?', zei Kim. 'Die arme katten. Waar is Charlotte?'

'Ze is binnen', zei Nikki. 'Ik denk dat ze onder de douche staat.'

'Heeft ze jullie verteld dat er nog twee meisjes bij zouden komen vandaag?', vroeg Kim.

'Jawel', zei Vikki. Ze keek naar een van de nieuwkomers. 'Hoe heet je?'

'Maggie.'

'Heb jij ook een kat?'

'Nee. Ik heb wel eens een slang als huisdier gehad. Ik nam hem mee naar school. Van de directeur moest ik hem wegdoen.'

'Je hebt hier geen eigen kat', zei Nikki. 'Er zijn er maar twee.'

'Je moet ze met ons delen', zei Vikki.

'Ik houd eigenlijk niet van katten', zei Maggie.

'En hoe heet jij?', vroeg Nikki het andere meisje..

'Sharita.'

'We hebben nog twee kamers over', zei Vikki.

'Wil je ze zien?', vroeg Nikki.

'Welkom op Tanglewood', zei Charlotte, toen het groepje binnenkwam. 'Het is alsof jullie twee al vriendinnen zijn. Kende je elkaar al voor vandaag?'

'Niks hoor', zei Afro-Amerikaanse Sharita. 'Ik heb haar van mijn leven nog nooit eerder gezien.'

'Ze kregen onderweg een band met elkaar met chocolademilkshakes en uienchips', zei Kim.

'Jaaa', zei roodharige Maggie, en ze liet een luide boer. 'We hebben vriendschap gesloten.'

'Je zou mijn auto eens moeten ruiken', zei Kim.

'Hoe oud zijn jullie, meiden?', vroeg Charlotte.

'Ik ben dertien', zei Sharita. 'En zij is veertien. Maar we zitten in dezelfde klas.'

'Ik moet nodig', zei Maggie. 'Heel nodig. Waar is de wc?'

Charlotte liet haar de badkamer beneden zien.

Toen ze naar buiten kwam, sleepten Nikki en Vikki de nieuwe meisjes mee naar boven. Charlotte bleef met Kim beneden.

'Nogal een levendig stel', zei Charlotte.

'Je hebt er geen idee van', zei Kim, en ze schudde haar hoofd. 'Ze hebben de laatste twee uur onophoudelijk zitten giechelen en zingen.' Ze wierp een blik naar boven.

'Net als bij de anderen zitten hun dossiers in deze pakjes.
Ik geef je even een snelle samenvatting. Maggie heeft het grootste deel van haar leven op het platteland gewoond – ik bedoel echt buiten, flink ver achteraf, in de bossen. Geen vader, alleen zij en haar moeder. Heel landelijk. Ik weet niet zeker of ze wel een wc binnen hadden. Zes maanden geleden zijn ze met z'n tweeën naar Dallas verhuisd. Moeder dacht dat ze het wel kon redden. Maar dat lukte niet. Ze verloor haar baan en haar appartement. Ze heeft verschillende keren een tijdje bij familie gewoond, maar daar was ze niet langer welkom. Ze hadden geen plek meer om naar toe te gaan. Twee weken geleden kreeg iemand hen in de gaten in een park, wonend in hun auto.'

'Arme mensen', zei Charlotte. 'Waar is haar moeder nu?'

'Gevangenis. Arrestatiebevel vanwege onbetaalde rekeningen. Niets te maken met geweld. Maar aangezien er niemand is die de borg kan betalen, zal ze de komende maanden wel opgesloten blijven.'

'Ik ben blij dat Maggie hier is', zei Charlotte.

'Een beetje ruwe kantjes', zei Kim. 'Voor zover ik er iets van heb gemerkt, heeft ze geen benul van manieren, en haar opvattingen over hygiëne laten te wensen over.'

'Het is waarschijnlijk moeilijk jezelf schoon te houden als je in een auto moet wonen', zei Charlotte. 'En hoe zit het met Sharita?'

'Zij is door en door een stadsmeisje. Opgevoed door twee

goede, liefhebbende, hardwerkende ouders, die toevallig arm zijn. Ze wonen in een gedeelte van Houston waar bendes een groot probleem vormen. Sharita's broer is twee jaar geleden bij een autorace doodgeschoten. Volgens haar ouders hadden bendeleden het ook op haar voorzien, en houden ze haar al meer dan een jaar in de gaten. Haar vader en moeder zijn doodsbenauwd dat ze haar erbij willen betrekken. Ze kunnen het zich niet veroorloven te verhuizen, maar ze willen alles doen om haar veiligheid te bieden.'

'Zelfs haar uit huis plaatsen', zei Charlotte.

'Dat klopt', zei Kim. 'Er zit meer informatie in de map. Als je nog vragen hebt, bel je me maar.' Ze pakte haar spullen bij elkaar. 'Tanglewood zit nu vol. Zes meisjes − dat zijn een boel rondvliegende hormonen. Verwacht je op voorhand al problemen?'

'Nee', zei Charlotte. 'Het gaat prima. Alles onder controle.'

Kim vertrok, en Charlotte ging naar boven om Maggie en Sharita te helpen met het uitpakken van hun spullen en inrichten van hun eigen plek. Zodra ze weer beneden was, schoot haar iets te binnen. Vandaag was het de veertiende. Vanavond zou er een receptie gehouden worden voor dominee Jock in de gemeenschapsruimte van de kerk. Ze had er vorige week over gelezen in het kerkblad. Het had iets te maken met het feit dat hij vijf jaar bij de 'Verlichte Weg' was. Zes uur. Koffie en cake.

Zou ze er met de meisjes naartoe gaan? Denkelijk niet. Een rustige avond thuis zou waarschijnlijk beter zijn voor de twee nieuwelingen. Ze hadden tijd nodig om te wennen voordat ze geconfronteerd zouden worden met de belangstellende ogen van de luitjes van Ruby Prairie.

Maar de dominee was zo aardig geweest − voor hen allemaal.

Wat kletste ze nu? Ze zou gewoon moeten gaan.

'Meisjes', riep ze iedereen bij elkaar. We gaan naar de kerk vanavond. Om zes uur. Er is een feestje voor dominee Jock.'

'Is hij jarig', vroeg Beth.

'Is er iets te eten?', vroeg Maggie.

'Nee, het is niet zijn verjaardag. Meer iets als een feestje om onze waardering te laten blijken. Er zal wel cake zijn. Waarschijnlijk ook punch. We eten hier eerst warm, en meteen daarna gaan we weg. Iedereen moet tegen die tijd klaar zijn.'

Ze waren minsten twintig minuten te laat klaar. 'Kom op, meiden', maande Charlotte en joeg ze de bus uit. 'Denk eraan, beleefd zijn. Geef dominee Jock een handje. En iedereen maar één plakje cake. We blijven niet lang.'

De zaal was werkelijk overvol. Er was nauwelijks een plaatsje voor Charlotte en de meisjes om te staan. Ze keek het vertrek rond. Onbekende gezichten keken terug. Waar was dominee Jock? Kerilynn? Zij moesten toch ook ergens zitten.

'Mogen we nu cake pakken?', vroeg Nikki.

'Ik denk het wel. Vergeet niet dank u wel te zeggen.'

Charlotte kende de vrouw die de cake sneed, niet.

Noch degene die de punch inschonk.

Zeven plakken cake. Zeven kommetjes met punch.

Charlotte hoorde de twee serveersters praten over de snel slinkende voorraad versnaperingen. Hadden ze wel genoeg gemaakt? Misschien had ze meer dan één cake mee moeten nemen.

Ze vond een plekje waar iedereen kon gaan zitten. Maggie morste met de punch. Daarna gooide Nikki haar stoel om, en belandde die op een plant. Sharita kreeg de hik. Donna zag een man staan die haar aan haar vader deed denken en begon te huilen.

Mensen staarden hen aan.

Dit was een slecht idee. Ze zou op zoek gaan naar dominee Jock, zich verontschuldigen dat ze al zo vroeg weggingen en hen dan allemaal mee naar huis nemen. 'Blijf hier', zei ze tegen de meisjes. 'Ik ben zo terug.'

'Neem me niet kwalijk,' zei Charlotte tegen de vrouw die cake sneed, 'kunt u me vertellen waar dominee Jock is?'

'Wie?'

Misschien was de vrouw wat dovig. 'Dominee Jock,' herhaalde Charlotte wat luider. 'De man voor wie deze receptie wordt gehouden.'

De vrouw keek verward. 'Mijn beste, ik ken niemand die Jock heet. Dit is de regionale driemaandelijkse vergadering van de bond van gepensioneerde onderwijzers. U moet me maar niet kwalijk nemen, maar u ziet er wel erg jong uit om al gepensioneerd te zijn. Waar hebt u het laatst gewerkt?'

Charlotte keek op een kalender die tegen de muur geprikt hing achter het hoofd van de vrouw. Vandaag was het de zevende. Niet de veertiende.

O jee.

Het was echt tijd om naar huis te gaan.

Hoofdstuk
13

Charlotte stond voorovergebogen prijzen te vergelijken van pin-dakaas en wilde dat ze haar bril niet had vergeten. Ze vroeg zich juist af waarom de grote potten nu net op de onderste planken in de winkel stonden, toen ze een duidelijk herkenbare stem in het volgende gangpad hoorde.

Lila Peterson.

Charlotte schoot overeind en streek haar te lang uitgegroeide haren voor haar ogen weg.

Kort nadat ze in Ruby Prairie was aangekomen, had Charlot-te door verscheidene gesoigneerd uitziende inwoners over Lila horen spreken. 'De schat van de stad', zo omschreef Kerilynn haar. 'Nog maar net achtentwintig, maar ze heeft een gave om iemands haar te doen.'

Volgens Kerilynn was Lila, hoewel ze pas drie jaar geleden haar opleiding had afgerond, al een expert in verven, knippen en per-manenten. En dat niet alleen, ze wist ook precies welke chemi-sche processen het beste werkten op welke soort haar, en welke stijl het beste paste bij welke gezichtsvorm. Lila's dankbare klan-ten waren gul. Ze gaven haar niet alleen royale fooien, maar ver-rasten haar ook veelvuldig met cadeautjes. Bij een bezoek aan Li-la's winkel had Charlotte laatst twee bananencakes gezien alsmede een pot ingemaakte augurken en een set gehaakte jampothouders in de kleuren van Lila's keuken, aquamarijn en perzik.

'Niet om mezelf op de borst te kloppen of om de zaken wat op te krikken of zo, maar je kunt je haar maar beter niet al te lang zelf bijhouden.'

Lila was de hoek om gekomen en liep in de richting van Charlotte.

'Lila, ik dacht al dat ik jou hoorde', merkte Charlotte op. 'Ik voel me schuldig, maar ik was van plan te je bellen.'

Lila grijnsde. 'Ik maakte maar een grapje, schat. Je ziet er goed uit. Die roze sweater staat je leuk. Hoe gaat het met de meiden? Ik hoor dat je een huis vol hebt.'

'Ja. Klopt. Inmiddels zes. En allemaal moeten we geknipt worden. Dringend.'

'Zeven hoofden met haar ... zo mag ik het horen. Ik kan jullie net zo goed alvast in een vast schema in de agenda zetten, op dezelfde manier als bij de mondhygiëniste. Om de zes weken, of het nodig is of niet. Ik zou jullie persoonlijke styliste kunnen worden, die je dan op afroep kunt inschakelen. Is er nog iemand op Tanglewood die highlights nodig heeft? Een permanentje of ontkrullen?' Ze wierp een snelle blik op Charlottes wenkbrauwen. 'Weet je dat ik ook kan harsen?'

Na de verhuizing naar Ruby Prairie was Charlotte geschokt geweest door twee dingen: de hoge prijzen van de spullen bij Rick, de enige kruidenier in de stad, een familiebedrijf, en de ongelooflijk lage prijzen van Lila's schoonheidssalon – bijna de helft van wat ze gewend was te betalen.

'Wil je dat ik naar de zaak bel?', vroeg Charlotte. 'Ik moet nodig iets afspreken.'

'Nee hoor. Ik heb mijn agenda niet nodig. Laat me even nadenken. Weet je wat? De kinderen hebben vrijdag geen school – de leraren hebben een of andere studiedag. Ik weet zeker dat ik dan weinig klanten geboekt heb staan. Laten we er vijf tegelijk onder handen nemen. Wat de andere twee betreft, wat vind je ervan dat die vandaag na schooltijd komen? Ik heb wel wat klanten, maar het zal geen probleem zijn om hen ertussen te schuiven.'

Charlotte schreef het op de achterkant van haar boodschappenlijstje. 'Dat zou geweldig zijn. Ik zal de tweeling vanmiddag sturen. Ze hoeven alleen maar te worden bijgeknipt.

De andere meisjes en ikzelf komen dan vrijdag. Ik heb er een paar bij die je hulp echt nodig hebben.'

'Ik houd wel van een uitdaging.'

'Hoe laat?'

'Laten we zeggen om negen uur. Ik denk dat we tegen tweeen klaar kunnen zijn. Ik heb wel een automaat met snacks achterin staan, maar je kunt beter wat voor de lunch meenemen', zei Lila. 'Komende zondag zullen jullie een knap stelletje zijn. Zeven lieftallige dames op één bank. De dominee zal het nog moeilijk krijgen zijn gedachten bij zijn preek te houden.'

'Waar ik het moeilijk mee zal hebben, is zes meisjes en mezelf een beetje op tijd naar de kerk te krijgen', zei Charlotte. 'Elke dag deze week is er wel iemand te laat naar school gegaan.'

'Verbaast me niets', zei Lila. Hoeveel badkamers heb je?'

'Eén beneden, twee boven.'

'Daar heb je het al. Drie meisjes die allemaal tegelijk proberen klaar te zijn. Ik ben opgegroeid met twee zusjes in een huis met maar één badkamer. We waren nooit ergens op tijd. Twee van ons waren zelfs te laat op hun eigen trouwerij, en we woonden nog wel naast de kerk. Tot vrijdag.'

Charlotte rende naar huis en haastte zich om de kruideniersspullen weg te bergen. Ondertussen schoof ze een lading kleren uit de wasmachine in de droger. Daarna verschoonde ze haar bed, zoog de woonkamer en veegde de hal met een mop. Haar bedoeling was elke schooldag het huishoudelijk werk – schoonmaken, wassen, boodschappen en zo – klaar te hebben tegen de tijd dat de meisjes thuiskwamen. Ze streefde ernaar iets lekkers voor hen klaar te hebben staan – vandaag gesneden schijfjes appels, opgewarmd in de magnetron met een caramelsausje – en probeerde de laatste overgebleven privéminuten van die dag op de schommelstoel op de voorveranda door te brengen. Het lukte haar niet altijd, maar als ze het wel voor elkaar kreeg, hoorde dat tot haar favoriete halfuurtje van de dag.

Vandaag nam Charlotte, warm ingepakt in een jack met fleece voering, een kwartiertje de tijd om uit te rusten en te wachten op de meisjes. Omdat het herfst was, hadden de meeste van de statige esdoorns in de tuin die haar met hun bebladerde takken nog maar een maand geleden het uitzicht hadden belemmerd, nu geen enkel blad meer, waardoor ze makkelijk in drie richtingen kon kijken.

Tanglewood stond boven aan een T die gevormd werd door de Hoofdstraat en Betty Lane. Zo rustig was dit gedeelte van de stad dat je, als de wind uit de goede richting kwam, het geluid van de bel die het eind van de schooldag aangaf, drie blokken verder, kon horen, en soms het geluid van startende gele schoolbussen.

Meestal kwamen Visa en Sneeuwbal bij Charlotte zitten tijdens haar middagpauze. Terwijl ze uitkeek naar de meisjes vanuit de schommelstoel of de rieten stoel, hielden zij hun oren gespitst vanaf hun hoge plaats op de leuning van de veranda. Charlotte wist dat de twee katten verschillende redenen hadden om de wacht te houden. Visa, de kat die op gezelschap gesteld was, verlangde vurig naar aandacht. Ze hield van Charlotte, maar ze aanbad de meisjes en kon de lange uren dat ze weg waren, nauwelijks doorkomen. Dan verkoos ze kniezend de dag te verslapen. Om niemands gevoelens te kwetsen sliep Visa heel diplomatiek elke nacht bij een ander meisje. Het was verbazingwekkend hoe precies ze wist te wisselen. Charlotte, die wel eens vergat welk meisje in welke kamer sliep, had geen idee hoe de kat het bijhield. Voor Sneeuwbal daarentegen telde niemand anders dan Charlotte. Na zes jaar de enige kat te zijn geweest had ze met tegenzin de komst van de tweeling getolereerd, maar ze was duidelijk nijdig geweest toen Beth haar intrek nam. De recente aanwas met Donna, Sharita en Maggie was wel zo ongeveer de druppel die de emmer deed overlopen. De excentrieke kat bracht haar avonden ver weggekropen op Charlottes bed door of kalmpjes boven op de koelkast. Niet alleen was het daar boven warm, maar ze was er ook buiten het bereik van de twaalf handen die haar wilden aaien, vertroetelen en achter haar oren krabben.

'Het duurt nu niet lang meer, meisjes', zei Charlotte tegen de poezen toen ze het geluid van de bel opving. Ze geeuwde. Voor zes meisjes zorgen betekende een nooit eindigende opeenvolging van hormonaal gestuurde drama's op de late avond. Veel nachten zat ze op om iemands rug te wrijven, tranen te drogen of naar verhalen te luisteren.

De afgelopen nacht was het Donna geweest. Charlotte had haar huilend aangetroffen, een kwartier nadat ze haar welterusten had gewenst en alle lichten boven had uitgedaan.

'Donna? Wat is er?', vroeg Charlotte.

Schuilend in het donker had het meisje haar zorgen over haar vader eruit gegooid. 'Ik weet dat hij me mist. Hij kan er niet tegen alleen te zijn.'

Volgens de papieren was Donna degene die haar vader tot steun moest zijn sinds haar moeder hen twee zomers geleden in de steek had gelaten. Uit wat Donna haar had verteld en uit haar behulpzaamheid en neiging het iedereen in huis naar de zin te maken had Charlotte opgemaakt dat het meisje de rol van huishoudster op zich had genomen voor haar nog steeds verbijsterde vader, wiens hart gebroken was. Toen hij een baan had aangenomen op een booreiland buiten de kust, waardoor hij steeds noodgedwongen ongeveer zes maanden achtereen weg was, had Donna plotseling geen plek om te wonen.

Wat had de man bezield zo'n baan te nemen, met een tienerdochter en geen moeder in beeld?

'Pappa zegt dat hij zo in zes maanden meer geld kan verdienen dan in twee jaar wanneer hij in de buurt blijft werken. Wanneer hij terug is, gaan we verhuizen naar Oregon, omdat het daar echt fijn is. Hij zegt dat we daar een leuk huis kunnen krijgen en dat hij een auto voor me gaat kopen zodra ik zestien ben.'

Charlotte bad dat Donna's vader zijn woord zou houden. Ze

vroeg zich af waarom hij Donna een volle week voordat hij zelf weg moest, al naar Tanglewood had laten gaan.

'Hij gaat vrijdag weg. Mag ik hem morgen bellen?'

'Natuurlijk. Wat denk je, zou je een voetmassage lekker vinden?'

Het was al dik na enen voordat Charlotte zelf was gaan slapen, met de pepermuntgeur van de voetencrème aan haar handen.

Buiten op de veranda geeuwde Charlotte en rekte zich uit. In gedachten ging ze de agenda na voor de rest van de dag. Telefoontje met Donna's vader. Huiswerk. De oefenavond van het tienerkoor. Haren knippen. Dat had ze bijna vergeten. Ze zou Nikki en Vikki snel iets te eten geven en hen daarna naar Lila sturen. Ze konden wel lopen. Misschien zou ze een van de oudere meisjes met hen mee laten gaan. Misschien ook niet. Lila's winkel was maar een paar blokken verderop.

Visa en Sneeuwbal, die lagen te dommelen op het hek langs de veranda, waren plotseling klaarwakker. Sneeuwbal legde haar oren naar achter en probeerde zelfs niet te verbergen dat ze ontstemd was. Visa sprong op Charlottes schoot, waar ze begon te spinnen en op en neer ging lopen. Het was de nadering van de meisjes, nog een half huizenblok weg, die de katten in beweging had gebracht.

Eerst kwamen Nikki en Vikki, zwaaiend met hun rugzakken, tegen steentjes schoppend en een eind weg kletsend. Hadden ze hun bh's vandaag aangehouden of hadden ze die, net als gisteren en de dag ervoor, op school afgedaan? Ze waren nog te ver weg om het te kunnen zien.

Zelf vroeg ontwikkeld begreep Charlotte hun terughoudendheid wel om die rare uitvindsels te accepteren. 'Ik weet dat het vreemd zal aanvoelen, maar je went er vlug genoeg aan', had ze hun verteld toen ze thuiskwamen met hun bh's in hun rugzak gepropt. 'Je bent nu een jonge vrouw aan het worden. En dat niet iets om je voor te generen. Het is eigenlijk iets heel speciaals.'

'Oké', hadden ze alle twee gezegd. 'Kunnen we nu tekenfilms gaan kijken?'

De volgende dag was Charlotte naar school gereden om de meisjes op te pikken voor hun afspraak bij de tandarts. Nikki was het eerst naar buiten gekomen. Zelfs met de ramen van de auto omhoog kon Charlotte zien dat ze aan het zingen was. In haar eigen vrolijke wereld verzonken sloeg Nikki de maat met haar bh, die ze aan één bandje in haar hand hield en als een propeller in het rond zwaaide.

Die dag had Vikki haar bh in haar kluisje op school laten liggen.

Toen de meisjes dichterbij kwamen, zag Charlotte dat het vandaag maar één op twee was. Het zag ernaar uit dat Vikki haar bh wel droeg, en Nikki niet.

Donna liep een stap erachter. Vanmorgen had ze hen geholpen met hun haar. De vorige avond had ze acht spelletjes Uno met hen gespeeld. Charlotte hoopte maar dat Donna's vader thuis zou zijn wanneer ze belde.

Beth kwam erachteraan. Beth, het moeilijkst te doorgronden meisje van Tanglewood, deed alles wat haar gevraagd werd. Maar ze hield al haar gedachten voor zichzelf.

'Beth, heb je een tatoeage?', had Charlotte gevraagd op de dag dat ze een telefoontje van school had gekregen.

'Hoe weet je dat?'

'Ze belden van school.'

Meteen stond er angst te lezen op het expressieve gezicht van Beth.

'Lieverd, het is goed. Je krijgt er geen problemen mee. Ik wil hem alleen maar even zien.'

Beth lichtte haar shirt op en liet een wat vreemd gevormde ster zien, zo groot als een stuiver, met blauwe inkt permanent gemaakt.

Charlotte raakte hem met haar duim aan. 'Hij is mooi. Ik heb er nog nooit zo een gezien. Maar moet je daar geen achttien voor zijn?'

'Dat is wel een vereiste. Ze laten je een formulier ondertekenen of zoiets.'

'Wie heeft er voor jou getekend?'

'Niemand. Het is een zelfgemaakte. Ik heb hem in het opvanghuis gekregen. Iemand daar heeft het gedaan.'

'Heeft iemand daar het gedaan. Hoe?'

'Een van jongens heeft het gedaan, met een veiligheidsspeld en wat inkt uit een pen. De anderen deden het ook.'

'Deed het pijn?' Charlotte had moeite om haar gezicht en stem neutraal te houden. *Houd het luchtig. Niets laten merken.*

'Heel erg. Ik was bijna van gedachten veranderd.'

'Was dat dezelfde jongen die je oren heeft doorgeprikt? Hoe heette hij ook al weer ... Kirby?'

'Ja.' Beths gezicht werd knalrood.

'Dat klinkt alsof jullie tweeën goede vrienden zijn geworden. Was hij er de hele week dat jij in het opvanghuis zat, ook?'

'Niet de hele week. Hij kwam de dag na mij.'

'Het zal wel fijn zijn geweest om iemand te hebben met wie je kon praten.'

'Dat is zo. Ik bedoel, dat was zo.' Beth keek omlaag, naar haar schoot. 'Ik denk dat ik wat huiswerk ga maken. Ik ga naar boven om het op mijn kamer te doen.'

'Beth, nog één ding', zei Charlotte.

Beth beet op een nagel.

'Probeer je tatoeage uit het zicht te houden – tenminste zolang je op school bent. Oké?'

'O, goed.'

'Eh ... misschien in de kerk ook maar. We zouden toch niet graag hebben dat we voor de oude dametjes daar moeten gaan bidden, hè?'

Beth grinnikte en verdween naar boven.

Charlotte kon de stemmen van de meisjes duidelijker horen naarmate ze dichterbij kwamen. Nikki en Vikki, nog steeds voor de rest uit, waren al aan het eind van het pad aan de voorkant.

Sharita en Maggie bleven achter bij de rest van de meisjes. Vanaf hun komst waren ze al de beste vrienden, en ze vormden een heel opvallend stel. Sharita, met haar kroezende zwarte haar en lichtbruine huid, en Maggie, sproetig, heel blank en zo roodharig als Charlotte zelden had gezien.

Charlottes uurtje rust was voorbij. De veranda was vol meisjes – meisjes die praatten, die lachten, die haar aandacht nodig hadden. Ze voelde zich als een herder in het midden van een om haar heen cirkelende kudde en deelde knuffels uit aan degenen die geknuffeld wilden worden – Nikki, Vikki, Donna en Sharita – en klopjes en glimlachjes de aan de twee die niet in waren voor een omhelzing – Beth en Maggie.

Ze hield de hordeur open terwijl de meisjes naar binnen dromden, op weg naar de keuken.

'Rugzakken en jassen op de trap alsjeblieft', hielp Charlotte hen herinneren. 'Neem ze straks mee naar boven wanneer je naar je kamer gaat.'

De traptreden lagen al snel van onder tot boven vol.

'Ging het goed op school? Hoe was jullie dag vandaag?', vroeg Charlotte.

'De mijne was oké.' Donna trok Visa in haar armen.

Charlotte leidde uit de blik op haar gezicht, half verborgen in Visa's witte vacht, af dat Donna's dag in feite niet helemaal oké was geweest. Ze zou wel eens verder polsen zodra ze een paar ogenblikken alleen waren.

'Wat heb je voor lekkers?' Vikki probeerde met een vlugge beweging Sneeuwbal te pakken, maar de poes ontsnapte uit haar greep en vluchtte met succes onder Charlottes bed.

'Koekjes?', vroeg Nikki.

'Niks ervan. Appels', zei Charlotte.

'Alleen appels?' Vikki trok een gezicht.

'Met caramelsaus', zei Charlotte. Ze zette de kom in de magnetron om op te warmen.

'Nog post voor me?', vroeg Beth, terwijl ze aan een van haar oorringen zat te friemelen.

'Twee brieven. Bij de ontbijtspullen. Naast de servetten.'

'Oefent het koor vanavond?', vroeg Sharita

'Om half zeven. Dominee Jock zei dat hij je zou komen halen.' Charlotte roerde door de caramelsaus en zette die op tafel naast de schaal met appelschijfjes.

'Wat is dat nu voor een naam, Jock, voor een dominee?', vroeg Sharita.

'Ik denk dat dat de naam is die zijn moeder hem gegeven heeft', antwoordde Charlotte.

'Klinkt me wat stijf in de oren.' Sharita moest altijd het laatste woord hebben.

'Wat zal ik aandoen?'

'Wat je aan hebt, is prima.'

Sharita morste een flinke klodder caramel op de voorkant van haar shirt.

'Maar nu kun je beter even een ander shirt aandoen', zei Charlotte glimlachend.

'Niet nodig.' Sharita lepelde de saus met haar appelschijfjes en propte ze in haar mond. 'Kijk!' Haar ogen daagden Charlotte uit om ertegen in te gaan.

Succesvol ouderschap hield kennelijk in dat je van een mug geen olifant moest maken. Maar hoe werd je geacht te weten wat wat was?

'Zoals je wilt', zei Charlotte.

'Maggie hield haar buik vast. 'O, lieve goedheid. Ik heb zo'n last van krampen. Heb je wat aspirine?'

'Extra sterk.' Charlotte haalde het medicijn van de keukenplank en gaf die aan haar.

Maggie opende de fles. 'Moet ik er één of twee nemen?'

'Eén. Wie wil er iets drinken?'

'Ik.'

'Ik ook.'

'Melk, water of sap?'

'Maggie,' zei Sharita, met haar mond vol appel, 'je mag eenzelfde stuk niet twee keer indopen. Dat is vies.'

'Lieve deugd,' zei Charlotte, 'dat vergat ik bijna. Nikki en Vikki, jullie moeten vandaag naar de kapper om je haar te laten knippen. Schiet op. Maak je klaar. Ik heb Lila gezegd dat jullie zo gauw jullie uit school thuis zouden zijn, naar haar toe zouden gaan. Is er nog een vrijwilliger om met hen mee te gaan?'

'Ik heb huiswerk', zei Donna.

'Ik ook', zei Sharita.

'Buikpijn', zei Maggie.

'Waar is Beth?'

'Ze is naar buiten gegaan. Naar het prieel', zei Donna.

'Om haar liefdesbrief te lezen', zei Nikki.

'Van haar vriendje.' Vikki deed het geluid van braken na.

'Ze schrijft de hele tijd zijn naam', zei Nikki. 'Ik zag hem op heel veel stukjes papier die ze in haar bureau heeft liggen.'

'Ze schrijft hem soms zelfs op haar hand', voegde Vikki eraan toe.

Charlotte keek door het raam naar buiten. Ze kon maar net Beths rode trui zien, gedeeltelijk verborgen achter de altijd groene takken van het prieel.

'Er hoeft niemand met ons mee te gaan', zei Vikki.

'We liepen ook altijd zelf van school', hielp Nikki haar herinneren.

'Oké. Maar wel rechtstreeks naar Lila en meteen naar huis terugkomen.'

'Zullen we doen', zei Vikki

'Beloofd', zei Nikki.

Het zou wel goed gaan. Tenslotte lag de winkel van Lila maar drie blokken verderop.

Hoofdstuk
14

Lieve Beth,

Ik mis je zo. Ik denk alleen maar aan jou. Die dag in het opvanghuis dat ik je gedag zei, was de ergste dag van mijn leven. Het klinkt misschien wel stom, maar ik heb de hele tijd onderweg naar het hui van mijn oom zitten huilen. Hij bleef maar grappen maken en me op mijn arm stompen en me vragen wat er aan de hand was. Alsof ik zou weten waar ik moest beginnen. Zelfs al kennen we elkaar maar zes dagen, ik zweer je, ik heb voor een ander meisje nog nooit hetzelfde gedacht en gevoeld als voor jou. Ik kan nauwelijks wachten tot we weer bij elkaar kunnen zijn. Maak je geen zorgen. Ik ben bezig ons plan uit te werken. Het duurt nu niet lang meer, dat beloof ik je.
Liefs,

Kirby

P.S. Het spijt me dat je oor ontstoken is.
P.P.S. Schrijf vlug terug.

Beth las de brief, vouwde hem toen op, deed hem terug in de enveloppe en stopte hem in de zak van haar spijkerbroek. Ze zat in kleermakerszit op de grond, met opgetrokken schouders. Met klamme handen schikte ze de gevallen dennenappels in drie nette stapeltjes. Ze maakte een rondje van elke stapel dennenappels, en zette daarna kleine steentjes achter elkaar in een rijtje eromheen.

In het opvanghuis was er niet speciaal iemand van de leiding geweest die erop had toegezien dat de deuren vanbinnen gesloten bleven; dat betekende dat ze zelden veilig dicht zaten. Dus terwijl andere tieners in de recreatieruimte rondhingen, waar ze televisie keken of tafeltennis speelden, of enkele dagen oude donuts aten en aan de telefoon hingen, was het voor haar en Kirby een koud kunstje geweest heimelijk weg te glippen naar de vrouwen verblijven, die geacht werden verboden terrein te zijn.

Ze brachten de eerste dag met gekruiste benen op Beths bed zittend door, aardbeientaartjes etend en zonder ophouden pratend. Kirby wilde alles over haar weten. Waar kwam ze vandaan? Had ze familie? Waarom ging ze niet terug naar haar oude pleeggezin? Toen ze huilde terwijl ze hem over Tim en B.J. vertelde, had Kirby eerst een beetje meegehuild. Hij had min of meer hetzelfde meegemaakt. Hoe meer ze praatten, des te meer voelde het voor Beth aan alsof ze Kirby haar hele leven al kende. Toen ze eenmaal ontdekt hadden hoe makkelijk het was weg te glippen, gingen ze elke dag weer naar Beths slaapkooi. Bij de tweede keer dat de deur gesloten bleek te zijn, had Kirby hem zonder noemenswaardig problemen open weten te wrikken. 'Om te kunnen praten', had hij Beth verzekerd, toen zij aarzelde. 'Alleen daarom.'

Niemand was er ooit achter gekomen.

Beth nam de brief uit haar zak en las hem nog drie keer over. *Ons plan.* Ze wilde dat Kirby wat duidelijker was geweest. Het niet-weten maakte het zo moeilijk. Ze rilde. Dit was anders. In de tien jaar dat ze in pleeghuizen had gewoond, had ze nooit een plan gehad. Niet echt – tenzij je het als een plannetje beschouwde je zo goed te gedragen als je kon, zodat je misschien, maar ook echt misschien, zou mogen blijven bij de mensen bij wie je deze keer terechtgekomen was. En wat voor goeds had haar dat gebracht! Als zo'n plannetje ooit had moeten werken, was het wel bij Tim en B.J. geweest. Wat hadden die een komedie gespeeld. Ze was zo stom dat ze hen echt geloofd had toen ze haar vertelden dat ze als een dochter voor hen was, de dochter die ze altijd gewild hadden en nooit hadden kunnen krijgen.

Ze zou nooit meer in zo'n opmerking trappen.

Charlotte keek uit het keukenraam. Beth was nog steeds in het prieel. Stond er slecht nieuws in haar brief?

'Heeft er nog iemand met Beth gepraat?', vroeg Charlotte. 'Was alles in orde toen ze naar buiten ging?'

'Ze huilde niet of zoiets', riep Maggie vanaf de bank.

'Ik dacht dat ze wel oké was', voegde Sharita er schouderophalend aan toe.

Ze voegde Beth maar toe aan de lijst van meisjes met wie ze eens onder vier ogen moest praten. Op sommige dagen zou ze zich in stukjes moeten kunnen delen om de ronde te doen. Charlotte keek op de ovenklok. Kwart voor vier.

'Nikki en Vikki, zijn jullie klaar met je het lekkers? Goed zo. Ga je wassen. Jullie moeten nu echt pronto naar Lila toe.' Charlotte gooide in elkaar gefrommelde servetten in de afvalbak, terwijl Donna de lege glazen in de afwasmachine zette.

'Ik wil niet dat mijn haar geknipt wordt', zei Nikki. 'Ik wil het laten groeien. Net zoals Donna.'

'Dat is goed. Je hoeft het alleen maar te laten bijknippen. Je haren vallen over je ogen en de uiteinden zijn gespleten.'

'Als het wordt bijgeknipt, groeit het vlugger', zei Donna.

'O ja?', vroeg Nikki.

'Absoluut. Ik laat mijn haar altijd bijknippen.' Donna draaide zich om zodat ze de achterkant konden zien. 'Zie je wel? En ik drink elke dag minstens twee glazen melk. Melk zorgt ervoor dat het sneller groeit.'

Nikki en Vikki dronken hun glazen melk leeg.

Charlotte gaf hun tweeëntwintig dollar. 'Voor het knippen, tien dollar elk. Daar zijn de twintig voor. De andere twee moet je als fooi geven. Ik wil dat je meteen door naar Lila gaat en ook meteen terug naar huis komt. Begrepen?'

'Begrepen.' Nikki hield haar hand op de deurkruk.

'Wacht even. Heeft een van jullie nog huiswerk te doen?', vroeg Charlotte.

'Rekenen', zei Vikki.

'Engels', zei Nikki.

'Neem je rugzak dan mee. Dan kun je je huiswerk maken terwijl je wacht en hoef je je er later niet meer druk om te maken.'

Charlotte stond op de veranda en keek de tweeling na totdat ze uit het zicht waren. Weer binnen belde ze Lila even om haar te laten weten dat ze op weg waren. De lijn was bezet.

'Hallo, meiden', riep meneer Collins. Hij was buiten in zijn tuin bladeren aan het vegen toen ze langskwamen. Ginger was naar binnen gegaan om iets op te zetten voor het eten en had hem achtergelaten zonder niemand om tegen te praten.

Dit was de derde keer al dat hij Nikki en Vikki vandaag zag. Net zoals andere met arendsogen toegeruste inwoners van Ruby Prairie die langs de schoolroute woonden, zagen hij of mevrouw Collins – soms beiden – het als hun taak buiten te zijn in het halve uurtje dat leerlingen naar en van school liepen. Soms zaten ze op de veranda. Andere keren deden ze wat klusjes buiten, zoals het pad vegen, lakens ophangen of onkruid wieden.

'Gaan jullie tweeën niet de verkeerde kant uit? Tanglewood ligt daar', plaagde hij, en wees terug in de richting van Charlottes huis. Maar ja, ik kan ook verkeerd op mijn horloge hebben gekeken. Is het al morgen?'

'We zijn op weg naar Lila', zei Vikki.

'Om ons haar te laten knippen', zei Nikki.

'Tja, jullie hebben allebei een mooie kop met haar', zei meneer Collins. 'Anders dan ik.' Hij streek over zijn glimmende kale hoofd. 'Wanneer het zo waait als vandaag, kan ik niets met mijn haar doen. Jaren geleden heb ik besloten de scheiding in het midden te doen het daar maar op te houden – klaar is Kees.'

De meisjes giechelden.

'Wees wel voorzichtig. Kijk goed uit wanneer je de Abneystraat oversteekt.' Hij besloot in zijn tuin te blijven staan en een oogje op hen te houden om zeker te weten dat ze veilig aan de overkant kwamen.

'Zullen we doen', zei Vikki.

'Dag meneer Collins', zei Nikki.

Ten zuiden van de Abneystraat stonden aan beide kanten van de Hoofdstraat huizen. Tanglewood lag aan het verste end. Aan de rand van de stad, een eind de andere kant op, lagen huisdierenkliniek 'De Viervoeters', 'Hometown Tire en Implement', de videowinkel en hengelsportzaak van Catfish Martin en bejaardenoord 'Nieuwe Energie'.

Daartussen, noordelijk van de Abneystraat, maar nog steeds aan de Hoofdstraat lagen de meeste andere zaken. Aan de oostkant van de straat stond café 'De Klok Rond', het kantoor van de Kamer van Koophandel, de VVV, bloemenwinkel 'Field of Dreams' en Ricks kruidenierswinkel.

Aan de andere kant stond de ijzerwarenwinkel van Hardy, die werd gerund door de vier broers Hardy, allen vijftigplussers. De ijzerwarenwinkel verkocht alles van toiletzittingen en koperdraad tot vijftigpondszakken hondenvoer, diepvrieskisten en bij elkaar passende zesdelige ameublementen. De vrouw van een van de broers verkocht spullen van Mary Kay; dus stonden er op de toonbank naast de kassa wat van de meest courante spulletjes, vooral de badolie, waarvan gezegd werd dat die kevers tegenhield. Meestal liep de handel goed. Maar wanneer het wat minder druk was, oefenden ze alvast wat voor het Hardy Boys Kwartet.

Naast de ijzerwarenwinkel stond 'Angelina's Zolder'. Dat was een cadeauwinkel die werd gedreven door een kleine tengere Aziatische vrouw die Rita heette en die kortgeleden begonnen was banjo te leren spelen. De winkel kon bogen op een prachtige selectie porselein en kristal, evenals een ruime variëteit aan kandelaars, decoratieve kussens, potpourri enzovoort. Elke bruid van Ruby Prairie stelde haar verlanglijstje samen bij 'Angelina's Zolder'.

Net voorbij Angelina's winkel was het Italiaans restaurant van Joe. Al was hij nog maar een jaar open, hij had zich voor het buitenshuis etende publiek bewezen als de enige serieuze concurrent voor 'De Klok Rond'. Van dinsdag tot zondag maakte Joe Fazoli de beste lasagne, manicotti en pasta met kip en spinazie waar je maar van kon dromen. En dat niet alleen; zijn spaghetti – $ 4.50 voor gewone tomatensaus, $ 5,25 voor saus met hele gehaktballen – was ook behoorlijk goed. Joe bakte zijn eigen knoflookbrood en spaarde voor een softijsmachine. Hij dacht dat zo'n ijsje als licht toetje een echte trekpleister kon worden.

Wat verder van Joe vandaan stond een antiekwinkel die 'Uit Grootmoeders Tijd' heette. Sassy Clyde dreef de zaak en verhuurde ruimte aan iedereen die oude spullen had en ze kwijt wilde. Sassy's zaak werd druk bezocht door mensen van buiten de stad die er geen bezwaar tegen leken te hebben door stapels keukenspullen uit de gouden jaren zeventig heen te ploegen, of door stoffige Beanie Babies en twintig jaar oude verzamelingen *National Geographic* om bij de goede spullen terecht te kunnen komen.

Pal achter de deur bij 'Uit Grootmoeders Tijd' stond een kunstig met houtsnijwerk versierde eiken kerkbank. Het was zo'n interessant stuk dat – ondanks het bordje *Niet te koop* – wel twee tot drie keer per week iemand tevergeefs probeerde Sassy te bepraten om er afscheid van te nemen.

Verscheidene mensen in Ruby Prairie waren behept met wat de mensen in het bejaardenoord de oudestempelziekte noemden. Bijvoorbeeld Jerietta Rollins, die wel twee keer per week binnenliep en die samen met haar man Ralph van hun buitenhuis (op het platteland) naar Ruby Prairie kwam om zorg te dragen voor zijn bedrijf in de stad. Jerietta werd al gauw moe. Als ze lang op haar voeten stond, raakte ze verward en verdrietig. Dan bracht Ralph, wanneer hij levensmiddelen moest kopen of inladen of wat zaakjes moest afhandelen bij het gemeentehuis, Jerietta bij 'Uit Grootmoeders Tijd'. Hij groette Sassy, installeerde zijn vrouw op de kerkbank en ging dan zijn boodschappen doen, in de wetenschap dat Sassy een oogje op haar zou houden.

Bij tijd en wijle kon je Sassy koude cola zien inschenken voor wat oudere mensen die allemaal op de bank zaten, terwijl hun dankbare familieleden zich door de stad haastten om hun zaken te behartigen. 'Spijt me, niet te koop', legde Sassy uit aan hoopvolle klanten. 'Dat daar is een gereserveerde plaats.'

Toen Nikki en Vikki voorbij de winkel van Hardy kwamen, hoorden ze de klanken van 'Laat me je lieveling noemen'. Ze stopten een ogenblik om te luisteren, maar toen de mannen de meisjes in het oog kregen en wuifden, liep de tweeling verder.

Ze wisten alles over Joe. Charlotte, die dol was op Italiaans eten en die zelf niet zo'n creatieve kok was, trakteerde zichzelf en haar meisje de meeste donderdagavonden op een etentje bij Joe. Nikki en Vikki beschouwden het bordje *Open in* de voordeur als een persoonlijke uitnodiging. De geur van gebakken knoflookbrood kwam hen tegemoet. 'Hallo meiden, wat zijn jullie aan het doen?', vroeg Joe. Achter de toonbank was hij druk bezig met het wikkelen van vorken en messen in papieren servetten. 'Voor eten is het nog te vroeg. Komen jullie me een handje helpen?'

'We moeten ons haar laten knippen', zei Nikki.

'Bij Lila', zei Vikki.

Ze lachten allebei veelbetekenend in de richting van de kauwgomballenautomaat die Joe bij de voordeur had staan.

'Jullie hoeven vandaag zeker geen kauwgum, hè?', vroeg Joe.

'Jawel', zei Nikki.

'Dacht ik al.' Joe opende de kassa en gaf hun elk een kwartje. 'Alsjeblieft.'

De meisjes wisten wel beter. Ze wisten ook dat Joe niemand iets zou doorvertellen. Hij gaf kwartjes voor zijn kauwgomballenautomaat aan elk kind dat binnenkwam, zij het vooral aan kinderen wier ouders net betaald hadden voor het eten. De afgelopen donderdagavond had de tweeling een klein meisje zien huilen toen ze er geen roze kauwgom uit kreeg. Joe was haar kwartjes blijven geven – zes in totaal – totdat ze de gewenste kleur te pakken had.

'Dank je', zei Nikki.

'Dank je wel', zei Vikki.

Ze pakten hun kauwgombal, zeiden Joe gedag en gingen verder.

Werkelijk niets uit 'Uit Grootmoeders Tijd' sprak de meisjes aan. Ze liepen er straal aan voorbij. Maar een oudere man in een overall, die achter in een bestelwagen zat die voor de winkel stond, trok hun aandacht. Op zijn knokige knieën hield hij een behoorlijk grote kartonnen doos.

'Goedemiddag, jongedames, hoe gaat het met jullie twee?', zei de man glimlachend en tikte tegen zijn pet.

'Goed', zei Nikki.

'Wat zit er in die doos?', vroeg Vikki.

'Iets wat jullie vast wel leuk vinden', knipoogde de man. 'Willen jullie het zien?'

De meisjes knikten en hij liet de doos zakken zodat ze erin konden kijken.

'Puppy's.'

'Vier!'

'O, wat zijn ze lief.'

'Mag ik er eentje vasthouden?'

'Natuurlijk. Hebben jullie niet een goede hond nodig?'

'O ja. We willen heel graag een hondje.'

'We hebben alleen maar twee katten thuis.'

'Geen honden.'

'Nou, laat ik jullie dan een van deze puppy's meegeven. Welke vind je het leukst?'

De meisjes namen beurtelings een mollig knuffelzacht hondje in hun armen. De puppy's maakten zachte grom- en jammergeluidjes. Ze kronkelden met hun neusjes en likten de meisjes hun handen.

'Zijn het mannetjes of vrouwtjes?', vroeg Vikki.

'Allemaal vrouwtjes, behalve die kleine zwarte. Dat is het enige mannetje.

'Waar is hun moeder?', vroeg Nikki.

'Moest haar thuis achterlaten.'

'O.' Nikki en Vikki zwegen opeens. Ze begrepen het. Zij zou niet blij zijn dat haar kindertjes naar een ander huis gingen.

'Zijn ze gratis?', vroeg Vikki.

'Eh, nou, liefje, nee. Het spijt me. Gratis zijn ze niet.'

'Hoeveel kosten ze?', vroeg ze.

'Vijf en twintig dollar per stuk.'

'O. Zo veel hebben we niet.' Nikki stond op om de hond terug te zetten in de doos.

'Hé, wacht eens, houd hem nog maar even vast', zei de man. 'Zeg me eens hoeveel je bij je hebt. Dan kunnen we kijken of we iets kunnen regelen.'

Vikki begroef haar gezichtje in de vacht van het hondje dat ze vasthield. 'We hebben twintig dollar.'

'En twee extra voor de fooi', voegde Nikki eraan toe en wreef haar neusje tegen een ander hondje.

'Wel. Als ik bedenk dat de dag al bijna voorbij is, en ik het echt vervelend vind de hondjes mee terug naar huis te moeten nemen ... Weet je wat, jullie moeten maar uitkiezen welk hondje jullie willen. Ik geef je er twee voor je tweeëntwintig dollar. Dat is dan elf dollar voor elk.'

'Echt?'

'Vooruit maar. Zoek er maar eentje uit voordat ik van gedachten verander. Maar je moet die hondjes wel een goed huis geven, hè? Zul je dat doen? Beloof je dat? Ze hebben hun eerste inentingen al gehad, maar de tweede serie moeten ze volgende week krijgen.'

'Ja, mijnheer. Dat zullen we doen.'

'We zullen ze eten geven en water en elke dag met ze spelen', beloofde Nikki.

'We zullen ze zelfs meenemen om te zwemmen', zei Vikki.

De oude man gniffelde. 'Dat kan wel wachten tot ze een beetje groter zijn.' Hij deed zijn portemonnee open en stopte hun biljetten erin. 'Jullie gaan naar school zeker? Doe jullie je best? Natuurlijk. Nou, morgen kom ik hier terug op dezelfde plaats.'

'Vertel al je vriendinnetjes maar dat ze, als ze een goede hond willen, naar me toe moeten komen. Dan kan ik hen er ook wel aan eentje helpen. Verdorie. Andere kinderen geef ik dezelfde korting als aan jullie.'

'Dank u wel', zei Nikki.

'Bedankt', zei Vikki.

Met z'n tweetjes, elk een hondje dicht tegen hun borst dragend, gingen ze op weg naar Lila, nog een half blok verder. Nikki bedacht als eerste dat ze een probleem hadden. Ze bleef staan. 'We kunnen niet naar Lila. We hebben geen geld.'

Vikki's puppy plaste op haar hand. Ze zette het hondje op de stoep, spuugde in haar handen en wreef haar palm met wat gras af.

'Denk je dat Charlotte boos zal zijn?'

'Vast wel', zei Nikki. 'Ze gaf ons geld om ons haar te laten knippen, en nu hebben we het niet meer.'

'We hebben toch gezegd dat we ons haar wilden laten groeien.'

'Toch zal ze wel boos zijn.'

'Denk je dat ze de hondjes leuk vindt?'

'Ik weet het niet. Misschien houdt ze alleen van katten.'

'We zouden haar kunnen vertellen dat we ze voor haar hebben genomen. Als een cadeautje of zo. Dan kunnen we aanbieden er in haar plaats voor te zorgen.'

'Ik weet het nog niet zo zeker', zei Nikki. 'We hadden geld gekregen voor de kapper, niet om hondjes te kopen.'

Ze gingen beiden zitten op een bankje aan de rand van de stoep

'Wat moeten we tegen haar zeggen?'

Ze streelden de hondjes en kauwden op hun kauwgum.

'Heb je je schaar in je rugzak zitten?', vroeg Nikki.

'Ik denk het wel. Kunnen we die verkopen?' Vikki grabbelde in haar rugzak, hoewel ze niet dacht dat Sassy hun genoeg zou betalen.

'Nee, suffie. Dat niet. Ik zal jouw haar knippen en jij doet het mijne. Charlotte zal denken dat we ons geld voor Lila hebben gebruikt. We zeggen tegen haar dat iemand ons de puppy's heeft gegeven.'

'Maar dan liegen we.'

'Niet echt. Weet je nog, die man gaf ons korting. Hij gaf die aan ons. Het is bijna hetzelfde. Bovendien zal ons haar ook geknipt zijn. We hebben het geld wel niet, maar we hebben wel puppy's. Twee dingen voor de prijs van één. Ik wed dat Charlotte blij zal zijn dat we zo'n goede deal hebben gesloten. Ze zal trots op ons zijn. Geef me jouw puppy even. Ik zal haar vasthouden terwijl jij mijn haar knipt; daarna wisselen we.'

Vikki hield de schaar vast alsof het een slang was die haar zou kunnen bijten. 'Ik weet niet hoe ik haren moet knippen.'

'Het is niet moeilijk. Weet je nog? Wij knipten het haar van de Barbiepop ook altijd. Ga gewoon van de ene naar de andere kant.' Nikki ging goed rechtop zitten. 'Begin nu maar meteen hier.' Ze wees naar haar lokken.

'Dit is wel een beetje moeilijk', zei Vikki na de eerste paar happen. De schaar was niet erg scherp, en geen van beiden hadden ze een kam bij zich. 'Moet je je haar niet eerst natmaken?'

'Soms doen ze het droog', verzekerde Nikki haar.

'De puppy's begonnen zwaar te worden en wriemelden op haar schoot.

Vikki bleef knippen. Ze stapte achteruit om het beter te kunnen zien. 'Ik denk dat ik wat meer bij je oor moet weghalen.' Ze zaagde een poosje aan de andere kant. 'Het is een beetje kort.'

Nikki stak haar hand op en raakte haar haren aan. 'Het voelt wel goed.'

'Zou ik de achterkant ook moeten doen?'

'Ik denk het wel. Maar een heel klein beetje.'

Vikki zoog op een blaar op haar duim.

'Jouw beurt', zei Nikki en gaf haar de twee puppy's toen ze klaar was. Na een paar minuten stapte ze achteruit. 'Deze schaar doet het niet erg goed', kondigde ze aan.

'Zei ik je toch', zenuwde Vikki. 'Schiet op. Het kriebelt in mijn nek.'

'We hebben eigenlijk zo'n cape nodig.' Nikki borstelde plukjes haar van haar zusjes schouders.

'Ben je klaar?'

'Bijna. Alleen achter nog.'

Beth die naar binnen kwam uit het prieel, zag de tweeling het eerst. Ze waren de tuin overgestoken en probeerden stilletjes door de achterdeur naar binnen te glippen.

'Waar zijn jullie geweest. Wat is er met je haar gebeurd?'

'We hebben het laten knippen', draaide Nikki eromheen, terwijl ze haar armen om haar middel knelde.

'Bij Lila?', vroeg Beth. Ze wilde hun gevoelens niet kwetsen, maar ze had nog nooit eerder een dergelijk asymmetrisch kapsel gezien als de meisjes nu vertoonden.

Vikki stak haar hand op en raakte haar haar aan. 'Ziet het er slecht uit?'

'Nee. Maar het is nogal kort', zei Beth. Ze keek wat scherper naar Vikki's middel. 'Wat zit er onder je blouse?'

Nikki keek naar Vikki. Ze haalden de hondjes tevoorschijn.

'Puppy's? Wat lief. Waar heb je die vandaan?'

'Een man gaf ze aan ons. Zei dat we ze konden houden als we ze een goed tehuis gaven', zei Vikki.

'O ja?', zei Charlotte, die hun stemmen had gehoord en de achterdeur uit stapte om hen te begroeten. 'Is er nog iets anders waarvan je denkt dat ik het moet weten?'

Nikki keek naar Vikki.

Vikki keek naar Nikki.

Ze kronkelden allebei.

'Er zijn misschien een of twee dingen.'

'Lila? Met Charlotte. Ik weet het, ik weet het. De tweeling is niet op komen dagen. Het spijt me heel erg – en ik weet dat het al laat is –, maar zouden ze nu nog even kunnen komen. Er is wel wat haast bij. Nee, werkelijk, het is ... Als ik ze bij je mag brengen, zul je zelf wel in de gaten hebben wat ik bedoel.'

Hoofdstuk

15

'Wat doen mensen eigenlijk op een braderie?', vroeg Sharita tussen twee meedogenloze zetten van een spelletje Monopoly in.

'Ik weet het niet precies. Ik ben er nog nooit eerder geweest.'

Charlotte gooide met de dobbelsteen, ging vier plaatsen vooruit en overhandigde de huur van Leidsestraat.

Nadat Charlott haar vijfde en zesde meisje had gekregen, had ze gevraagd of ze van haar functie als voorzitter van de commerciële stands kon worden ontheven, hetgeen welwillend was toegestaan door de dames van de club. Ze was toen wel opgelucht geweest, maar vanavond, wetend hoe hard de andere clubleden hadden gewerkt – en denkelijk zelfs nog aan het werk waren op dit late uur – voelde ze zich een beetje schuldig.

'Wat ik ervan gehoord heb, is het heel leuk. Er is muziek en er zijn oude ambachten, kunstnijverheidsproducten, heel veel eten, en een paar bedrijven geven gratis spullen weg.' Ze stond op om het uitstervende vuur in de open haard wat op te rakelen.

'Wat voor muziek?', vroeg Maggie.

'Wat voor eten', vroeg Nikki, haar mond vol met popcorn, die gepoft was in de magnetron.

'Wat voor gratis spullen?', vroeg Donna.

'Ik weet er niets van. Wat ik wel weet, is dat al het geld dat de club ophaalt, naar goede doelen gaat, zoals het kopen van school-spullen voor kinderen die ze nog niet hebben of kerstcadeautjes voor gezinnen die die zelf niet kunnen bekostigen.

'Kinderen zoals wij?', vroeg Maggie. 'Ik bedoel: zoals we waren voordat we hier kwamen?'

'Ja', zei Charlotte. 'Ik denk wel dat het zulke kinderen zijn.' Ze stelde zich Maggie en haar moeder voor, dakloos in een busje Kerstmis vierend.

'Mijn moeder en ik kregen elk jaar met Kerstmis pakketten', zei Maggie. 'Met Thanksgiving ook.'

'Wat zat erin? Cadeaus?', vroeg Sharita.

'Meestal eten. Elk jaar hetzelfde. Een grote kalkoen. Die din-gen zijn keihard bevroren. Met mix voor de vulling en instantpu-ree, een paar appels en sinaasappels, een blikje cranberrysaus en een blik groene bonen. Soms kregen we wel eens een pak voor-gebakken broodjes.'

'Kreeg je ook wel eens noedels, Maggie?', vroeg Sharita.

'Praat me er niet van. Heel veel. Niet met Kerstmis, maar tus-sen de feesten door, van de voedselbank.'

'We hebben op mijn vorige school wel eens een keer een voedselactie gehouden', zei Sharita. 'Alle groepen probeerden wie het meeste eten bij elkaar kon krijgen. Wie het meeste had, kreeg een gratis filmpas. Mijn moeder gaf me tien dollar en ik heb alles uitgegeven aan noedels. Ik kreeg acht pakken voor een dollar. Mijn moeder zei dat ik ook wat andere dingen had moeten nemen, maar ik dacht dat ik er wel slim aan had gedaan. Het was een goede deal. Ik won de wedstrijd.'

'Heb je ooit wel eens noedels gegeten?', vroeg Maggie.

'Nee.'

Nou, geloof mij maar. Dat was helemaal niet zo slim. Je had er geen goede deal aan.'

'Wanneer begint de braderie eigenlijk?', vroeg Vikki. Ze deed niet mee met Monopoly, maar was bezig Jasmijn, een van de twee Tanglewood-hondjes, te leren op te zitten en pootjes te geven. Het andere hondje, Mavis, sliep op de mat bij de achterdeur.

'Negen uur', zei Charlotte.

'Kunnen we er meteen vanaf het begin al bij zijn?', vroeg Sharita.

'We moeten wel. Ik moet bij de ingang staan om mensen officieel te begroeten.'

'Wat moeten wij dan gaan doen?', jammerde Vikki. 'Moeten we wij ook bij de ingang staan om mensen te begroeten?'

'Daar is niets leuks aan', zei Nikki.

Beth, weggedoken op het zitje in de vensterbank, keek op van haar boek.

'Nee, jullie hoeven niet te begroeten', zei Charlotte lachend. 'Ik geef je elk twintig dollar. Op voorwaarde dat jullie bij elkaar blijven of ten minste met z'n tweeën, mogen jullie de rest van de braderie zelf gaan verkennen.'

'Twintig dollar?', zei Maggie.

'O zeg', zei Vikki.'

'Maar daarvan moeten jullie ook je lunch kopen. Afgezien daarvan kunnen jullie het uitgeven aan wat je maar wilt. Er zijn kraampjes waar ze allerlei spullen verkopen, zoals T-shirts, hoeden en ook cd's vermoedelijk. Iedereen moet zich om elf uur bij me melden en om twee uur weer. We blijven tot het einde toe om te helpen met opruimen.'

'Ik houd ermee op. Ik ben dood', zei Sharita en gooide een stapel Monopoly-geld neer.

'Ik ook', zei Charlotte.

'Ik ga naar bed', zei Beth.

'Ik ben nog niet eens moe', zei Vikki.

Aan de andere kant van de stad geeuwde dominee Jock. Hij had beter kunnen aanbieden hotdogs te gaan verkopen voor de 4H-club of kaartjes in te nemen bij de ingang. Dieren maken van ballonnen was moeilijker dan hij had gedacht.

Tot nu toe was het hem gelukt de ballonnen op te blazen met het leuke pompje dat bij het pakket had gehoord. Maar wat moest er daarna gebeuren? Hij wist het niet zo goed. Hij bestudeerde de plaatjes en las de instructies nog een keer door. Een knoop leggen. Buigen. Draaien. Makkelijk zat.

Knap.

Hij probeerde het opnieuw.

Verderop in de straat, onder een met de hand gemaakte sprei, lagen Ginger en Lester Collins eensgezind te snurken. Ter voorbereiding van een vroege start waren ze voor tienen naar bed gegaan. Vorig jaar was de vraag naar Lesters ter plekke gefrituurde perziktaartjes zo groot geweest dat er een slingerende rij was ontstaan, helemaal tot de achterkant van het concertterrein – wat de aandacht van het koor van de middelbare school behoorlijk had afgeleid, en dat zong onder goede omstandigheden al niet helemaal zuiver.

Dit jaar had Lester het allemaal goed uitgedacht. Hij zou drie pannen olie tegelijk warm houden. Ginger, die Lesters plannetje aanhoorde – en zich zorgen maakte over zijn hoge bloeddruk waar de dokter hem voor had gewaarschuwd –, knorde tegen Lester dat het allemaal veel te veel werk was voor één man. Om haar gerust te stellen had hij Boots Buck en Chilly Reed bereid gevonden hem te helpen. Met z'n drieën zouden ze vooruitwerken – alvast de vulling klaarmaken en de olie heet hebben tegen vijf uur 's morgens.

In het kantoor van het hoofd Activiteiten van bejaardenoord 'Nieuwe Energie' stonden, hoog opgestapeld bij de deur, dozen met gehaakte spulletjes die in tissues waren gewikkeld, klaar om 's morgens als eerste ingeladen te worden in de blauwe bestelbus van het huis. Creatieve bewoners hadden zichzelf dit jaar overtroffen door vijf dozijn paren pantoffels af te krijgen en bijna evenveel petjes. Toen ze doorhadden dat er garen was overgebleven, hadden de dames, van een generatie die geen verspilling kon verdragen, de veelkleurige snippers gecombineerd met de inhoud van een doos oude ansichtkaarten en er schattige, van brede franje voorziene boekenleggers van gemaakt. Voor maar vijftig cent per stuk zouden ze goed moeten lopen.

In de hoofdstraat dronken Catfish Martin en Gabe Eden, die belast waren met de veiligheid en het parkeren, koffie, en sneden clandestien een stuk taart af bij 'De Klok Rond'. Het café was weliswaar twee uur dicht, maar Catfish had een sleutel.

Twee van de kraamhouders van buiten de stad, de mevrouw van de zandkunst – Hoe heette ze ook al weer? Nel of zoiets, herinnerde Catfish zich – en Grizzly Gates, de kettingzaagartiest, hadden afgesproken dat ze na de vastgestelde aankomsttijd van zes uur 's avonds zouden aankomen. Zij omdat haar bestelwagen in de winkel stond en niet voor vijf uur naar buiten kon worden gereden, hij vanwege een carnaval ergens aan de andere kant van de staat. Beiden hadden gevraagd of er iemand was die hen zo laat kon binnenloodsen naar de plek waar ze geacht werden de boel op te zetten.

'Geen probleem', had Catfish hun gezegd. 'Kom maar wanneer jullie kunnen. We zullen op jullie blijven wachten.'

Catfish en Gabe zaten op hun hurken met hun koffie bij een stand vlak bij de ingang, waar ze de goed verlichte, maar verlaten straat konden overzien die voor het café langs liep. Er kwam 's avonds zo weinig verkeer door de stad dat ze een bestelwagen met een caravan en een busje met een kleine rode aanhanger erachter makkelijk in de gaten zouden hebben. Zodra ze een van beide voertuigen zagen, zouden ze in Catfish' wagen stappen en voor hen uit rijden naar het terrein om hen binnen te laten.

Nomie Jenkinks, Sassy Clyde en Alice Buck schudden hun kussens op, in de hoop dat alles wat gedaan moest worden, ook werkelijk gedaan was. Ze keken nog eens of hun wekker goed was ingesteld en stonden weer op om nog wat drinken te halen.

Burgemeester Kerilynn nam een slaaptablet en viel meteen in slaap.

Om tien over zeven was dokter Lee Ross net klaar met zijn ontbijt van bacon en eieren toen de telefoon ging.

'Dokter Ross?'

Het was juffrouw Lavada Minter. Hij hoorde het aan de beverige achtentachtig jaar oude stem. 'Ja, juffrouw Lavada?'

'Ik weet dat het zaterdag is, maar hebt u het heel erg druk op dit moment?'

'Eigenlijk was ik op weg naar de braderie, juffrouw Lavada.'

'O, lieve help.' Juffrouw Lavada was geneigd te piekeren. 'Er is iets mis met Elizabeth. Ik hoopte dat u vandaag nog even naar haar kon kijken.'

'Ik ben maandag weer in de kliniek. Denkt u dat het tot dan kan wachten?'

Dokter Ross was voorzitter van de Jaycee-club en hij had echt al op de braderie moeten zijn om de kraam van de frisdrank te helpen opzetten.

'Ik weet het werkelijk niet.'

'Wat is er volgens u aan de hand met Elizabeth?'

'Ze wil niet eten. En ze sluipt door het huis – ze ziet er erg vreemd uit. Vanmorgen vond ik haar helemaal onder mijn bed weggekropen. Elizabeth heeft nog nooit zo raar gedaan. Ik moest haar met mijn bezem wegjagen.'

Het klonk nu niet zo vreemd, maar dokter Ross wist wel beter dan juffrouw Lavada af te wimpelen. Hij zou vandaag beslist een keer naar haar toe moeten rijden om die kat te bekijken. Hetzij nu meteen, hetzij op een nog ongeschikter moment.

'Weet u wat, juffrouw Lavada. U weet dat ik normaal gesproken geen huisbezoeken afleg, maar wat denkt u ervan als ik binnen, laten we zeggen, tien minuten, op weg naar de braderie, even aanwip? Zou dat goed zijn?'

Juffrouw Lavada kuchte beleefd. 'Dokter Ross, ik heb mijn ochtendjas nog aan.'

'Over twintig minuten dan?'

'Dat zou beter uitkomen.'

Volledig aangekleed, tot kousen en schoenen aan toe, bood juffrouw Lavada dokter Ross minzaam een kop thee aan, zodra hij binnen was.

'Nee, dank u, ik denk dat ik dat beter tegoed kan houden voor een andere keer. Laten we meteen maar even naar de patiënt kijken.'

Juffrouw Lavada liet dokter Ross in de bijkeuken, waar het mandje van Elizabeth stond.

'Hoe lang hebt u deze poes nu ook alweer?', vroeg dokter Ross.

'Vijf maanden. Ze was het huisdier van mijn zus Rose. Toen haar kinderen haar naar een verpleeghuis brachten, vroeg ze mij of ik Elizabeth kon nemen. Ik had nog nooit eerder een kat gehad, maar hoe kon ik nee zeggen tegen mijn zus in nood?'

'Dat kon u natuurlijk niet doen. Het was aardig van u haar in huis te nemen.' Dokter Ross tuurde de flauw verlichte kamer in. Elizabeth lag op haar zij in haar mand. En steunde een beetje. Hij knielde neer en legde zijn rechterhand op haar buikje. 'Juffrouw Lavada, hebt u gemerkt dat Elizabeth dikker is geworden?'

'Nu u het vraagt, ik dacht het wel. Ze heeft de hele tijd honger. Heb ik haar iets verkeerds te eten gegeven?'

'Nee, mevrouw. U hebt haar heel prima gevoed. Dat is niet het probleem. Ziet u, juffrouw Lavada, Elizabeth is – wel, eh ... Elizabeth krijgt gezinsuitbreiding. Eerlijk gezegd denk ik dat ze vandaag wel eens haar jonkies kan gaan krijgen.'

Juffrouw Lavada sloeg haar hand voor haar mond. 'Maar dat is niet mogelijk.'

'En waarom dan niet?' Dokter Ross moest moeite doen om niet te lachen.

'Elizabeth heeft geen man.' Ze is een binnenkat. Ik laat haar nooit buiten.'

'Nooit? En wat moet ze dan wanneer ze ...?'

'Ze heeft een van die dozen.'

'Misschien is ze een of twee keer per ongeluk toch naar buiten gegaan.'

'Dokter Ross, ik kan u verzekeren dat Elizabeth niet buiten dit huis is geweest. U zou haar misschien wat beter moeten onderzoeken om te kijken wat er mis is.' Ze begon haar handen te wringen. Het zal mijn zusters hart breken als er iets met Elizabeth gebeurt. Weet u zeker dat ik haar niet iets gegeven te eten heb gegeven wat niet goed voor haar was?'

Dokter Ross probeerde de oudere vrouw te sussen. 'Goed, dus

Elizabeth is niet buiten geweest. Dan moet er een andere kat bij u in huis zijn gekomen.'

'Ik vertelde u al dat ik nooit een kat heb gehad totdat mijn zus naar dat verpleeghuis is gegaan. Ze is in vier maanden niet buiten geweest en er zijn geen andere katten in huis.'

Dokter Ross krabde op zijn hoofd en wenste dat zijn nummer niet in het telefoonboek had gestaan. Hij keek op zijn horloge. Al wel heel laat voor de braderie. Dat was niet goed. Tegenwoordig dronken jonge mensen de hele dag frisdrank. Op dit ogenblik stonden er waarschijnlijk al mensen in de rij die koude cola wilden hebben om hun broodjes mee naar binnen te spoelen.

'Juffrouw Lavada, ik weet niet wat ik u moet zeggen, behalve dan dat Elisabeth op het punt staat te jongen. Ik ben er zeker van. Ik zal u zeggen wat u moet doen. Houd haar vandaag de hele dag in de bijkeuken. Als u haar eruit laat, zal ze waarschijnlijk meteen weer onder uw bed kruipen, en dat wilt u vast niet. Zorg ervoor dat ze voldoende water krijgt. Controleer haar zo af en toe. Waarschijnlijk zal ze niet willen eten, maar laat een beetje water in haar buurt staan. Ik gok erop dat de natuur waarschijnlijk vanmiddag haar normale gang gaat.'

'Ik begrijp het', zei juffrouw Lavada met niet-overtuigde stem. Op dat moment liet Elizabeth een dreigend gesis horen.

'Elizabeth, liefje, wat is er mis?', zei juffrouw Lavada.

Ongezien door dokter Ross en juffrouw Lavada was een grote gestreepte kater de bijkeuken in gekropen en had het gewaagd aan de aanstaande moeder te snuffelen.

'U hebt dus wel een andere kat in huis', zei dokter Ross. 'Ik begreep u kennelijk verkeerd. Dit verklaart alles.'

'O, dokter Ross.' Juffrouw Lavada bloosde. Ze boog zich voorover en pakte de grote kater op. 'Dit is Edward.'

'U zult Edward bij Elizabeth en haar baby's vandaan moeten houden', waarschuwde dokter Ross. 'Katten zijn niet zoals mensen. Vaderkatten kunnen vals zijn.'

'Dokter Ross.' Juffrouw Lavada sprak alsof ze het tegen een niet zo pienter kind had. 'Edward kan onmogelijk de vader zijn van Elizabeths kinderen.'

'Is hij gesteriliseerd?' Dokter Ross nam de langharige kat wat scherper op.

'Daar weet ik al helemaal niets van, maar Edward kan niet – u weet wel – nogal wiedes, want, nu ja, Edward hier is de broer van Elizabeth.'

Dokter Ross krabde eens op zijn hoofd. Soms sloeg deze baan alles.

Hoewel het terrein waar de braderie werd gehouden, op loopafstand van Tanglewood lag, besloot Charlotte om tijd te besparen toch met het busje te gaan. 'Zit iedereen?', vroeg ze. 'Doe je gordels om.'

Buiten de poort van het terrein stond Gabe de auto's binnen de omheining te dirigeren. Catfish inde bij de entree het parkeertarief van twee dollar en lette erop dat iedereen in keurig nette rijen parkeerde.

Toen Charlotte haar rode twaalfpersoonsbus door de poort reed, beantwoordde ze de dreigende frons op Catfish' gezicht met een glimlach. 'Goedemorgen, hoe gaat het met u?'

'Twee dollar', zei hij. 'En u moet wel doorrijden. We willen niet dat het verkeer helemaal verstopt raakt.'

Er stond niemand achter Charlotte.

Charlotte parkeerde op de plek die haar gewezen was. 'Oké, meisjes,' zei ze tegen haar slaperige zaterdagmorgengroepje, 'het is nu precies kwart voor negen. Weet je nog hoe laat je je bij me moet komen melden?'

'Om elf uur en om twee uur', zeiden Nikki en Vikki in koor.

'Goed zo. Om elf uur sta ik nog steeds bij het hek om de mensen welkom te heten; dus dan kun je me makkelijk vinden. En wat twee uur aangaat, zullen we elkaar treffen bij het podium waar de optredens plaatsvinden? Er staan daar een paar picknicktafels. Dan kunnen we het koor horen en de voorstelling van de toneelclub bekijken. Heeft iedereen een maatje?'

Behalve Vikki en Nikki had niemand dat nog.

'Zullen we maar gewoon alle vier bij elkaar blijven?'

Beth haalde haar schouders op. 'Goed hoor.'

'Oké', zeiden Maggie en Sharita.

'Goed zo', zei Charlotte.

Burgemeester Kerilynn had haar verzekerd dat het braderie-terrein veilig genoeg was om er kinderen rond te laten zwerven en hen min of meer zelfstandig te laten genieten. Zowel bij de ingang als bij de uitgang bemanden leden van de politie een stand en een paar clubleden, gewapend met walkie-talkies, speurden met argusogen het terrein af, voorbereid om bij alles wat zich maar kon voordoen, hulp te bieden.

'Als je later toch apart wilt optrekken, zorg er dan voor dat je in ieder geval met z'n tweeën blijft.'

Ze keek toe hoe Nikki en Vikki wegliepen naar het gedeelte voor de kinderen. De oudere meisjes liepen erachteraan.

Tegen half elf had Charlotte meer dan tweehonderd braderie-bezoekers verwelkomd. De mensen kwamen in golven binnen. Wanneer ze maar even dacht dat er misschien niemand meer zou komen, kwam er al weer een volgende groep aan. Gezelschappen van buitenaf, van kerk of clubs, kwamen met busjes. Families van het platteland arriveerden in volgestouwde auto's. Haar bewondering voor de dames van de club groeide. Wat moest het een enorme taak zijn zo'n gebeurtenis jaar in jaar uit op gang te krijgen.

'De afgelopen twintig jaar ben ik hier elke keer geweest', zei een man. 'Kan me alleen niet herinneren jou hier eerder gezien te hebben.'

'Charlotte Carter. Nieuwkomer in de stad.'

Ze had al na een week ontdekt dat iedereen, tenzij zijn grootouders al in Ruby Prairie hadden gewoond, altijd als nieuwkomer werd beschouwd.

'Leuk kennis met je te maken, liefje. De perziktaartjes zijn toch nog niet op, he?'

'Niet dat ik weet.'

Wanneer mensen binnenkwamen, overhandigde Charlotte hun een linnen tasje, een cadeautje van de Kamer van Koophandel. 'Welkom op onze braderie. Leuk dat u er bent. Dank u wel voor uw komst. U mag de kraampjes van de bedrijven beslist niet missen. Die kant op', wees ze. 'Heel veel gratis spulletjes. Dan komt deze tas wel van pas.'

Van wat Charlotte ervan kon merken, had Sassy Clyde, die haar taak voor de afdeling bedrijvenstands had overgenomen, de club eer aan gedaan. Naar verluidt, had Sassy nog niet eerder vertoond succes behaald bij het ontfutselen van goederen en diensten aan bijna elk bedrijf in de stad. Bij de gratis spullen die de bezoekers ontvingen, zaten een naar lavendel geurende votiefkaars van 'Angelina's Zolder', drie voorntjes van de winkel van Catfish en een proefflesje shampoo van Lila's schoonheidssalon. En dat was nog niet alles. Bij Annie Woods van het gezondheidscentrum kon je je op hoge bloeddruk laten controleren, en ze gaf pennen en sleutelhangers weg aan iedereen die ging zitten en haar zijn pols aanbood. Nomies niet Daphne, een nieuwe verkoopster van Avon, bespoot iedere voorbijganger met het nieuwste geurtje. Joe Fazoli reikte hapjes, stukjes broodstengel en kleine papieren bakjes met zijn beroemde marinarasaus uit, samen met een kortingsbon van vijftig cent voor zijn speciale spaghettilunch.

Charlotte hoopte maar dat ze niet alles al hadden weggegeven voordat zij de kans zou hebben om ook zelf wat gratis dingen bij elkaar te sprokkelen.

Kerilynn, die de ronde deed, stopte even bij Charlotte. 'Alles goed?', vroeg ze.

'Prima. En hoe zit het met de anderen?'

'Geweldig. Goede opkomst tot nu toe. Iedereen die verwacht werd, is komen opdagen. Het enige probleempje was dat de Jaycees te laat waren met het openen van de frisdrankkraam, maar afgezien daarvan liep alles gladjes.'

'Dat is prachtig', zei Charlotte. Ik kan bijna niet wachten tot mijn dienst er op zit, om alles ook te gaan bekijken.'

Vanaf haar plekje bij de poort kon Charlotte een mengeling van heerlijke geuren ruiken – hotdogs, tamales, kalkoenpootjes en geroosterde maïs. Haar maag knorde en ze keek op haar horloge. Net als de man die al twintig jaar langs was gekomen, hoopte Charlotte dat Lester Collins niet uitverkocht zou zijn voordat zij haar deel van zijn perziktaartjes kon bemachtigen.

Eindelijk, op slag van twaalven kwam Nomie eraan om haar af te lossen en was Charlotte vrij om op onderzoek uit te gaan. Ze liep eerst naar het terrein van de kinderen. Dominee Jock viel in de smaak met zijn dieren van ballonnen. Het zag ernaar uit dat hij de kunst om een slang te maken, volledig beheerste, maar nog wat moest oefenen op het maken van herkenbare kleine hondjes.

'Je hebt onvermoede talenten', vond Charlotte.

'Dank je', zei hij. Net op dat moment knapte de ballon die hij onder handen had, waardoor hij van schrik opsprong en de toekijkende kinderen begonnen te lachen.

'Dit is moeilijker dan het lijkt. Ik krijg er blaren van op mijn duimen. En jij? Al een perziktaartje gehad?'

'Nog niet.'

'Sla het niet over. Ze zijn net zo lekker als de mensen zeggen.'

Charlotte liep door. Bijna elk kind was verzekerd van een bloem, een bliksemschicht, een vlinder of een kever op zijn of haar wang, dankzij Lila en haar gezichtsverf.

De meeste aftrek vond de kraam met gekleurd zand. Samen met haar assistent – een bruingebrande jongeman met paardenstaart, ondanks de kou gekleed in een korte broek en rode slippers – hield standhoudster Nell Bell de kinderen bezig met het leggen van laagjes gekleurd zand in weckpotten met een grote opening.

Charlotte ging er even bij staan kijken.

'Hoeveel kleuren wil je hebben? ... Drie? Oké, welke? ... Goede keus. Dat wordt echt mooi. ...Voor je moeder? Oh, dat zal ze fijn vinden. Gooi het er maar heel langzaam in. ... Goed zo. ... Nee, schatje, niet zo. Niet mee schudden. ... Maar liefje, niet huilen. Je kunt zo een andere maken.'

Bij de kunstnijverheidskraam ertegenover vlogen de gehaakte spulletjes van 'Nieuwe Energie' weg. Charlotte was teleurgesteld toen ze merkte dat de boekenleggers al uitverkocht waren.

'Lieverd, de mensen graaiden ze bijna met zes tegelijk weg', legde de dienstdoende dame uit. 'We hadden ze vast te laag geprijsd. Volgend jaar beginnen we maar eens met een dollar per stuk te vragen.'

De kraampjes waar T-shirts verkocht werden, leken het goed te doen. De langste rijen stonden voor de shirts met een patriottisch thema als opdruk. Ook populair was de stand waar een man klokken verkocht. Die waren ambachtelijk gemaakt van heel glanzend gepoetst eikenhout, met een dwarsdoorsnede van wel vijf centimeter dik.

Een ervan zou vast mooi staan op de schoorsteenmantel van Tanglewood.

Geurkaarsen in drie verschillende soorten waren een gewild item en er stonden wel drie concurrerende kramen. Charlotte rook verschillende, wat ongebruikelijke geuren. Verjaardagscake, Oogstmiddag. Uiteindelijk kocht ze vanille en moerbei.

Hoewel de kettingzaagartiest echt mooie dingen maakte, konden alleen mensen die al wat gehoorverlies hadden opgelopen, het verdragen dichtbij genoeg te staan zonder hun vingers in hun oren te stoppen. Charlotte bleef niet lang staan. Ze zag dat Catfish Martin een Amerikaanse kale arend kocht. 'Voor de woonkamer', hoorde ze hem zeggen.

Lester Collins, die even pauze nam bij het frituren van zijn taartjes, banjerde ernaartoe, net op tijd om de man een gebeeldhouwde beer te zien voltooien. Op zijn achterpoten zittend, met een vis in zijn bek. 'Die ga ik kopen', zei Lester tegen Ginger.

'Nee, dat doe je niet. We hebben nergens plaats om hem neer te zetten. We hebben nu al te veel spullen', zei Ginger.

Lester ging terug naar zijn olie, teleurgesteld, met afhangende schouders.

'Arme man', zei Ginger tegen Charlotte. 'Hij ziet eruit alsof hij zijn laatste oortje heeft versnoept. Ik was van plan die beer voor hem te bemachtigen, maar dat weet hij niet. Ik heb er de perfecte plaats voor. Ik laat hem zolang bij Gabe staan totdat hij jarig is, de twaalfde volgende maand.'

Om twee uur kwamen de meisjes bij Charlotte terug. Ze kocht voor hen allemaal een perziktaartje en met z'n zevenen gingen ze aan een picknicktafel zitten vlak bij het concertpodium. Charlotte had zo'n honger dat ze niet kon wachten totdat haar taartje was afgekoeld, en ze verbrandde haar gehemelte. 'Wat hebben jullie allemaal gedaan? Hebben jullie een beetje plezier?', vroeg Charlotte. 'Hebben jullie je geld al helemaal opgemaakt?'

'Ik heb geleerd hoe ik een ketting moet haken', zei Vikki. 'Kijk eens. Een oude mevrouw heeft het me voorgedaan. Ik mocht deze haaknaald van haar houden.'

'Wat leuk', zei Charlotte en betastte het gedraaide garen. 'Misschien kun jij het mij weer leren. En jij, Nikki? Heb je nog iets gekocht?'

'Ik ben twaalf keer in de cakewalk geweest, maar ik heb geen cake gewonnen. Ik heb iets voor jou gekocht, maar je mag het niet zien. Het is een verrassing.'

'Wat leuk. Ik houd van verrassingen. Hebben jullie al iets gegeten voor de lunch?'

'Ik heb haar wat geld gegeven', zei Vikki, 'omdat ze niet genoeg had.'

'De cakewalk kostte een dollar per keer', legde Nikki uit.

'En hoe zit het met de rest van jullie? Hebben jullie het naar je zin gehad?'

'Maggie en ik hebben karaoke gedaan', zei Sharita. 'Je had ons moeten zien. We gingen het podium op en iedereen klapte toen we klaar waren.'

'Wat heb je gezongen?', vroeg Charlotte.

'*Crazy* – je weet wel, door Patsy Dime', zei Maggie.

'Patsy Cline', verbeterde Charlotte. 'Dat is een oud liedje. Het verbaast me dat jullie dat allebei kennen.'

'Mijn oma vond dat liedje leuk', legde Maggie uit. 'Toen mijn moeder en ik nog bij haar woonden, speelde ze dat altijd.'

'Ik had het nog nooit eerder van mijn leven gehoord', zei Sharita. 'Ik zong maar wat mee.'

'Beth, heb jij nog iets gekocht?', vroeg Charlotte.

'Alleen maar een hotdog voor de lunch. Ik weet nog niet wat ik precies wil', zei Beth.

'Ik heb een poster voor mijn kamer gekocht', zei Donna. 'Kostte acht dollar, maar ik heb een gratis lijst.' Ze rolde de poster voor hen uit zodat ze hem allemaal konden zien. Het was een plaat van twee meisjes, in ouderwetse kleren, die bloemen plukten op een veld. 'Dat is mooi', zei Sharita. 'Hadden ze er nog meer?'

'Niet van deze.'

'Waar ga je hem hangen?'

'Boven mijn bureau', zei Donna.

'Daar zal ie prachtig staan. Ik help je wel hem op te hangen wanneer we thuis zijn.'

'Wanneer gaan we weg?, vroeg Nikki.

'Wil je al weg dan?' Charlotte vermoedde dat de braderie niet zo leuk was wanneer je geld eenmaal op was.

'Nee', zei Vikki.

'We willen tot het eind blijven', zeiden Sharita en Maggie.

'Ik vind het nog steeds leuk', zei Donna.

'Ik ook', zei Beth.

'Het spijt me liefje, je bent de enige', zei Charlotte en keek naar Nikki.

'Weet je wat? Het concert en het toneelstuk beginnen over een uur. Daarna is er de optocht. Wanneer die eenmaal voorbij is, gaan we naar huis. Dan heeft iedereen nog een uur om iets te gaan bekijken wat ie tot nu toe gemist heeft, en kun je nog iets kopen waar je je zinnen op hebt gezet. Is dat goed?'

Iedereen behalve de pruilende Nikki ging akkoord.

Naarmate de tijd voor de optocht naderde, dromden de braderie-bezoekers terug door de hekken. Ze hielden hun auto's op het feestterrein geparkeerd staan, om een plaats te bemachtigen waar ze goed zicht hadden op de hele Hoofdstraat. Charlotte en de meisjes kozen een plekje voor het winkeltje van 'Uit Grootmoeders Tijd'. Een late middagwind was komen opzetten en een bewolkte donkere hemel had de heldere zonneschijn van overdag vervangen. De tweeling rilde en kroop dicht onder de beschutting van Charlottes beide armen.

'Hoe lang gaat dit duren?', vroeg Donna.

'Ik wou dat ik mijn lange jas aan had gedaan', zei Sharita.

'Er komt een koufront aan', zei Gabe, die dichtbij stond. Hij keek naar de hemel. 'De temperatuur is het laatste uur behoorlijk gezakt. Ik wed dat het vannacht hard gaat vriezen.'

'Maar overdag is het best mooi weer geweest.' Lester baande zich een weg door de aangroeiende menigte om aanspraak te maken op een plekje vlakbij Charlotte.

'Hebben jullie het leuk gehad, meiden?'

'Heel erg leuk', zei Charlotte. 'De braderie was prachtig.'

'Het ziet ernaar uit dat de dames het echt goed gedaan hebben', stemde Lester in. 'We zullen het pas weten wanneer alle rekeningen betaald zijn, maar ik wed dat ze dit jaar een goede winst hebben gemaakt.'

De mensen stonden twee tot drie rijen dik langs de beide kanten van de straat tegen de tijd dat de vage klanken te horen waren van de trommels van de middelbareschoolband, *boem boem,* gevolgd door het hoge gejammer van de nieuwe brandweerauto van de stad.

'Het duurt nu niet lang meer', zei Gabe.

'Charlotte,' zei Beth, 'ik moet naar de wc. Kan ik oversteken en even bij Joe gaan?'

'Natuurlijk, maar haast je wel een beetje. De stoet is er al bijna.'

Tegen de tijd dat Beth uit Joes winkel naar buiten stapte, waren de band en de majorettes al in het midden van de straat. Ze werden gevolgd door burgemeester Kerilynn, die in een zwarte cabriolet reed. Achter haar aan kroop de nieuwe brandweerwagen, met loeiende sirene en flitsende zwaailichten. Charlotte beduidde Beth te blijven staan tot de optocht voorbij was.

Na de brandweer kwamen de lage praalwagens, versierd met crêpepapier en allerlei soorten creatieve voorstellingen, sommigen verlicht met gekleurde lampjes. Voorop reed de 4H-club, gevolgd door 'Dina's Dagopvang', daarna het honkbalteam van de middelbare school.

Als laatste in de rij reed de lage wagen die was gesponsord door de Culturele Vrouwenclub. Hoog gezeten op tuinstoelen, omringd door poppen die namaakmoeders voorstelden, glimlachten en zwaaiden de dames van de club en gooiden snoep naar de kinderen. Ze zagen er doodvermoeid uit, maar erg, erg blij.

De mensenmassa aan het begin en het eind van de route gaf de dames een enorm applaus.

Achter de wagens sloot zich een rij aan van bijna twaalf trekkers in verschillende typen en modellen. Van dichtbij waren de machines veel groter dan ze op het veld leken. Sommige hadden dichte cabines en allemaal waren ze gepoetst en glanzend gewreven ter voorbereiding van hun tocht door de stad.

Wijselijk aan het eind van de stoet opgesteld waren de paarden en ruiters. Hengsten in alle kleuren en afmetingen, van pony's tot groter, werden bereden door trotse cowboys en cowgirls. Er reden zelfs een paar ouderwetse rijtuigen en koetsen mee. Terwijl de meeste paarden zich netjes gedroegen, leken er een paar schichtig en bang van de mensenmenigte en de drukte.

'Jakkie. Ze stinken', zei Maggie.

'Ze zijn prachtig', was Donna het met haar oneens.

'Kunnen we een paard krijgen?', vroeg Nikki.

'Paarden hebben heel veel ruimte nodig', zei Charlotte. 'Meer ruimte dan we op Tanglewood hebben.'

Zodra de stoet voorbij was, ging iedereen terug op weg naar de het feestterrein en de auto's. Met slechts één nauwe uitgang zou het eeuwen duren voordat iedereen van het parkeerterrein af was.

'Kunnen we niet gewoon naar huis lopen?', vroeg Maggie. 'Dan zijn we er vast veel vlugger.'

'Ik wil niet lopen', zei Nikki. 'Ik ben moe.'

Charlotte haalde haar sleutel tevoorschijn. 'Wie wil lopen, kan naar huis gaan. Wie bij mij wil blijven, mag dat ook.' Ze gaf Maggie een huissleutel. 'Wie gaan er lopen en wie rijden er mee met de auto?'

'Ik ga lopen', zei Sharita.

'Ik ook', zei Donna.

'Ik blijf bij jou', zei Vikki.

'En Beth?', vroeg Sharita.

Charlotte keek naar de overkant van de straat, waar Beth de

laatste keer dat ze had gekeken, had gestaan. De verkleumde menigte, nog maar een paar minuten geleden drie rijen dik op de stoep, had zich vlug verspreid en was op weg naar de warmte van hun auto's. De enige die voor Joes zaak stond was hijzelf, aan het vegen.

Charlotte keek de hele straat af in beide richtingen. En zag geen spoor van Beth.

Hoofdstuk

16

Dokter Ross dwong zichzelf de telefoon door het antwoordapparaat te laten aannemen. Zijn vrouw was de stad uit om haar zieke zuster te bezoeken, dus hij had het huis voor zich alleen. Hij was er wat eerder mee opgehouden bij de Jaycees en had de taak de kraam af te breken, overgelaten aan de jongere leden. Hij had zich gerieflijk geïnstalleerd in zijn leunstoel, met zijn voeten omhoog en de afstandsbediening van de televisie in zijn hand. Wie nu nog belde, kon vast wel wachten.

'Dokter Ross. Bent u daar?' Het was juffrouw Lavada, hard pratend. 'U had gelijk. Elizabeth is vandaag moeder geworden. Ze heeft drie arme vaderloze baby's. Met twee ervan gaat het echt goed, maar ik ben bang dat de andere ziek is. Ik hoopte dat u even iets voor het kleine ding kon doen. Omdat ik niet wil dat Elizabeth een van haar kleintjes verliest. Maar als u niet thuis bent ...' Haar treurige stem stierf weg. Na een lange tijd hing ze op en schakelde het apparaat uit.

Een moment van schuldige stilte ging voorbij voordat dokter Ross zijn voetensteun met een berustende plof naar beneden liet zakken. Juffrouw Lavada had op het punt van huilen gestaan. Dat kon hij merken. De vrouw had het aan haar hart. Ook nog eens last van reuma. Hij moest haar wel terugbellen.

'Ja, mevrouw, ik begrijp het. Drinkt het katje niet bij de moeder? ... Soms gebeurt dat. Normaal gesproken niets om je zorgen over te maken. Het kan wel even duren voordat de natuur zijn gang gaat.'

Dokter Ross keek uit het raam. Het was nevelig en het was lichtjes gaan regenen.

'Nou, juffrouw Lavada, maakt u zich nu maar niet druk. Elizabeth en haar katjes zullen het vast wel goed doen.'

Ze was over haar toeren. Dat kon hij merken.

'Ik kan wel even komen. U kunt zolang het beste maar even gaan zitten. Maak een kopje thee voor uzelf. Hebt u vandaag al iets gegeten? ... Dat dacht ik al. Gaat u dan nu naar de keuken en maakt u wat eten voor uzelf klaar. Hebt u er vandaag al aan gedacht uw medicijnen voor uw hart in te nemen, juffrouw Lavada?'

Dokter Ross hing op, trok zijn jas aan, pakte een paraplu en greep naar zijn sleutels.

Charlottes mobiele telefoon deed het niet. Traag reed ze in haar bestelbus in de richting van de uitgang Tenminste twintig auto's bewogen stapvoets in de rij voor haar. De regen, kort ervoor nog maar een lichte nevel, was overgegaan in een grote plensbui. Ze zette de ruitenwissers aan en de radio uit. Vanwege het naderende onweer kwam er weinig meer uit dan wat onrustig geruis. Op de achterbank zat de tweeling te zeuren en te kibbelen over de vraag welke pot met zand van wie was. De chauffeur in de rij voor haar bleef maar andere auto's laten voorgaan. Waarom was er in 's hemelsnaam maar één uitgang van dit terrein af? Bestond er niet een of andere wet daartegen? Charlotte trommelde met haar vingers op het stuur en dwong zichzelf rustig te blijven. Er was geen enkele reden om zich druk te maken. Beth zou al thuis zijn. Dat leek logisch. Ze was koud en moe geworden, en toen ze merkte dat de optocht bijna voorbij was, was ze naar huis gelopen. Wat Charlotte vreesde, was niet waar.

Maar alstublieft, God, o alstublieft. Laat dat toch gebeurd zijn.

Dit was allemaal haar schuld. Het probleem was dat ze alles bij elkaar te toegeeflijk voor de meisjes was geweest. Hun veel te veel vrijheid had gegeven. Wat had haar bezield hen zo rond te laten zwerven als ze vandaag gedaan had? Ze zou zich voortaan niet langer iets aantrekken van wat andere kinderen uit de buurt mochten. Was er dan nergens een werkelijk veilige plek op de wereld? Natuurlijk niet. Van nu af aan zouden er regels zijn op Tanglewood. Strikte regels. Ze zou niet met zich laten sollen. Ze zou een veel strengere koers gaan varen. Ja, echt. Dat zou ze doen.

Eindelijk, de straat. Ze draaide de wagen in de richting van Tanglewood.

Alstublieft, God. Laat Beth thuis zijn.

Catfish Martin wuifde auto's van het parkeerterrein af en dirigeerde ze naar de uitgang. Hij keek naar de lucht en was blij dat hij eraan gedacht had zijn plastic regencape mee te nemen. Goed dat de regen tot nu was uitgebleven. In aanmerking genomen dat het parkeerterrein niets meer was dan een verhard stuk grond, zouden hij en Gabe, als de naderende stroom water een paar uur eerder was aangekomen, de hele nacht bezig zijn geweest om vastgelopen voertuigen uit de modder te trekken.

Te oordelen naar de stapel bankbiljetten in zijn zak, hadden de dames van de club het dit jaar echt goed gedaan. Wel erg dat ze bij het besteden van de fondsen goed geld naar kwaad geld zouden gooien. Hij en Kerilynn hadden die discussie al vaak gevoerd. Hij had persoonlijk niets tegen het helpen van kinderen. Hij hield van kinderen. Het waren hun niet-deugende klaplopers van ouders tegen wie hij iets had. Mensen zouden niet jaar in jaar uit hulp moeten verwachten, zoals sommigen van hen deden. Hij had het met eigen ogen gezien. Dezelfde families kwamen twee keer per jaar opdagen bij de distributie door de Culturele Vrouwenclub – in de herfst voor schoolbenodigdheden en met Kerstmis alweer om gratis spullen voor hun kinderen.

Mensen zouden hun eigen broek op moeten houden. Was dat niet de Amerikaanse manier van leven?

Neem nu bijvoorbeeld die vrouw van Carter. Hij wenste haar geen kwaad toe. Natuurlijk niet, geen enkel. Hij kende haar wel niet persoonlijk – had daar geen behoefte aan ook –, maar volgens alle verhalen was ze best aardig. Het probleem was dat het Ruby Prairies zaak niet was iemand van buiten binnen te halen die kinderen opnam die door de eigen ouders moesten worden opgevoed. Waarom kregen mensen kinderen als ze er niet voor konden zorgen?

Treasure Evans kon Charlotte Carter niet uit haar gedachten krijgen. De Heer deed dat bij haar; af en toe legde Hij een persoon op haar hart, liet die daar dan dagen achter elkaar sudderen. Haar antwoord op zoiets was altijd bidden. Soms had ze later ontdekt dat de persoon net een vreselijke tegenslag had meegemaakt. Andere keren bereikten haar verhalen dat de zaken juist goed waren gelopen. De persoon voor wie ze al die tijd zo veel had gebeden, had de maand ervoor opslag gekregen, of de kinderen hadden een of andere prijs gekregen voor hun schoolwerk. Vroeger had Treasure, wanneer ze dat soort nieuws hoorde, zich wel eens afgevraagd of al het bidden dat ze voor iemand gedaan had, eigenlijk geen verspilde moeite was geweest, omdat die het – achteraf gezien – helemaal niet nodig had gehad.

Nu niet meer. Ze was nu zo ver dat ze geloofde dat maar weinig van de strijd waarmee mensen te maken krijgen, met het oog gezien kan worden.

Voor de dag dat Charlotte een rol in Treasures gedachten ging spelen, had ze vier afspraken geboekt staan om massages te geven, drie 's morgens en één 's middags – een volbezette dag, waarna ze er zeker van kon zijn dat haar eigen spieren er afgedraaid aan toe zouden zijn.

Haar eerste klant was een meisje, vijf maanden in verwachting. Treasure had een extra cursus gevolgd om te leren hoe ze een zwangerschapsmassage moest geven. Het was een van de dingen gebleken die ze het liefste deed. Later op de ochtend was ze bezig met een verpleegster met een pijnlijke schouder, daarna een jongeman die voor een of andere race aan het trainen was. Haar klant van die de middag was de vrouw van een advocaat, die altijd een paar dagen voordat ze haar nagels liet doen, voor een massage kwam.

De meeste mensen waren niet zo geneigd om tijdens hun massage te kletsen. Ze gaven er de voorkeur aan in plaats daarvan rustig te liggen en naar zachte pianomuziek te luisteren die Treasure altijd aan had staan. Soms sliepen ze zelfs. De stilte kwam Treasure vandaag goed uit. Terwijl haar handen aan het werk waren met de spieren van haar klanten, was haar geest aan het werk met wat het ook was dat Charlotte en haar meisjes op dit moment precies nodig hadden.

Treasure was geen vrouw die zich gauw bemoeide met andermans zaken, maar de hele tijd sinds ze op bezoek was geweest in dat grote, mooie, roze huis in Ruby Prairie, voelde ze iets van een knagende bezorgdheid. Voor al die meisjes zorgen was een immens grote en zware taak – volgens haar meer dan wat een vrouw in haar eentje op zich kon nemen. Treasure wist waar ze het over had, omdat ze zelf een probleemmeisje was geweest. Nadat haar eigen moeder was gestorven, hadden ze veel met haar te stellen gehad, vooral tijdens haar tienerjaren. Ze was brutaal geweest en had verkeerde keuzen gemaakt, keuzen die onzegbaar veel pijn veroorzaakt hadden bij mensen die van haar hielden en haar probeerden te helpen. Een paar van diezelfde problemen lagen heel waarschijnlijk ook in het verschiet voor Charlotte en haar Tanglewood-meisjes.

Wat het meest aan haar knaagde, was Charlottes koppige onafhankelijke trekje. Ze leek te denken dat ze het, onverschillig wat er ook gebeurde, met Gods hulp helemaal alleen zou kunnen klaren. Een lang leven had Treasure geleerd dat God, al doet Hij machtige werken, er in het algemeen voor kiest ze te laten uitvoeren door de handen van zijn mensen ter plekke.

Dominee Jock stopte op weg naar huis bij de kerk. Zoals zijn gewoonte was op zaterdagavond, controleerde hij of alles in orde was voor de dienst van de volgende dag. In zijn kantoortje keek hij zijn aantekeningen voor de preek na, ordende de talloze aankondigingen die hem gevraagd waren te doen en werkte de lijst met voorbeden bij.

In de keuken met de afmetingen van een bezemkast, die vlak bij de ruimte van de eersteklassertjes lag, had hij zich ervan vergewist dat er genoeg ongedesemd brood en druivensap was voor het avondmaal. Omdat hij er toch was, poetste hij de koperen collecteschaal nog vlug even op.

Daarna stond hij in de donkere kerkzaal te bidden voor degenen die de stoelen zouden gaan bezetten.

'Hé, wat doe je nou? Rijd eens wat langzamer, idioot!'

Catfish had de motor niet zien aankomen. Het was een van de laatste voertuigen die van het parkeerterrein af reden, en net terwijl de machine bij het hek aankwam waar hij stond, maakte de bestuurder een scherpe bocht naar links en schoot ervandoor, daarbij Catfish onder de modderspatten achterlatend. Eenmaal op de weg had de krankzinnige rijder zo'n haast dat hij en zijn bijrijder zijdelings weggleden, waarbij ze de bocht die daarna onverwachts opdoemde, nauwelijks goed doorkwamen.

'Je verdiende loon als je een ongeluk krijgt', schreeuwde Catfish het stel na. 'Zo rijd je jezelf nog dood.'

Iemand van buiten de stad die zich als een gek gedroeg. Waarschijnlijk een of andere knul die drugs had geslikt.

Treasure Evans toetste de nummers op de telefoon in.

'Hallo.'

'Ik bel van heel ver – vanuit een andere staat. Met wie spreek ik?'

'Met Donna.'

'Donna, liefje, ben jij een van de meisjes van Charlotte Carter?'

'Ja, mevrouw.'

'Is ze thuis?'

'Nog niet, maar ze kan elk moment binnenkomen. Kan ik een boodschap aannemen?'

'Zou je haar alsjeblieft willen vragen me te bellen zodra ze thuis is? En – ik bel interlokaal – zeg haar maar dat ze mij kan laten betalen voor het gesprek.'

Het kostte dokter Ross niet veel tijd juffrouw Lavada gerust te stellen en haar te verzekeren dat het echt goed ging met Elizabeth en al haar nakomelingen.

'Ze zal best een goed moedertje worden. Kijk maar ... Elizabeth weet echt wel wat ze moet doen. Die heeft helemaal geen hulp van een van ons nodig. Wat dat gezinnetje in feite het meest nodig heeft, is wat privacy. Tijd om aan elkaar te wennen. En wat u betreft – nou, juffrouw Lavada, ik denk dat u het beste vroeg naar bed kunt gaan vanavond. En van een goede nachtrust genieten.'

Alsof het een wachtwoord was dat ze hoorde, keek Elizabeth, met haar drie hongerige baby's aan haar zij op, geeuwde en begon luid te spinnen.

Toen de dierenarts bij juffrouw Lavada wegging, dacht hij aan zijn warme huis en een opgewarmd blik met chili con carne. Vanavond zouden er echt geen telefoontjes meer komen.

Terwijl hij op huis aan stuurde, zag hij een stelletje op een motor, die geparkeerd stond op de parkeerplaats van een autowasserij, een blok van zijn huis vandaan. Het was alsof het paar gestopt was in de hoop de bui af te wachten. Naar de lucht te oordelen zouden ze daar nog wel een tijdje moeten wachten. Misschien zou hij even moeten stoppen om zich ervan te vergewissen dat ze niet met een of ander technisch mankement te kampen hadden. Hij minderde vaart en gaf richting aan om hun kant op te draaien. Maar toen hij dat deed, reed de motor weg en verdween in de nacht, zo vlug als een kat die vanonder een bed wegrent.

Dominee Jock deed alle lichten uit en sloot de deuren van de kerk af. Daarna, met zijn hoofd in zijn kraag tegen de regen, stak hij het kerkhof over naar zijn bestelbus die langs de stoep geparkeerd stond. Met voorzichtige passen om niet uit te glijden op het natte gras, stapte hij dwars over een diepe geul die in het drassige gras was gegroefd.

Wie zou dat gedaan hebben? Te oordelen naar de afmetingen van het spoor zou het iemand op een motor geweest moeten zijn, iemand die te veel haast had om recht op de hoek af te rijden en daar te stoppen, iemand die in plaats daarvan het kerkhof over was gestoken om een paar seconden te winnen.

Jock schudde zijn hoofd. Al was hij niet het type om erg trots op iets te zijn, hij was wel erg ingenomen met de 'Verlichte Weg' omdat die het mooiste, best onderhouden terrein had van welke kerk in de stad ook.

Nadat de laatste auto eenmaal van de parkeerplaats weggereden was, liep Catfish naar de plaats waar Kerilynn en andere leden van de Culturele Vrouwenclub in het verdwijnende licht nog steeds bezig waren het afbreken van de kramen te controleren. 'Nog wat van mijn voorntjes over?', vroeg hij, niet van zins iets te weg te gooien.

'Een stuk of zes.' Kerilynn hield een slappe en lekkende plastic zak omhoog. 'Ziet ernaar uit dat ze dood zijn.'

'Verbaast me niets. Gooi maar weg', zei Catfish. 'En hoe zit het met Lesters perziktaartjes?'

'Twee uur geleden al uitverkocht.'

'Verbaast me ook niet.' Hij begon de klapstoelen achter in Kerilynns auto te laden. De braderie was, net als een trouwerij, vlugger ontmanteld dan opgetuigd.

'Het ziet ernaar uit dat jullie allemaal goed verdiend hebben', zei hij.

'Als de telling klopt, hebben we het grootste aantal bezoekers sinds jaren', zei Kerilynn. Ze ging op een vrieskist zitten. 'En ik ben bekaf. Voor mij hoeven we dit een heel jaar niet meer te doen. Ik word te oud voor zulke onzin.'

'Hier is er nog zo een', zei Nomie en wreef over haar rug.

'Mee eens', vielen Ginger en Sassy haar bij.

'De kinderen van de 4H-club komen hier morgenmiddag de rommel opruimen', zei Nomie. 'Ze hadden een dienstverlenings-project nodig.'

'Prachtig', zei Kerilynn.

'De vuilnislieden komen maandag.'

'Moeten we vanavond nog iets doen?', vroeg Kerilynn.

'Kan niets meer bedenken. Zeker niet iets wat niet kan wach-ten. Laten we naar huis gaan, meiden.'

Kerilynn stond op. 'Tot morgen.'

'Waren jullie van plan naar de kerk te gaan?', vroeg Nomie de anderen.

'Denk het wel. Maar het kan zijn dat ik niet op tijd ben voor de zondagsschool', zei Ginger, maar al te goed wetend dat ze dat wel zou zijn.

'Kerilynn, ik kom zo nog even langs', zei Catfish. 'Ga nog even naar de winkel voordat ik op huis aan ga.'

'Ga je gang. Ik neem een warm bad en ga naar bed.'

Catfish kon niet geloven dat hij de achterdeur van zijn winkel niet had afgesloten. Dat deed hij altijd.

Toen hij de opslagruimte binnenging, zag hij pas dat er iets mis was: natte voetafdrukken, twee stel, die naar de voorkant van de winkel leidden.

'Wie is daar?'

Stilte. Dan het geluid van iemand die uitademde.

De haren op Catfish' armen gingen overeind staan.

'Ik zei: wie is daar?' Hij plantte zijn voeten wat steviger op de grond en deed het licht aan.

'We ... eh ... we dachten dat u open was.'

'Blijf daar staan', beval Catfish, met overslaande stem.

Het was een stel punkers. Een jongen en een meisje. Ze waren in zijn koelruimte geweest. Hadden ook aan zijn voorraad snacks gezeten. Beiden hadden een cola en een pakje kaascrackers in hun hand. De jongen droeg een of ander zwart jack. Catfish dacht niet dat hij van hier was. Het meisje ... nou ja, ze hield haar hoofd wel naar beneden, maar hij had het stiekeme vermoeden dat hij haar eerder had gezien.

'Wie zijn jullie. Wat doen jullie in mijn winkel?'

'Wacht even, mijnheer', zei de jongen. We hebben niks gedaan. We hebben niks gepikt, alleen wat fris. Hierzo. Ik zal u betalen wat we hebben gepakt.' De jongen haalde twee dollar uit zijn zak.

'Ik bel de politie', zei Catfish. 'Blijf daar.'

'Nee, ouwe. Je belt niemand.' De jongen greep het meisje bij de hand en duwde Catfish tegen de muur.

'Kirby, doe hem niks.'

Toen pas kon Catfish het gezicht van het meisje goed bekijken. Ja, hij had haar eerder ergens gezien. 'Ik weet het al. Jij bent een van die onbetrouwbare Carter-meiden.'

'Zij kan je niet', zei de jongen. 'Jij ken niks van haar afweten.'

Het meisje tilde haar hoofd op en keek Catfish voor de eerste keer aan. Haar mond ging open, maar er kwam geen geluid uit.

'Kom mee', zei de jongen. 'Laten we maken dat we wegkomen.'

'Doe maar. Ga maar. Opgehoepeld. Blij dat we van je af zijn, dametje. Deze stad heeft jouw soort niet nodig', schreeuwde Catfish hen na toen ze door de achterdeur van de winkel wegvluchtten.

Toen ze eenmaal weg waren, liet hij zich op de vloer zakken en dwong hij zichzelf langzamer te ademen. Dit was gênant. Hij was nog nooit eerder beroofd, nog nooit van zijn leven. De meeste inwoners van Ruby Prairie sloten hun deur alleen 's nachts af. Zijn buurman aan de andere kant deed de boel nooit op slot. Die ging er prat op dat hij zijn huissleutel twintig jaar geleden eens verloren had en nooit de moeite had genomen om een nieuw slot te kopen.

Maar Catfish niet. Er bestond altijd een kans dat een of ander crimineel element Ruby Prairie binnendrong. Daarom zorgde hij ervoor zijn huis af te sluiten en ook zijn winkel op slot te doen, zelfs zijn auto, elke keer wanneer hij uitstapte.

Kerilynn had geprotesteerd toen hij een alarmsysteem had laten installeren in hun twee onder één kap. Omdat zij de code niet kon onthouden, had ze het gedoe binnen zes maanden aan haar kant van het huis uitgeschakeld. Stom, stom. Een mens kon niet voorzichtig genoeg zijn. Verdorie. Het was dat hij het niet eens was met de liberalen, met al hun ingewikkelde regels die hij nooit uit elkaar kon houden, anders zou hij bijna overwegen er in het geheim een eigen geweer op na te houden.

Hoe ter wereld moest hij de mensen zijn incompetentie gaan verklaren, zijn flater waar het de veiligheid betrof, en zijn uitgesproken vergeetachtigheid, als ze hierachter kwamen? Gabe zou hem er zeker mee pesten. Chilly zou het hem nooit laten vergeten. Hij zou de hele komende week het mikpunt van grapjes zijn bij 'De Klok Rond'.

Catfish wreef over de stoppeltjes op zijn kin. Aan de andere kant, waarom zou iemand er iets over te weten moeten komen?

Langzaam stond hij van de vloer op. Hij keek door het winkelraam naar de verlaten straat en besloot dat niemand het zou hoeven te weten.

Hoofdstuk
17

De voordeur zwaaide open toen Charlotte de veranda op stapte. Donna's gezicht sprak boekdelen. 'Ze is er niet.'

'Weet je het zeker?' Charlotte ging naar binnen, gooide haar jas uit en liet haar tas vallen.

'Er zijn een paar van haar spulletjes weg', zei Maggie.

'Maar niet alles', zei Sharita.

'We hebben zelfs al in het prieel gekeken', zei Maggie.

'Maar daar is ze ook niet', zei Sharita.

'Stond er nog een boodschap op het antwoordapparaat?'

'Maar één, maar er werd opgehangen', zei Maggie.

Nikki en Vikki, zich tot dit moment niet bewust dat er iets mis was, stonden verward te knipperen tegen het licht in de hal. 'Wat is er aan de hand? Wie is er niet?'

'Beth', zei Donna. 'Ze is weg.'

'Waarnaartoe?', vroeg Nikki.

'Komt ze terug?', vroeg Vikki.

Als acteurs die op hun volgende wachtwoord wachten, richten vijf paar vragende en verwachtingsvolle ogen zich op Charlotte.

Het kostte haar moeite hen aan te kijken, en terwijl ze aan een losse knoop van haar blouse friemelde, probeerde ze iets te verzinnen.

Ze wachtten.

'Natuurlijk komt ze terug. En laten we maar bidden dat dat echt gauw zal zijn.'

Ze slaagde maar gedeeltelijk in haar pogingen kalmte voor te wenden.

Sharita begon op de nagel van haar duim te kauwen, Maggie draaide aan haar haar en Nikki begon te huilen.

'Is Beth weggelopen?', vroeg Vikki.

'Ik weet het niet, schat. Misschien.'

'Vond ze ons niet aardig?', vroeg Nikki. 'Wij haar wel.'

'Ze vond jullie juist erg lief. Jullie hebben niets verkeerds gedaan.'

'Gaan we haar zoeken?', vroeg Sharita.

Charlotte antwoordde niet en probeerde na te denken. Ze moest Kim bellen.

De telefoon ging voordat ze daartoe de kans kreeg.

'O, ik ben vergeten te vertellen – er heeft een mevrouw opgebeld, met een rare naam. Ik kan me niet meer herinneren welke precies. Ze wilde dat u haar terug zou bellen', zei Donna.

Charlotte nam de telefoon op en dat loste de puzzel op.

'Liefje, ik wil je niet storen, maar je bent de laatste tijd voortdurend in mijn gedachten geweest.'

Treasure Evans.

'Ik moet even weten of het goed gaat met jullie allemaal. Gaat het goed met alle meisjes?'

'Heb je een ogenblikje?', vroeg Charlotte. Ze legde haar hand op de telefoon. 'Lieverds, ga even naar de keuken en maak wat boterhammen. Ik ben zo klaar met bellen.'

'Er is iets niet goed', zei Treasure toen Charlotte terug was. 'Vertel me wat er aan de hand is.'

'Het spijt me. Ik kan bijna niet geloven dat je belt. Je ... hebt ... geen ... idee.' Een moment lang kon Charlotte niet verder praten. De vriendelijkheid in Treasures stem was meer dan ze kon verdragen.

'Misschien toch wel. Vertel maar wanneer je zover bent. Ik zit hier aan de keukentafel en ik heb alle tijd van de wereld.'

Ten slotte kreeg Charlotte zichzelf enigszins onder controle. Ze snoot haar neus, en vertelde: 'Ik heb nu zes meisjes in huis, maar één van hen is weggelopen. Tenminste, dat denk ik. Ik weet het niet zeker.'

'Lieve help', zei Treasure. 'Ik wist het. De hele weg van Oklahoma terug naar huis wist ik dat er iets niet in orde was bij jou. Heb je de maatschappelijk werkster gebeld?'

'Nog niet.'

'En de politie?'

'Ik heb nog niemand gebeld. Het is allemaal pas het laatste uur gebeurd. Ik wil de meisjes niet van streek maken, maar ik ben doodsbenauwd om degene die weg is.'

'Hoe heet ze?'

'Beth.'

'Oké. Ik neem dit van je over. Blijf aan de telefoon, dan brengen we haar nu meteen in gebed bij de Heer.'

Treasure verhief haar stem een beetje. 'In de naam van Jezus, Vader, vragen we U over dit kind te waken ... Hoe heette ze ook alweer?'

'Beth.'

'Ja, Vader, Beth. Wilt U haar in uw hoede houden? Haar beschermen tegen het kwaad? Haar veilig en spoedig terugbrengen? Amen.'

'Amen', fluisterde Charlotte. 'Dank je wel. Ik kan er niet bij dat je uitgerekend nu belt.'

'Ik wel hoor. De Heer gebruikt me. En, liefje, Hij zal me nog verder gebruiken. Heb je een bed over in dat grote huis van jou?'

'Eh wat, ja, natuurlijk', stotterde Charlotte. 'Kom je op bezoek?' *Ik wil niet onaardig zijn, maar uitgerekend nu?* 'Je weet dat ik niets liever zou willen, maar zou het niet beter zijn te wachten tot alles zijn beslag heeft gekregen, en het wat rustiger is geworden?'

'Nee, dame. Ik wacht niet. In feite heb ik, voor het geval dat het inderdaad de Heer was die ik hoorde, mijn tassen al gepakt, terwijl ik wachtte tot je terug zou bellen. Ze staan hier voor me, klaar om ze in de auto te zetten. Liefje, morgen tegen twaalf uur ben ik bij je.'

'Maar ...'

'Geen maren, vrouwtje. Je hebt hulp nodig, of je nu genoeg bij je verstand bent om het te weten of niet. Je hebt een extra paar handen nodig en een extra paar ogen. Die heb ik allebei. Om het maar niet te hebben over het feit dat ik behoorlijk kan koken.'

'Ik weet niet wat ik moet zeggen', stamelde Charlotte.

'Zeg maar niks. Maak alleen maar een plekje klaar waar ik mijn hoofd kan neerleggen.'

'Wie was dat?', vroeg Maggie toen Charlotte terug was in de keuken.

'Een oude vriendin', zei Charlotte, nog steeds een beetje verbijsterd. 'Nou ja, een beetje oud en nieuw tegelijk.'

'Ik heb een boterham voor je klaargemaakt', zei Donna. 'Moet ik hem in tweeën snijden?'

'Nee, dank je, zo is het goed.'

'Ik heb wat melk voor je gepakt', zei Nikki.

'Hier is een servet', zei Sharita.

Charlotte moest eigenlijk wat telefoontjes plegen in plaats van te eten. Maar toen ze de tafel rondkeek, zag ze vijf meisjes die allemaal van slag waren en onzeker en die probeerden heel erg lief te zijn. Ze trok een stoel naar achter en ging op haar vaste plaats zitten.

'Hoe heet die vriendin?', vroeg Maggie.

'Treasure', zei Charlotte. 'Lekkere boterham, zeg.'

'Ik weet wie je bedoelt', zei Nikki.

'Ik ook. Ze was aardig', zei Vikki.

'Ze komt hierheen. Logeren.'

'Wanneer?', vroeg Nikki.

'Morgen.'

'Hoe lang blijft ze?', vroeg Donna.

'Dat zei ze niet. Waarschijnlijk een paar dagen.'

Zodra Charlotte de laatste kruimels van haar boterham naar

binnen had gewerkt, belde ze Kim Beeson op haar pieper, hing daarna op en wachtte angstig totdat ze teruggebeld zou worden. Ze wist dat Beth een speciaal plekje had bij de maatschappelijk werkster.

Kim zou wel boos zijn. Ze had er ook alle recht toe. Ze zou vragen hoe Charlotte dit had kunnen laten gebeuren. Maar niets van wat Kim zou zeggen, zou erger kunnen zijn dan wat ze al tegen zichzelf gezegd had. Charlotte hoopte dat ze zou kunnen praten zonder in huilen uit te barsten.

Als ze beter had opgelet, als ze samen met haar naar de wc was gegaan, als ze erop had gestaan dat de meisjes allemaal bij elkaar waren gebleven – dan zou ze nog steeds hier geweest zijn. Waarom waren ze trouwens überhaupt naar de braderie gegaan? Ze hadden beter allemaal thuis kunnen blijven, om een boek te lezen of samen een spelletje te doen of zoiets, en niet over de hele stad hebben moeten gaan zwalken.

Er zou door de overheid waarschijnlijk een onderzoek worden gedaan naar Tanglewood. En daar zouden ze goed aan doen ook, want er viel niet te voorspellen wat ze allemaal nog meer fout deed of zou doen. De meisjes aten vast niet genoeg fruit. Ze was al twee keer vergeten dat Donna een afspraak had met de mondhygiëniste, waardoor ze een maand te laat was voor het schoonmaken van haar tanden. En dat niet alleen. Ook al had Kim haar eraan herinnerd, ze had de meisjes nog steeds geen brandalarmoefening laten doen.

Ze zouden Tanglewood zelfs wel kunnen sluiten. Wie zou het hun kwalijk nemen? Charlotte zeker niet. Als ze haar zaakjes goed had aangepakt, zou dit nooit gebeurd zijn.

O Beth ... waar zit je? Alsjeblieft, alsjeblieft, als je maar veilig bent.

Beth had geen gevoel meer in haar handen en haar voeten. Ze bleef maar klappertanden, en haar mond had nog nooit zo droog aangevoeld. Ze hield haar hoofd omlaag om de wind zo min mogelijk te voelen. Haar armen en benen waren stijf van de kou. Maar ze durfde niet te gaan verzitten.

Ze had nog nooit eerder op een motor gezeten. Een keer toen ze naar de eerste hulp moest voor een snee in haar vinger, had ze een dokter en een verpleegster horen praten over een zwaargewonde motorrijder die net was binnengebracht. 'Er zijn maar twee soorten motorrijders', herinnerde Beth zich wat ze de dokter had horen zeggen. 'Degenen die al in een wrak veranderd zijn en degenen die nog een wrak zullen worden.'

Het was allemaal zo vlug gebeurd dat Beth geen tijd had gehad om te aarzelen voordat ze op de motor klom. Toen ze haar handen om Kirby's middel sloeg, trilden ze en waren ze koud. 'Het gaat allemaal best', had hij over zijn schouder tegen haar gezegd. 'Leun maar voorover. Houd me goed vast.' Even bedekte hij heel vlug haar handen met de zijne. 'Ik zal ervoor zorgen dat je niets overkomt. Ik zweer het bij God. Klaar?'

Eerst leek het erop dat het goed zou gaan. Maar toen waren ze in die vervelende bocht bijna geslipt. Had Kirby maar een auto gehad.

In zijn vele brieven en twee clandestiene telefoontjes hadden ze hun vlucht weken geleden al gepland. Beth had zich erover verwonderd dat het vertrek van Tanglewood moeilijker bleek dan ze had gedacht. De laatste twee weken leek Charlotte elke dag wel aardiger dan de voorafgaande. Zo aardig zelfs dat Beth bijna was gaan geloven dat ze om haar gaf. Kirby maakte haar wijzer en vertelde haar dat Charlotte geld van de overheid kreeg voor elk meisje dat ze opnam.

'O, werkt dat zo?', had Beth gevraagd.

'Natuurlijk. Je denkt toch niet dat mensen zoiets voor niets doen, wel'?

Ze veronderstelde van niet.

Voor Kim Beeson, nog maar zes maanden aan het werk, was het de eerste ervaring met een weggelopen kind.

'Oké, Charlotte. Houd je taai. Je hebt er goed aan gedaan me te bellen. In ieder geval weten we dat ze is weggelopen, niet ontvoerd, omdat ze wat persoonlijke spullen heeft meegenomen. Dat is tenminste iets. Laat me eerst even nagaan welke procedure hiervoor bestaat en mijn baas inlichten. Ik bel je zo terug.'

De procedure was akelig streng. Eerst moest Kim de plaatselijke politie inlichten en die voorzien van nadere persoonlijke gegevens en een recente foto van Beth, samen met de namen en adressen van vrienden, familie en eerdere pleeggezinnen.

De lijst met tehuizen waar Beth gewoond had, was lang, het lijstje met familieleden kort. Haar moeder moest ingelicht worden; dat was een eerste vereiste. Zouden ze die vrouw kunnen vinden? Recente pogingen tot contact per brief waren op niets uitgelopen; de enveloppen waren teruggekomen, met het stempel *Nader adres onbekend*.

Als Beth niet binnen een bepaalde tijd gevonden zou worden, zou Kim de rechterlijke macht moeten berichten dat ze niet langer onder toezicht van de overheid verkeerde.

Maar voordat het zo ver was, zou Beth toch allang terug zijn op Tanglewood.

Tegen negen uur begonnen mensen op de voordeur van Tanglewood te kloppen.

'We hebben het gehoord. Wat kunnen we doen?' Met een bezorgde uitdrukking op hun gezicht brachten ze verse koekjes, kannen koffie, stapels kartonnen bordjes en nog niet helemaal ontdooide schalen eten. Elke vrouw in Ruby Prairie die zich aan goede werken wijdde, had minstens een kipgerecht en een bakje lasagne in de vriezer klaar liggen voor tijden als deze.

Inwoners van Ruby Prairie zaten in Charlottes woonkamer, namen haar keuken over en dromden samen in de eetkamer. Daarmee maakten ze de katten van streek en de honden onrustig, en overdonderden ze de meisjes. Elke gedachte de verdwijning van Beth stil te houden verdween bij de nieuwsgierigheid en bezorgdheid van de gemeenschap.

'Was zij niet degene met al die oorringen en het korte haar?', vroeg Nomie. 'Dacht ik wel. Ik zag haar vanmiddag op de braderie. Toen leek ze zich wel te amuseren. Is er iets gebeurd wat haar van streek heeft gemaakt?'

'Lieve hemel', zei Lester. 'Op een avond als deze buiten moeten zijn. Had ze een warme jas aan toen ze ervandoor ging?'

Gabe en Chilly boden hun hulp aan. 'Ik heb zaklantaarns thuis.' zei Gabe. 'Chilly heeft ook een paar goede jachthonden. Een ervan is aan één oog blind, maar ze kunnen allebei goed rennen. We kunnen ze halen en meteen op pad gaan om naar het meisje te zoeken als je denkt dat het helpt. Zeg het maar.'

Dominee Jock wierp een blik op Charlotte en zag dat al hun goede bedoelingen net even te veel waren. Hij nam haar mee naar buiten en rillend op de stoep achter kreeg hij de actuele stand van zaken te horen.

Daarna ging Kerilynn – op zijn aanwijzingen – met Charlotte naar boven om Nikki, Vikki, Donna, Sharita en Maggie weg te krijgen van de overijverige groep mensen.

Toen Charlotte en de meisjes eenmaal buiten gehoorsafstand waren, kalmeerde Jock de mensen. 'Ik weet dat iedereen hier is om Charlotte te helpen. We willen allemaal doen wat we kunnen. Toch heeft ze maar één ding werkelijk nodig. Dat is gebed. Voor Beth, voor Charlotte, voor de andere meisjes hier op Tanglewood. We moeten allemaal onze ogen wijdopen houden voor het geval ze nog in de stad is, maar dat is dan ook het enige; de rest moeten we overlaten aan de autoriteiten. Charlotte heeft al met Mark op het politiebureau gesproken en met Leroy op het kantoor van de sheriff. Ze hebben foto's van Beth en alle andere informatie die ze nodig hebben om haar te zoeken.'

De mensen knikten instemmend. Mark en Leroy deden hun werk goed.

Jock ging verder: 'Charlotte is naar boven gegaan. En wij moeten maken dat we hier wegkomen. Charlotte heeft me gevraagd jullie allemaal te bedanken en te vragen om jullie voortdurend gebed.'

'Natuurlijk zullen we bidden, dominee', zei Sassy, en de anderen mompelden instemmend.

'Er is nog één ding wat ik wil zeggen', vervolgde hij. 'Laten we bedenken dat er nog vijf andere meisjes in huis zijn. Meisjes die niet de makkelijkste tijd achter de rug hebben. Ze hebben al heel wat meegemaakt in hun korte leven en kunnen makkelijk van streek raken. Voor hen moet het leven zo normaal mogelijk doorgaan. Iedereen hier is aardig voor Charlotte en haar meisjes, maar van nu af is dat niet genoeg. We kunnen niet kwistig genoeg zijn met onze liefde en onze acceptatie. Laten we hen behandelen alsof het onze eigen kinderen zijn.'

Natuurlijk. Dat was precies wat ze zouden doen. Van die meisjes houden. Charlotte helpen.

'En laten we, voordat we weggaan, onze hoofden buigen om te bidden.'

'Waar zijn jullie geweest?', vroeg Catfish. 'Ik dacht dat we naar huis en gelijk naar bed zouden gaan.' Toen hij de koplampen van Kerilynns auto had gezien toen ze de carport in draaide, was hij naar haar kant van het huis gelopen.

'Zou ik ook. Maar een van de meisjes van Charlotte Carter wordt vermist.'

'O ja?'

'Ik ben er even naartoe gegaan om te kijken of ik iets kon doen.'

'Zou niet weten wat', zei Catfish. Hij leunde tegen het ontbijtmeubel van Kerilynn, trok zijn zakmes tevoorschijn en begon zijn nagels schoon te maken.

'Er is wel reden voor bezorgdheid. Dat meisje is nog maar vijftien. Ze kan in ik weet niet wat voor gevaar verkeren. Buiten moeten blijven terwijl het zo koud is als vannacht – je weet maar nooit wat voor ellende ze doormaakt.'

'Zei je dat ze is weggelopen?'

'Daar ziet het wel naar uit. Charlotte heeft haar het laatst bij de optocht gezien, zo'n beetje tegen vijven. Sindsdien niet meer.'

'Dat kind is nu waarschijnlijk al lang thuis', zei Catfish.

'Ik betwijfel het. Ze was lopend.'

'O ja?'

'Nou ja, tenzij ze een auto of zoiets gestolen heeft', antwoordde Kerilynn vinnig. 'En daar hebben ze het niet over gehad. Natuurlijk kan ze ook een lift gekregen hebben, maar ik geloof het niet. Nee, wat ik denk, is dat ze zich hier ergens in Ruby Prairie verborgen houdt. Ze zal wel weer tevoorschijn komen. Daar bidt iedereen tenminste wel voor.'

Catfish gaf geen commentaar. Hij stopte zijn zakmes terug in zijn broek. 'Ik ga naar bed. Het is laat. Ga je morgen naar de kerk?'

'Ja. Dominee zal speciaal voor het meisje bidden. Wanneer de ochtenddienst eenmaal voorbij is, gaat Mark van het politiebureau iedereen indelen, zodat we een georganiseerde zoektocht kunnen ondernemen. En jij? Doe je ook mee?'

Catfish kuchte. Twee keer. 'Weet niet. Kou gevat. Moet eerst kijken hoe ik me voel.'

De motor klonk niet goed. Zelfs Beth kon dat horen. Hoewel Kirby's hand vast op het gaspedaal lag, verloren ze snelheid. Kirby stuurde de sputterende machine naar de kant van de verlaten landweg en stopte.

'Wat is er aan de hand?', vroeg Beth.

'Weet ik niet. Zou een slang of een riem kunnen zijn. Kan ook een bougie zijn.'

Beth gleed van de achterkant van de motor af, terwijl hij ernaar keek. Haar benen waren stijf. Het vroor. Het was donker en veel te stil.

Ze sloeg haar armen om zich heen en hinkte van de ene voet op de andere, terwijl Kirby naast de machine neerhurkte en het een en ander begon te klungelen. Hij had geen zaklantaarn, alleen het kleine vlammetje van zijn aansteker. De hemel was zo bewolkt dat noch de maan noch de sterren enig licht gaven.

Beth hoorde Kirby een lelijk woord zeggen.

'Het is tenminste opgehouden met regenen', zei ze.

Hij antwoordde niet.

'Waar zijn we?'

Ook daar gaf Kirby geen antwoord op.

Beth ging op een omgevallen boom zitten in de greppel aan de kant van de weg. Ze had honger en moest nodig.

Kirby uitte weer een verwensing en gaf de motor een schop. Die viel op de grond. Een angstaanjagende metalige klap verbrak de stilte.

Hij kwam naar haar toe en ging naast haar zitten, zonder een woord te zeggen. Hij spuugde op de grond tussen zijn voeten, keek toen omhoog naar de hemel. Eindelijk boog hij zich naar haar toe, nam haar koude hand en wreef die tussen de zijne.

'Die motor is niet veel meer dan een afgedankte hoop rommel.'

Het was al na middernacht toen Charlotte in haar bed kroop. Eenmaal daar achtervolgde de gedachte aan mislukking haar. Ze was niet tot Beth doorgedrongen. Zelfs niet één keer, voor zover ze kon zien. Het was niet zo dat Beth voor problemen had gezorgd. Helemaal niet. Dat was nu net het probleem. Wat ze Beth ook gevraagd had te doen, hoe vaak ze ook compromissen had moeten sluiten of dingen had moeten delen, ze was gewillig geweest en had in alles meegewerkt.

Ze klaagde en jammerde nooit.

Was het nooit ergens mee oneens.

Huilde nooit.

Liet nooit iemand weten wat er in haar binnenste omging.

Terugkijkend was het makkelijk het probleem aan te wijzen. Toen Beth voor het eerst aankwam op Tanglewood, en er nog maar drie meisjes waren, had Charlotte een paar keer het gevoel gehad dat ze dicht bij contact was geweest. Maar toen de andere meisjes begonnen te komen − zo snel al −, was het broze contact haar ontglipt. Al gauw stond het zes tegen één, en ze legde nooit genoeg gewicht in de schaal.

Nikki en Vikki, nog zo jong, moest je voortdurend in de gaten houden. Donna, was behulpzaam en deed alles om je een plezier te doen, maar had te kampen met depressiviteit. Haar huilbuien haalden Charlotte bijna elke nacht wel uit bed. Sharita was erg levendig, maar soms zo prikkelbaar dat Charlotte haar wel eens aan haar haren wilde trekken. Maggie had er geen idee van hoe meisjes zich in het openbaar moesten gedragen. Charlotte liep op eieren om haar goede manieren bij te brengen zonder dat ze er verlegen van werd. Met al die dingen die nodig waren, had ze de rustige, volgzame Beth gemakkelijk veronachtzaamd. Vaak waren, ondanks alle goede bedoelingen, alles wat Beth gekregen had, de restjes van Charlottes tijd. Eén ding stond vast: wanneer Beth terug was, zou ze het beter aanpakken. Stukken beter. Ze zou beginnen met voortaan om vijf uur op te staan in plaats van om zes. Dat zou haar per dag een uur extra geven. En dan was er ook nog de verspilde tijd die ze doorbracht met relaxen op de veranda, elke middag vlak voordat de meisjes van school thuiskwamen. Die kon beter benut worden. Van nu af aan zou ze die tijd gebruiken om het eten voor te bereiden om zo later op de avond meer vrije tijd te hebben. Er waren nog wel andere dingen die ze kon doen om meer tijd vrij te maken om één op één met de meisjes te kunnen doorbrengen. Dat wist ze zeker.

Charlotte trok de lakens op tot haar kin en staarde naar de zoldering. Waar was Beth op dit moment? Wat deed ze nu? En wat had haar ertoe bewogen uitgerekend deze dag uit te kiezen om weg te lopen? Had Charlotte per ongeluk iets onvriendelijks tegen haar gezegd? Misschien had Beth ruzie gemaakt met een van de andere meisjes, waren haar gevoelens gekwetst. Ze zeiden allemaal wel van niet, maar je kon nooit weten.

Het was duidelijk dat Beth van plan geweest was weg te lopen. Op een of andere manier was ze op een bepaald moment naar huis teruggegaan om haar rugzak te halen en wat kleren. Wanneer kon ze dat hebben gedaan?

Hoe rot moest ze zich hebben gevoeld om op zo'n avond weg te lopen? Het was opgehouden met regenen, maar de verwachting was dat de temperatuur tegen de ochtend tot onder het vriespunt zou dalen.

Hoe ver was ze gekomen? Mark, de politieagent, had gezegd dat ze niet ver weg kon zijn als ze te voet was. Hij dacht dat ze zich verborgen hield in het huis van een vriend of misschien in een of ander leeg gebouw zou schuilen. Hij voorspelde dat ze binnen een dag of twee gevonden zou worden.

Charlotte hoopte dat hij het bij het rechte eind had. Maar had Beth wel vrienden Hoe zat het met die jongen van het opvanghuis? Dat was belachelijk. Dallas was anderhalf uur rijden.

Charlotte keek op de klok naast haar bed. Kwart over één geweest. Vermoeid sloot ze haar ogen. *God. U hebt de leiding. Ik weet dat er geen mus ter aarde valt zonder dat u het ziet. Alstublieft, alstublieft, wees dit huis en deze meisjes genadig. Geef mij de kracht en de wijsheid om voor hen te zorgen. Blijf voor Beth zorgen. Troost haar. Geef haar warmte als ze het koud heeft, eten als ze honger heeft, vannacht een plaats om veilig te slapen. God, alstublieft, breng haar terug. Laat haar op een of andere manier weten dat ik van haar houd.*

Charlotte kwam niet aan het amen toe. Het luide gerinkel van de telefoon maakte haar met een schok wakker.

'Hallo?'

'Mevrouw Carter?'

'Ja.'

'U spreekt met Mark, van het politiebureau. Kreeg net een telefoontje van Leroy. Ik denk dat we weten waar uw meisje zit.

Hoofdstuk
18

'Hebben ze haar gevonden? Nu al? God zij dank', zei Kerilynn, die klonk als een vrouw die gewend was elke dag van de week 's morgens om kwart over drie gewekt te worden. 'Je hoeft je niet te verontschuldigen. Natuurlijk kom ik. Ik blijf bij de meisjes zolang je me nodig hebt. Schat, ik ben er zo gauw ik mijn kleren heb aangetrokken. Dit is gewoon heerlijk nieuws.'

'Bel maar niet wanneer je hier bent. Kom maar gewoon binnen', zei Charlotte. 'Ik wil niet dat de andere meisjes wakker worden.'

Wat zou het een verrassing voor hen zijn wanneer ze wakker werden en Beth veilig thuis zou zijn, gezond en wel en veilig in slaap in haar eigen bed. Ze zou pannenkoeken bakken voor het ontbijt. Ook een paar met bacon. Ze zouden om de tafel zitten en zeggen dat God hun gebeden had verhoord. Als Beth het aankon, zouden ze allemaal naar de kerk gaan. Vooropgesteld dat Beth het zou willen natuurlijk. Als Beth überhaupt terug zou willen komen.

Charlottes maag borrelde van de zenuwen. Ze botste tegen de hoek van haar toilettafel, op weg naar de badkamer. Waar was de fles met Pepto? Toen ze het roze spul gevonden had, nam ze een slok gewoon uit de fles en grimaste bij de kalksmaak. Hoe vies het ook smaakte, toch knapte ze ervan op. Ze trok een spijkerbroek aan en een sweatshirt over haar nachtpon heen, bond haar haar in een paardenstaart en poetste haar tanden. Ze zocht gejaagd naar haar bril, bijna in paniek totdat ze die op haar hoofd terugvond.

Haar sleutels en haar tas lagen deze keer voor de verandering op de plaats waar ze zich dacht dat ze ze had achtergelaten, in de hal bij de voordeur. Zodra Kerilynn aankwam, was ze klaar om te vertrekken. Ze hoorde voetstappen op het grind naast de keuken en opende de achterdeur. Kerilynn was niet alleen.

'Dominee Jock. Wat is er aan hand?'

Hij en Kerilynn stapten de keuken binnen. 'Niets. Ik hoorde het grote nieuws.'

Charlotte was van haar stuk gebracht. Wie had Kerilynn nog meer gebeld?

Was de rest van de stad op dit moment soms ook in het donker op weg naar Tanglewood? Ze herinnerde zich de chaos van de vorige avond.

'Zodra ik had opgehangen heb ik hem gebeld om met je mee te gaan', zei Kerilynn. 'Zei je niet dat ze op het politiebureau van Ella Louise was? Liefje, dat is dertig kilometer. De weg is donker En er zijn heel veel bochten. Je moet niet alleen gaan.'

Kerilynn had gelijk. Hoewel Charlotte wist welke weg ze moest nemen, was ze nog nooit naar Ella Louise geweest. En wanneer ze er eenmaal was, zou ze niet weten waar ze het politiebureau moest zoeken. Het zou wel niet moeilijk te vinden zijn, maar het was niet waarschijnlijk dat er iemand wakker en bij de hand zou zijn om haar de weg te wijzen.

'Daar had ik niet aan gedacht', zei Charlotte. 'Je heb gelijk. Dank je wel dat je gekomen bent.'

'Ben je klaar? Ik rij wel', zei Jock.

'Schat, vergeet je jas niet', zei Kerilynn. 'Wees voorzichtig. Geef dat meisje een pakkerd van me wanneer je haar ziet. Denk er aan, bel even zodra jullie met z'n drieën op de terugweg zijn.'

Catfish draaide en woelde in zijn bed. Uiteindelijk stond hij op en bakte een paar eieren. Hij droeg het bord naar de leunstoel in zijn woonkamer en zette CNN aan. Er was iemand aan het zeuren over het hergebruiken van rommel. Schuld van de liberalen. Als er iets was wat hij niet kon uitstaan, waren het die hippies wel, die mensen die bomen omhelsden daar in het noorden. Catfish drukte op de afstandsbediening. Vond John Wayne. Prima. Zo Amerikaans als maar kon. Hij installeerde zich weer en werkte zijn eieren naar binnen, het geel opdeppend met een restje van zijn boterham.

Tijdens een reclame zapte Catfish naar het weerkanaal. Een meisje zei dat er tegen de morgen natte sneeuw kon gaan vallen. Naar verwachting temperaturen onder het vriespunt. Catfish betwijfelde het. Die mensen hadden het vaker bij het verkeerde eind dan dat ze goed zaten. Hij vroeg zich af hoe het kwam dat ze niet ontslagen werden. Vooral de vrouwelijke weervoorspellers.

Hij zapte weer naar een ander kanaal.

Motorraces. Als dat niet alles sloeg. Gekken. Moest wel als je op van die idiote dingen reed. Maar ja, een vrij land! Dat moest Catfish toegeven. Als mensen zichzelf wilden doodrijden, was dat volgens de grondwet hun van God gegeven recht. Niemand hoefde een ander te vertellen wat ze wel of niet mochten doen.

Dat was iets wat zijn zus Kerilynn nooit begreep. Stak altijd haar neus in andermans zaken. Elke keer weer zei hij tegen haar dat ze moest ophouden haar nek uit te steken voor mensen die ze nauwelijks kende.

Zoals die vrouw van Carter en al die meisjes. Kerilynn vloog daar maar naartoe, alleen maar omdat er een meisje vermist was. Bewaar me. Er waren er nog steeds vijf over.

Het was toch te gek dat iedereen zich morgen na kerktijd ging uitsloven om de hele stad te gaan doorzoeken naar dat kind. Ze wisten het niet, maar ze zouden hun tijd verspillen en hun zondagmiddagdutje en rugby voor niets missen. Dat meisje was onderhand allang weg. Waarschijnlijk hoog en breed in Oklahoma.

Misschien zou hij iets moeten zeggen. Zou hun allemaal tijd schelen. Maar hoe kon hij dat nu opbiechten? Als Kerilynn erachter zou komen dat hij het meisje van het feestterrein had zien weggaan, en dat ze in zijn winkel was geweest met die knul, zou hij het zijn leven lang moeten horen.

Nee, ophef maken om iets van zo weinig betekenis, dat was het niet waard. Het zou allemaal wel gauw genoeg vanzelf overdrijven.

Catfish ging zijn bed weer in.

Charlotte had gezegd dat ze net moest doen of ze thuis was, en op de bank kon gaan liggen of zelfs de rest van de nacht in haar bed kon kruipen. Alsof ze dat zou doen. Kerilynn wist dat ze nooit zou kunnen slapen. In plaats daarvan maakte ze Charlottes keuken schoon, en ondertussen was ze aan het bidden. Eerst de provisiekast. Ze nam de spullen eruit, veegde de boel en zette alles terug.

Heer, laat ze veilig in Ella Louise aankomen.

Daarna begon ze met de kruiden. Wat een troep. Kerilynn zette ze in alfabetische volgorde. Wat was dit? Drie busjes kaneel – allemaal open. Ze gooide het ene dat oud rook, weg, deed de andere twee bij elkaar, deed hetzelfde met twee busjes zwarte peper.

Wees hun nabij. Wees met hen wanneer ze het meisje weer zien. Ze heet Beth.

Op naar de koelkast. Niet zo erg als je had kunnen denken. Het enige probleem was wat overrijp fruit. De koelkast had alleen een goede veegbeurt nodig met een doekje met wat water en soda.

Heer, laat haar alstublieft niets ergs zijn overkomen in de tijd dat ze weg is geweest.

Pas nadat ze alle apparaten met Ajax had afgenomen en de vloer geveegd en gedweild was, begon Kerilynn te wensen dat Charlotte of Jock zou bellen. Ze keek op haar horloge. Ze waren nog maar drie kwartier weg.

Ze trok een keukenstoel opzij, ging zitten en pakte een paar koekjes uit een al geopend pak. De tijd vloog echt voorbij als een mens het naar zijn zin had.

'Wie heeft er nou gebeld? Mark van het politiebureau of Leroy op het kantoor van de sheriff?', vroeg Jock. Hij schakelde van de eerste naar de tweede versnelling.

'Mark. Maar hij zei ook iets over Leroy. Ik begreep het niet helemaal.'

'Als er iets gebeurt binnen de grenzen van een stad, is het een zaak van de politie. Als het daarbuiten gebeurt, is de streeksheriff er verantwoordelijk voor', verklaarde Jock. 'Hun werk overlapt elkaar op een heleboel punten.'

'Dus dan moeten ze haar ergens op het platteland hebben gevonden', zei Charlotte.

'Waarschijnlijk dicht bij Ella Louise.'

Ze reden zwijgend een paar kilometer verder.

'Ik stel dit echt enorm op prijs', zei Charlotte.

'Stel wat op prijs?', plaagde Jock. 'Ik sta graag midden in de nacht op. Duurt de dag lekker lang.'

'Je bent zo aardig geweest. Iedereen trouwens.'

'Zo zijn de mensen in Ruby Prairie. Soms zijn ze een beetje ... opdringerig – zoals afgelopen nacht –, maar ze bedoelen het goed. Ze willen vooral helpen.'

'Ik heb nooit de bedoeling gehad dat Tanglewood iemand tot last zou worden. De meisjes zijn mijn verantwoordelijkheid. Ik zou het allemaal zelf moeten kunnen.'

'Heb je dan het gevoel dat je dat niet hebt gedaan?'

'Ik had nooit verwacht zo veel hulp te krijgen.'

'Je bent een onafhankelijk type.'

'Ik dacht dat ik dat was.' Charlotte leunde met haar hoofd achterover. Toen mijn man ziek werd, deed ik alles zelf. Het huis, de tuin, de rekeningen, zijn verzorging.'

'En hoe zat het met de kerk toen?'

'Het was een erg kleine gemeente, zo om en nabij de zestig leden. Ze deden wat ze konden. Ik weet dat ze voor ons baden.

Een paar kwamen ook op bezoek, maar de meeste gemeenteleden waren al wat ouder en hadden zelf vaak al te kampen met een slechtere gezondheid. Voordat J.D. ziek werd, deed hij wel eens wat klusjes voor een paar weduwen.'

'Zo te horen een aardige man.'

'Dat was hij ook. Die oude dames waren dol op hem. Elke keer wanneer hij naar hen toe ging om een lamp te vervangen of een lekkende kraan aan te draaien, verwenden ze hem. Er waren ook een paar dames die ik wel eens naar de dokter bracht of voor wie ik boodschappen deed. Zij bedankten me altijd, maar ze onthaalden mij nooit zoals hem. Het maakte niet uit hoe laat het was, of dat hij net gegeten had. Hij moest bij hen aan tafel komen zitten en iets eten, om hun gevoelens niet te kwetsen.'

'Hoe lang zijn jullie getrouwd geweest, Charlotte?'

'Bijna twintig jaar.'

'Zo te horen waren jullie gezegend.'

'Dat waren we. Met alles behalve met kinderen. En we wilden nota bene een huis vol.'

'Maar dat heb je nu dan wel', zei Jock. 'Een volle pijlkoker, als zoals de psalmdichter zegt.'

'Min één.'

'Maar niet lang meer. We zijn er binnen tien minuten. Ben je zenuwachtig?'

'Meer dan zenuwachtig. Ik vraag me af wat Beth zal doen wanneer ze me ziet, wat ik het beste kan doen wanneer ik haar zie. Ik moet weten waarom ze is weggelopen, wat is gebeurd is, wat ik kan doen om haar te helpen.'

'Is ze ooit in therapie geweest?'

'Af en toe, waar ze zo lang in de pleegzorg heeft gezeten.'

'Zou een goed idee zijn als ze nu weer met iemand ging praten.'

'Denk ik ook. Ik zal het volgende week met haar maatschappelijk werkster hebben over een verwijzing.'

'Het klinkt misschien wat raar, maar het weglopen van Beth zou best wel ergens goed voor kunnen zijn. Misschien zal ze daardoor de hulp gaan zoeken die ze nodig heeft.'

'Je hebt gelijk. Ze heeft zo'n muur om zich heen opgetrokken. Ze was rustig en beleefd, maar totaal in zichzelf opgesloten. Nu is tenminste duidelijk dat er iets mis is.'

'Daar is Ella Louise al, daar vóór ons', zei Jock. 'Laten we hier even aan de kant gaan en bidden.' Hij stuurde het busje van de weg af, het parkeerterrein van een autowasserij op en nam daarna Charlottes handen in de zijne.

'Vader, we vragen uw zegen over deze ontmoeting. Wees met Charlotte. Geef haar kracht en wijsheid en genade. Wees ook met Beth. Laat haar uw liefde voelen en de liefde van Charlotte. Overbrug de kloof tussen Beth en de mensen die van haar houden en voor haar zorgen. In de naam van Jezus. Amen.'

'Amen', zei Charlotte.

'Liefje, waarom ben je op? Wat doe je uit bed?', vroeg Kerilynn.

'Waar is Charlotte?' Het was Nikki, die de slaap uit haar ogen wreef. 'Is het al tijd om naar de kerk te gaan?'

'Nee, lieverd. Het is nog midden in de nacht. Kijk – het is donker buiten. Charlotte is Beth aan het halen. Ze zal zo wel terugkomen. Je moet weer naar bed gaan. Wil je iets drinken?'

'Nee.' Nikki krulde zich op in de vensterbank en begon op haar duim te zuigen.

'Kom mee. Je bent nog niet eens goed wakker. Ik breng je weer lekker naar je bed.'

Treasure Evans was goed wakker, dankzij de honden van haar buren. Ze stelden zich vreselijk aan. Waarschijnlijk nijdig door een plagerige kat.

Treasure stond op en schreeuwde tegen ze, twee keer. Ooit had ze hun iets lekkers gegeven uit de voorraad die ze onder de gootsteen had staan voor haar eigen hond Peaches. Ten slotte, na tevergeefs geprobeerd te hebben de honden stil te krijgen, gaf ze het op, kleedde ze zich aan en laadde ze Peaches en zichzelf in haar bestelbus.

Het digitale klokje op het dashboard gaf 4:30 aan toen ze de oprijlaan uit reed. 'We zullen er op tijd zijn om ontbijt te maken voor de meisjes', zei ze tegen Peaches.

Het politiebureau van Ella Louise stond aan de andere kant van de stad. Om deze tijd van de nacht lag het stadje er spookachtig verlaten bij. Geen enkele zaak was open, zelfs geen avondwinkel of benzinestation. Toen ze midden door het centrum reden, was het enige teken van leven dat Charlotte zag, een stuk of wat wilde katten. Ze slopen tussen de gebouwen door en verdwenen onder de struiken.

'Het is alsof ze in Ella Louise de straten 's nachts niet gebruiken, vind je niet?', zei dominee Jock.

'Het is hier echt stil', zei Charlotte. 'Ruby Prairie heeft tenminste nog 'De Klok Rond'.'

Dominee Jock lachte. 'Tot mijn spijt moet ik je melden dat 'De Klok Rond' om acht uur sluit.'

'Nee. Echt waar? Maar waarom noemen ze het dan 'De Kl...?'

'Geen idee. Ik denk dat Kerilynn de naam gewoon leuk vond. Waarom hebben ze onze stad Ruby Prairie genoemd terwijl de dichtstbijzijnde prairie zo'n vijfhonderd kilometer verderop ligt? Daar is het politiebureau. Dat bruine gebouw op de hoek.'

Charlottes hart was, terwijl ze door Ella Louise reden, geleidelijk aan sneller gaan kloppen, maar begon nu te bonzen toen ze het stenen overheidsgebouw zag. Ze haalde diep adem en veegde haar klamme handen af aan haar broekspijpen.

'Het gaat vast allemaal goed', verzekerde dominee Jock haar. 'Voordat je het weet, zijn we op de terugweg. Jij, ik en Beth.'

Toen ze het gebouw binnengingen, zag Charlotte dat er twee agenten dienst hadden, een man en een vrouw. Hij zat te kijken naar een partij worstelen op de televisie, zij zat een beetje te dutten op haar stoel.

'Kan ik jullie helpen?' De man zette de televisie uit. De vrouw werd wakker, glimlachte tegen Charlotte en verborg een geeuw.

'Ik ben dominee Jock Masters, en dit is Charlotte Carter.

Agent Andrews heeft ons gebeld over een meisje. We komen haar halen.'

'O ja. We verwachtten u al. De jongedame zit op de wc – ze zal er zo wel uit komen. Zozo, helemaal uit Ruby Prairie. Hoe gaat het bij jullie daar?'

Charlotte voelde zich niet op haar gemak.

'Alles prima bij ons', zei dominee Jock.

'Is ... is alles goed met haar?', onderbrak Charlotte hem. 'Is ze gewond?'

'Niets van te zien', zei de vrouw. 'Ze heeft niet veel gezegd, maar ze is doodmoe. Heeft volgens mij vooral een warm bad en een bed nodig, zo te zien.'

'Waar hebben jullie haar gevonden?', vroeg dominee Jock.

'Net even verderop op de weg, slapend in een fruitkraampje. De agent van dienst reed erlangs en zag haar liggen. Hij zei: 'Ben jij Beth?', en ze knikte en kwam meteen met hem mee. Eigenlijk leek ze wel dankbaar dat ze gevonden was.

Charlottes schouders ontspanden zich. Dominee Jock had gelijk. Beths weglopen zou nog goed blijken te zijn. *Verbazingwekkend*, dacht Charlotte, *hoe God iets verkeerds in iets goeds kan laten veranderen.*

'Dus er is geen aanklacht ingediend?', vroeg Jock.

'Nee hoor. We zullen een proces verbaal maken, maar anders dan weglopen – en dat minder dan vierentwintig uur – heeft ze niets verkeerds gedaan.'

'Hebt u haar spullen? Rugzak, jack?', vroeg Charlotte.

'Het kind had alleen een jas bij zich' zei de agent. 'Geen rugzak gezien. Ze had verder niets bij zich toen we haar oppikten. Zelfs geen identiteitsbewijs.'

Het kantoor van de sheriff was klein en niet geluiddicht. Kiesheidshalve gingen ze gevieren met hun gesprek door tot ze hoorden doortrekken, dan het lopen van water en het geluid van een papieren handdoek die naar beneden werd getrokken. Eindelijk ging de deur open en kwam er een meisje naar buiten.

Het was Beth niet.

Hoofdstuk
19

Na drie uur slaap was Kerilynn zo goed de meisjes mee te nemen naar de kerk, waar een slaperige en onvast op zijn benen staande dominee Jock wat stamelend een preek hield over een tekst uit Lucas 15.

Hij schraapte zijn keel. 'Stel, een vrouw heeft tien zilveren munten en ze verliest er één. Zal ze geen lamp aansteken, het huis bezemen en net zo lang zoeken tot ze hem vindt?' Jock smoorde een geeuw. 'En wanneer ze hem heeft gevonden, roept ze haar vrienden en buren en zegt: "Wees blij met mij." Hij gaapte weer.

Deze keer wist hij niet meer waar hij was.

'Sorry, mensen. Laat ik het opnieuw proberen.'

De gelovigen wierpen hem bemoedigende glimlachjes toe. Op van vermoeidheid was Jock dankbaar voor hun toegeeflijkheid.

'Wees blij met mij, ik heb mijn verloren munt gevonden. Op dezelfde manier, zo zeg ik jullie, zullen de engelen van God blij zijn over de zondaar die berouw heeft.'

Jock klapte zijn Bijbel dicht. De meesten van jullie hebben wel gehoord dat Beth, een van de meisjes van Charlotte Carter, weggelopen is van Tanglewood.'

De weinige kerkleden die het nog niet wisten, begonnen te fluisteren met hun buren.

'Het is gisteren gebeurd. Sindsdien heeft niemand haar gezien. We weten niet precies wanneer ze is weggegaan.'

Catfish bewoog onrustig op zijn plaats. Hij pakte zijn mededelingenblad op en begon het zorgvuldig te bestuderen.

Jock vervolgde. 'Charlotte is hier niet vanmorgen, ze is bijna de hele nacht op geweest en moet vandaag in de buurt van de telefoon blijven. Ze is ongerust en, zoals jullie je vast wel kunnen voorstellen, bekaf. Ze heeft behoefte aan ons gebed. En Beth, waar ze ook is, eveneens. De rest van de meisjes – Kerilynn heeft ze meegebracht en ze zitten hier in deze bank – hebben dat ook nodig.' Hij stapte van de kansel af. 'Mensen, Beth is niet de enige persoon vandaag die verloren is. Ieder van ons kan het spoor bijster raken. We hebben er allemaal behoefte aan gevonden te worden. Laten we deze dienst afsluiten door ons te richten op God, die alles weet over verloren zaken.'

Treasure Evans zette een pot sterke koffie. Ze schonk een kop in en bracht die naar Charlottes slaapkamer, waar ze hem op het nachtkastje neerzette. Rustig liet ze zich in de schommelstoel naast het bed zakken en wachtte. Het afgelopen uur had ze Charlotte een paar keer zien bewegen. Treasure maakte eruit op dat ze spoedig uit zichzelf wakker zou worden. Binnen een minuut drong het aroma van de dampende koffie door Charlottes slaap heen en opende ze haar ogen. 'Treasure?'

'Goedemorgen.'

Charlotte greep naar haar bril en zocht naar de wekker naast het bed. 'Ik dacht dat je pas vanmiddag zou komen. Hoe laat is het? Hemeltje, ik heb me verslapen. Ik moet naar de meisjes.'

'De meisjes maken het goed. Er is iemand langsgekomen die ze heeft meegenomen naar de kerk. Ik geloof dat ze Jerry Lee heette.'

'Ik kom eruit.' Charlotte sloeg de lakens terug. 'Ze moeten zo lunchen.'

'Drink je koffie op. Je heb een keuken vol eten voor die kinderen. Jij en ik moeten eerst eens met elkaar praten.'

Charlotte stak haar hand uit naar de koffiemok, nam gehaast een slok, brandde haar mond en zette hem weer terug. 'Het spijt me dat ik niet thuis was toen je hier kwam. Je moet je hebben afgevraagd wat er in 's hemelsnaam aan de hand was. Het was een vreselijke nacht. Heb je al gegeten? Ik kan iets voor je klaarmaken.'

'Ik weet alles over de afgelopen nacht en je hoeft voor mij niets in elkaar te draaien.'

'Het is aardig van je om op bezoek te komen', zei Charlotte. Ik wou alleen maar dat dit niet zo'n ...'

'We leggen best heel wat bezoekjes af,' onderbrak Treasure haar, 'maar ik ben hier nu niet voor de gezelligheid.'

'Hoelang kun je blijven?'

'Mijn rekeningen thuis zijn twee maanden vooruitbetaald.'

Charlottes mond viel open.

Treasure lachte. 'Voorzichtig joh, zo krijg je nog vliegen binnen.' Ze boog zich voorover en klopte op Charlottes knie. 'Dus je bent verrast. Hoeft niet. De Heer legde het op mijn hart hier te komen en een tijdje bij je te blijven, om je te helpen.'

'Maar je eigen werk ...'

'Loopt niet weg. Bovendien is de ontsteking aan mijn hand de laatste zes maanden vreselijk aan het opspelen geweest. Soms gaat het even beter, maar meteen daarna wordt het weer erger. Met tintelingen en af en toe verschrikkelijke pijn.' Ze hield haar handen uitgestrekt voor zich en bewoog haar vingers. Ik heb alles geprobeerd – zalfjes, inweken en crèmes – alle remedies behalve die ene waardoor het echt goed kan komen. Vorige week heeft mijn dokter me de wacht aangezegd. Hij zei tegen dat ik, als ik mijn handen geen rust gaf, ze zelf zou ruïneren. Dan zou ik zelfs voorgoed met mijn werk moeten stoppen. Een masseuse kan niet veel doen zonder een paar gezonde handen. Dus, zie je wel? Komt prachtig uit. Er stond me niet veel anders te doen dan hiernaartoe te komen en jou te helpen.'

'Treasure, het is zo lief van je om je zo om mij te bekommeren. Dat waardeer ik meer dan je kunt bevroeden. Maar normaal gesproken is er niet zo veel te doen', zei Charlotte. 'Het is alleen dit ene weekend dat het zo'n gekkenhuis was. Eerst de braderie en alles eromheen, dan Beth die wegliep, toen dat ik hoorde dat ze terecht was, wat daarna weer niet waar bleek te zijn.'

Treasure gaf Charlotte een zakdoekje, stond op uit de schommelstoel en ging naast haar zitten, op de rand van het bed.

'Wat een huilbaby ben ik. Zo ben ik niet altijd, hoor', zei Charlotte. 'Meestal lukt alles me wel.'

Nadat Treasure Charlotte een tijdje had laten huilen, pakte ze haar hand vast en zei zachtjes, terwijl ze haar schouderklopjes bleef geven: 'Dus volgens jou heb je helemaal geen hulp nodig. Begrijp ik dat goed?'

Charlotte knikte.

'Laten we nu eens kijken. Je hebt dit grote oude huis, dat – niet om je te kwetsen – wel een goede schoonmaakbeurt kan gebruiken. Je hebt een tuin van ruim vierduizend vierkante meter om bij te houden en een stelletje verharende honden en katten om voor te zorgen.'

'Waar komt die hond vandaan?', onderbrak Charlotte haar. Een harige wolbaal van onbestemde komaf was snuffelend de kamer binnengekomen.

'Dat is mijn Peaches', zei Treasure. 'Weg jij, nu meteen', richtte ze zich tot de hond. 'Je hebt hier niets te zoeken. Terug naar de keuken!'

'Wat voor soort is het?', vroeg Charlotte.

'Stratón. Twee jaar oud. Ik hoop dat je het niet erg vindt dat ik haar heb meegenomen. Tot nu toe kan ze goed met de andere opschieten.'

'Natuurlijk vind ik het niet erg.'

'Nou, wat zei ik ook alweer? Liefje, je hebt zes – nou ja, laten we zeggen, op het moment vijf – meisjes onder je hoede. Tuurlijk komt die andere terug. Omdat je geen man hebt, heb jij de taak zowel moeder als vader te zijn in dit huis vol kinderen. Al die meisjes moeten ooit wel eens geholpen worden met hun huiswerk, of naar de tandarts, of naar de dokter of de therapeut worden gebracht. En dan heb ik het nog niet over de hulp die ze nodig hebben bij hun muziekoefeningen of bij Joost mag weten wat nog meer. Ik wed dat er nog een paar bij de padvinderij zitten ook, of niet soms?'

Nikki en Vikki', mompelde Charlotte. 'Dinsdag om vier uur. Ik ben het vorige week helemaal vergeten. En de verkoop van koekjes begint donderdag al.'

Het gezicht van Treasure stond tegelijk zelfingenomen en vriendelijk. 'Je moet eten klaarmaken, wassen en boodschappen doen. Schat, ik ben al moe van het praten alleen over alles wat jij op je bordje hebt. Ik zal zelf wel een plekje zoeken om ergens te kunnen liggen.'

'Misschien zou ik wel een beetje hulp kunnen gebruiken om de zaken goed georganiseerd te krijgen', zei Charlotte.

Treasure snoof. 'Ik ben niet de enige, liefje. Er zijn een heleboel mensen die je willen helpen. Die vrouw Jerry Lee ...'

'Kerilynn?'

'Ja, zo heet ze. Dat is echt een lief mens. En die aardige dominee van jullie kerk. Lieve deugd. Ik mag dan oud zijn, maar ik ben niet blind – die man ziet er leuk uit. Is hij getrouwd of van het soort dat geen ring draagt?'

Charlotte begon aan een antwoord, maar toen hoorden ze de voordeur opengaan, voetstappen op de hardhouten vloer en een koor van vrouwenstemmen in de hal.

'Waar is Charlotte?', hoorden ze Maggie vragen.

'Sst. Ze slaapt misschien nog', zei Donna.

'Hallo?' Het was Kerilynn 'Charlotte? Ben je al op? Waar ben je?'

'Kom zo er zo aan', riep Charlotte. De deur van haar kamer was wel dichtgeduwd, maar niet helemaal gesloten. Ze greep haar jurk

'Jullie, meiden, gaan naar boven om je te verkleden', hoorden ze Kerilynn zeggen. 'Dan gaan we iets klaarmaken voor de lunch. Er is genoeg te eten hier.'

'Neem er de tijd voor. Ga je maar aankleden', zei Treasure. Ze stond op van haar stoel. 'Ik zal wel even voor hen zorgen.'

Maar Kerilynn wachtte niet tot Charlotte haar kamer uit kwam. Ze stak haar hoofd om de hoek van de deur.

'Dag', zei ze tegen Treasure.

'Kerilynn, heel erg bedankt dat je de kinderen hebt meegenomen.' Charlotte omhelsde haar vriendin. 'Je zult wel moe zijn.'

'Ik voel me prima. Zodra ik thuiskom, ga ik even een dutje doen.' Ze geeuwde. 'Heb jij wat kunnen rusten? Goed zo. Je zult het nodig hebben, want je hebt een probleempje. Twee eigenlijk.'

'Wat? Heb je iets gehoord over Beth?'

'Nee, ik wou dat het waar was. Nee, schat. Het gaat om Nikki en Vikki. Ze hebben overal pukkeltjes. Kwamen op tijdens de kerkdienst. Volgens mij ziet het eruit alsof ze waterpokken hebben.'

'Ze hebben al hun prikken gehad', zei Charlotte.

'Zit daar ook niet iets tegen waterpokken bij?'

'Inentingen werken niet altijd', zei Treasure.

'Charlotte.' Deze keer was het Donna die de kamer binnen kwam vallen.

'Er heeft iets of iemand overgegeven in de hal. Wil je dat ik een handdoek gebruik om het op te ruimen?'

'Verdraaid. Ik durf te wedden dat dat Peaches is geweest', zei Treasure en haastte zich te gaan kijken. 'Ze wordt soms wagenziek achteraf. Liefje, heb je een keukenrol in de keuken?'

Lucky Jamison voelde zich schuldig. Eenmaal thuis uit de kerk deed ze haar zondagse jurk uit en verkleedde zich. In een makkelijke huisjurk was ze in staat verder na te denken over de boodschap van de dominee en hoe hij de gemeente had aangemoedigd medeleven en liefde te betonen aan Charlotte Carter en haar meisjes.

Lucky had haar aandeel niet geleverd. Het leek er zelfs niet op. Ze was van plan geweest een van haar beroemde fruittaarten te bakken en die naar hen toe te brengen, maar het was er niet van gekomen. En wat zou één enkele taart zijn in een huis met zo veel hongerige monden? Ze zou er twee moeten bakken.

Lieve help. Wat zouden ze van de taart gesmuld hebben. Ze durfde te wedden dat Charlotte niet eens kon bakken. Niet veel mensen deden dat tegenwoordig nog. Tenminste niet zomaar, uit de losse pols. Een uitstervende vaardigheid. En niet alleen bakken, maar naaien en verstellen en het huishouden doen in het algemeen. Te veel moderne jonge vrouwen wilden wel, maar wisten niet waar te beginnen.

Lucky wist één ding zeker: het was niet hun schuld. Het probleem kon herleid worden tot de tijd dat het schoolbestuur van de middelbare school in Ruby Prairie ervóór stemde dat van meisjes niet langer verlangd kon worden dat ze huishoudkunde als vak zouden doen.

Wat een treurige beslissing was dat geweest. Niet alleen had het bestuur er een keuzevak van gemaakt, maar ze hadden ook de meisjesklassen laten verdwijnen. In plaats daarvan werden zowel jongens als meisje aangemoedigd in te tekenen op vakken met bizarre namen als 'Huis en gezin' en 'Consumententraining'. Lessen die niet de ijverige jonge meisjes aantrokken die van plan waren man en kinderen te krijgen, maar langzaam lerende atleten die extra punten nodig hadden om over te gaan.

De hemel zij dank was dat alles pas ingegaan was in het jaar nadat Lucky gepensioneerd was. De meisjes in haar huishoudklas hoorden tot de laatste jonge vrouwen van Ruby Prairie die hadden geleerd hoe ze een rechte zoom moesten maken en die nooit mislukkend bladerdeeg konden maken, uit de losse pols. Ze was precies op het goede moment gestopt. Van wat ze had gehoord op de maandelijkse bijeenkomst van de bond van gepensioneerde leraren, had een leraar het tegenwoordig erg moeilijk.

Lucky maakte iets klaar voor de lunch: tomatensoep en een tarweboterham met kaas. Ze boog haar hoofd, hief het op, liet het dan weer naar beneden zakken met een toevoeging aan haar gebruikelijke gebed. *Heer, maak me duidelijk wat U me wilt laten doen om mevrouw Carter en die meisjes te helpen. Zorgt U alstublieft voor dat zoekgeraakte meisje en breng haar spoedig terug.*

Nadat ze klaar was met eten, de afwas had gedaan en de keukenvloer had geveegd, deed Lucky haar voeten omhoog en nam haar haakwerk op. Ze was bezig met een babydekentje, een van de vele, bestemd om per post naar een provinciaal ziekenhuis in Dallas te worden gestuurd. Toen ze in de krant had gelezen van de beklagenswaardige toestand van moeders die te arm waren om leuke dingen voor hun eigen pasgeboren kindertjes te kopen, zo zelfs dat sommige van die baby's naar huis werden gestuurd in wegwerplakentjes, nou ja, had dat haar hart gebroken. Elk kind verdiende een betere start. Lucky zag het als haar taak zelf ten minste een klein gedeelte aan de oplossing ervan bij te dragen. Voor vingers zo geoefend als de hare duurde het niet lang een lakentje van 75 cm lengte te maken. Drie tot vier keer per jaar verpakte ze en stuurde ze een stuk of zes van die leuke tere dingen, stuk voor stuk met liefde genaaid en met gebed verzonden.

Lucky dommelde in. Midden in een rij steken. Ze kon niet uitstaan dat haar dat overkwam. Vroeger sliep ze nooit overdag, echt nooit. Maar de laatste tijd was het alsof haar oogleden, elke keer dat ze stil ging zitten, dichtvielen. Haar slaperigheid overdag was een bron van gêne en Lucky stelde het niet op prijs dat haar dokter, een vrouw van zeventig, haar slaapklachten bestempelde als niets meer dan de te verwachten tekenen van voortschrijdende leeftijd.

'Het is normaal voor een vrouw van uw leeftijd wat meer slaap nodig te hebben. Niets om u zorgen over te maken. Ga gewoon een dutje doen als u slaperig bent.'

Een vrouw van haar leeftijd. Zesentachtig. Was ze werkelijk al zo oud? Lucky kon het zelf bijna niet geloven. Het schokte haar wanneer ze in de spiegel keek en al die rimpels zag ... zelfs erger, dat uitzakkende kippennekje. Wat een vreselijke streek. Ondanks verschillende minder erge pijntjes en kwaaltjes was Lucky nooit begonnen zich een oud mens te voelen – een omstandigheid die haar een keer lelijk was opgebroken. Toen ze negenenzeventig was, was ze een keer op een keukenstoel geklommen om de bovenkant van haar koelkast schoon te maken. Haar leeftijd vergetend was Lucky kordaat naar beneden gesprongen. Alsof ze nog een meisje was. Die escapade had haar een verdraaide enkel opgeleverd, die zo ernstig gebroken bleek dat er een operatie nodig was geweest om hem weer goed te krijgen.

Soms moest zelfs Lucky toegeven dat een dutje haar geest op een of andere manier weer opfriste. Vanmiddag toen ze ontwaakte uit haar ongewilde dutje, had ze een geweldig idee, een plannetje dat – echt – volledig ontstaan was terwijl ze sliep. Deze keer zou ze niet talmen. Ze pakte de telefoon op.

'Mevrouw Carter?'

'Ja.'

'Met Lucky Jamison. Ik bel om u te zeggen dat ik graag iets speciaals zou doen voor de meisjes van Tanglewood.'

'Wat aardig van u, mevrouw Jamison.'

'Ik zou ze bij mij thuis willen uitnodigen. Zou donderdagmiddag uitkomen?'

'Ja ... ik denk het wel', zei Charlotte.

'Ik zal een voedzaam hapje voor hen klaarmaken en dan gaan we iets doen waarmee we het wel druk zullen krijgen.'

Charlotte zei niets.

'Goeie grutten. Ik loop op de dingen vooruit. Wat ik voor uw meisjes wilde doen, is hun wat leren van het huishouden.'

'Ik ... eh eh ... ik weet niet helemaal zeker of ik het begrijp', stamelde Charlotte.

'Maar natuurlijk', zei Lucky. 'Neem me niet kwalijk. Omdat u nog maar pas geleden hierheen verhuisd bent, kunt u dat ook niet weten, mijn beste. Ik ben een gepensioneerde lerares huishoudkunde. Ik heb achtendertig jaar les gegeven. Ik was er dol op de meisjes te leren hoe ze moeten koken, naaien en het huishouden doen. Ik kan me niet voorstellen dat u met alles wat u al te doen hebt, veel tijd kunt steken in het aanleren van zulke vaardigheden.' Haar plannetje zou Charlottes gevoelens toch niet kwetsen?

'Wat ik me voorstel te doen is een keer per week uw meisjes naar mij toe te laten komen zodat ik hun een uurtje les kan geven. Denkt u dat ze daarvoor voelen?'

'Ja ... ik ben er zeker van ... tenminste, sommigen van hen wel. Twee van mijn meisjes, Nikki en Vikki, hebben de waterpokken gekregen.'

'Ach, lieve deugd. Hebben ze jeuk? Havermout. Een bad met havermout. Dat helpt.'

'Nog niet zo erg, maar dat lijkt me een prima suggestie. Ik heb nog wel wat havermout in de kast staan. Instant. Is dat goed?'

'Nee, ik denk het niet. U moet hem drie minuten laten koken. Doe een kwart kop in een bak warm water. Laat de kinderen er minstens twintig minuten in weken. Het zal hun goed doen. Nu ... even terugkomend op onze plannen voor donderdag. Dan kunnen er drie meisjes dus wel komen?', zei Lucky.

'Ja, Maggie, Donna en Sharita.'

'Prachtig. Ik zie ze donderdag. We gaan een taart bakken.'

Charlotte hing de telefoon op. Huishoudelijke vaardigheden. Dat was nu wel het laatste waar ze ooit aan gedacht zou hebben. Natuurlijk waren zulke dingen belangrijk. Maar hoe aardig het ook bedoeld was van juffrouw Jamison het aan te bieden, ze kon het toch niet op de inspanningen van een oudere vrouw laten aankomen de meisjes alles te leren wat ze moesten kunnen. Ze zou zelf met een plannetje moeten komen.

Zo gauw ze een minuutje overhad.

De jongeren van de 'Verlichte Weg'-kerk zouden een week van de wintervakantie gaan kamperen. De kosten? Vijfenzeventig dollar per persoon. Dominee Jock vroeg zich af of de meisjes van Tanglewood dat wel konden betalen. Maar in plaats van Charlotte eventueel in verlegenheid te brengen, wipte hij binnen bij 'De Klok Rond' en informeerde ernaar bij Kerilynn.

'Wanneer is het precies? De eerste week van december?'

'De kinderen vertrekken op de tiende', zei Jock. 'Zijn vijf dagen weg.'

'Dat is kort dag. Niet veel tijd om te plannen of te sparen. Ik weet niet helemaal precies hoe Charlotte er financieel voor staat, maar ik vermoed dat ze net als iedereen krap bij kas zit. Ze liet zich een keer ontvallen dat ze helemaal geen geld krijgt van de staat.'

'Niets?'

'Heeft te maken met de manier waarop ze dit heeft opgezet. Voor een paar van de kinderen zou ze, denk ik, wel iets vergoed kunnen krijgen, maar ze heeft zich van het begin af aan voorgenomen Tanglewood zonder hulp van de overheid te runnen. Ze wilde geen geld waaraan eventueel verplichtingen verbonden zouden zijn.'

'Daar moet je haar om bewonderen', zei Jock.

'Absoluut. Ze is een bewonderenswaardige vrouw.' Kerilynn schonk een glas zoete thee in. 'Vertel me eens, dominee, als het om Charlotte Carter gaat, is er nog iets anders wat je in haar te bewonderen vindt? Behalve de manier waarop ze haar huis heeft opgezet?'

Hoewel Kerilynn vlak tegenover hem aan tafel zat, lukte het hem haar ogen te ontwijken. In plaats daarvan was hij druk bezig het zout-en-peperstelletje, de suikerpot, de zoetjes en de ketchup in een rechte rij te zetten.

Kerilynn sloeg toe. 'Ik heb u al een tijd lang iets willen zeggen. Omdat u er nu zelf over begon, is dit misschien wel een goed moment. Zijn Charlotte en jij niet even oud?'

'Klopt', zei Jock. Hij perste citroen uit in zijn thee. 'Heb ik iets gemist. Waarover ben ik dan precies begonnen?'

'Niet van onderwerp veranderen, dominee. Beantwoord mijn vraag nu eens. Is een van jullie beiden getrouwd?'

'Nee.'

'Jullie lijken goed met elkaar te kunnen opschieten.'

'We kunnen het prima met elkaar vinden. Ze is een aanwinst voor de 'Verlichte Weg'. We zijn ermee gezegend dat ze lid is van onze kerk.'

'Vind je haar aardig?'

'Erg aardig. Ik denk ook dat ze, met alles wat ze nu doormaakt, een pastor nodig heeft, niet iemand om afspraakjes mee te maken.'

'Dus je hebt er wel aan gedacht haar uit te vragen.' Kerilynn kon haar vrolijkheid niet verbergen. Ik wist het. Jullie tweeën zouden prachtig bij elkaar passen. Wat kan het voor kwaad om haar een keer mee uit eten te nemen, zeg maar ... gewoon als vrienden?'

'Niets. Maar dat gebeurt niet.'

'Nu misschien nog niet, bedoel je? Misschien op een later tijdstip?'

'Kerilynn', lachte Jock, 'ik ben naar je toe gekomen om je iets te vragen over de meisjes die op kamp gaan.'

'O, dat. Natuurlijk gaan ze mee op kamp.'

'En het geld?'

'De mensen zullen giften geven. Er zijn wel twaalf gemeenteleden die graag een van die meisjes sponsoren, zodat ze mee kunnen.'

'Ik denk niet dat Charlotte contant geld als gift zal willen aannemen', zei Jock.

'Waarschijnlijk niet', gaf Kerilynn toe. 'We moeten dus iets bedenken om het bij hen te krijgen zonder dat ze weten waar het geld vandaan is gekomen.' Ze stond op om iets in de keuken te controleren. Toen ze terugkwam, had ze een idee. 'Ik huur die meisjes in om voor me te komen werken. Na schooltijd en een paar zaterdagen. Ik betaal hun loon. Ze krijgen fooien. Dat geld kunnen ze gebruiken om het kamp te betalen.'

'Geweldig idee', zei Jock.

'Het beste is haar dat al gauw te laten weten. Waarom ga jij niet naar haar toe om het haar te vertellen?'

'Jij bent degene die hen in dienst neemt. Waarom bel je haar zelf niet?', vroeg Jock.

'Te druk.' Kerilynn begon het geld in de kassa te tellen. Mijn lunchklantjes zullen al gauw hier zijn. Ga jij nu maar. En breng Charlotte het nieuws. Ze zal blij zijn je te zien.'

Jock keek naar haar, maar Kerilynn liet niet merken dat ze iets zag. Hij pakte een dollar om zijn thee te betalen.

'Van het huis. Kom nou', zei Kerilynn. 'Kun je meteen kijken hoe het daar is. Bel me even als ze iets over Beth heeft gehoord. Hoelang is het nu geleden, meer dan een week, dat ze weg is?'

'Tien dagen. En helemaal geen nieuws.'

Hoofdstuk
20

Kim Beeson zat met dossiers in haar hand op de gestreepte bank in Charlottes huiskamer. Behalve het geluid van Treasure, die boven aan het stofzuigen was, was het stil in huis. 'Zo, dus deze vrouw ... is een vriendin van je?', vroeg Kim.

'Ja. Treasure Evans. Ze blijft een paar weken.'

'Om je een beetje te helpen?'

'Zoiets. Ze kwam omdat ze dacht dat ik wat wel wat hulp kon gebruiken, maar eerlijk gezegd is er hier niet veel voor haar te doen', zei Charlotte. 'Toch geniet ik ervan dat ze er is. Het is fijn gezelschap te hebben.'

'Ja, dat klopt', zei Kim. 'Hoe zou je zeggen dat het gaat, over het algemeen?'

'Beter', zei Charlotte, in wat een understatement van het jaar was. 'Nikki en Vikki zijn twee dagen geleden weer naar school gegaan. Ze zijn over de waterpokken heen. Tot nu toe heeft niemand anders het gekregen.'

Alstublieft, God, laat de anderen er ten minste nog een paar dagen van gevrijwaard blijven.

Hoewel Treasure had aangeboden haar af te wisselen, had ze de meeste nachten steeds zelf op en neer gedraafd naar de tweeling. Ze hadden koorts gehad en vreselijke jeuk. Baden met havermout en calaminelotion hadden geholpen. Ze had beide herhaaldelijk gebruikt, wat wel te zien was aan de roze kleur onder haar vingernagels en het langzame weglopen van het water in de nogal naar ontbijt ruikende badkuip.

'Hoe gaat het met de meisjes op school?' Kim kauwde op het eind van haar pen.

Charlotte voelde een golf van ongerustheid over zich komen. Ze had zich een keer vergist in de dag, en vorige week had ze de gesprekken van ouders en leraren gemist – wat Tanglewood er niet echt geliefd op had gemaakt bij degene die belast was met het rooster. Ze had zich erg gegeneerd gevoeld toen Ben Jackson, achter wie ze de zondag ervoor nog in de kerk had gezeten, haar had opgebeld om haar eraan te herinneren hoe belangrijk de vergaderingen waren. Beleefd maar vastberaden had hij tegen haar gezegd dat ze in de toekomst haar best moest doen om die niet te missen.

Charlotte wist nog steeds niet precies hoe dat was gekomen. Het stond echt aangestreept in de agenda: woensdag, één uur. Het enige wat ze zich kon voorstellen, was dat ze zo'n slaap tekortgekomen was dat ze domweg een dag gemist had. En niet in de gaten had gehad dat er zo twee dinsdagen achter elkaar kwamen. Gelukkig hadden de leraren al bij voorbaat aan de administratie gevraagd een verslag van de gesprekken toe te sturen aan de adressen van die leerlingen wier ouders zich niet genoeg om hun kinderen bekommerden om de bijeenkomst bij te wonen.

Kim wachtte.

'School. Ja. Het gaat goed met hen.' Charlotte hield haar aan de praat en probeerde zich te herinneren wat ze in het verslag had gelezen. Ze hoopte dat Kim de waarheid niet zou raden en vulde naar eigen goeddunken in waar ze geen idee van had.

'Maggie heeft moeite met wiskunde, rekenen. Zegt dat ze een hekel heeft aan dat vak, maar gelukkig vindt ze haar leraar aardig. Donna had allemaal achten op haar rapport en maakte voor de eerste keer in haar leven mee dat ze op het erelijstje terechtkwam. Het grootste probleem met Sharita is dat ze – wat haar onderwijzer noemt – 'een extreem sociaal persoontje' is. Ze raakt in de problemen omdat ze te veel kletst in de klas. Toch slaagt ze erin ondertussen wel het meeste op te vangen. Haalt de beste cijfers van alle meisjes, ook al neemt ze nooit een leerboek mee naar huis. Nikki en Vikki hebben drie middagen per week bijles. Ze lezen nog steeds beneden het niveau van de klas, maar de leraar zegt dat ze er wel zullen komen.'

'Goed.' Terwijl Charlotte praatte, maakte Kim wat krabbels. 'Ik moet de medische dossiers van de meisjes ook bijwerken. Kun je me opgeven op welke data ze naar de dokter en de tandarts zijn geweest?'

'Heb ik hier.' Charlotte was dankbaar voor Treasures suggestie voor elk van de meisjes een aparte map te kopen met vakken. Dat had enorm geholpen met het bijhouden van de gegevens. Behalve dan dat ze Donna's map niet kon vinden. Waar was die nu weer? Ze was er zeker van dat ze hem net nog had. Misschien had ze hem in het busje laten liggen. Ze hoopte het maar.

'Dat is goed, hoor. Die krijg ik wel bij mijn volgende bezoek', zei Kim. 'Hoe zit het met het oefenen van brandalarm?'

'Hebben we vorige week gedaan. Het formulier heb ik hier bij de hand.' Tenminste één ding dat ze goed had gedaan.

Peaches trippelde door de kamer.

'Nieuwe hond?'

'Die is van Treasure.'

'Heeft-ie alle inentingen gehad?'

'Jazeker.'

'En hoe staat het met de rest van de huisdieren? Heb je hun inentingsbewijzen? We hebben het er de laatste keer dat ik hier was, nog over gehad.'

Charlotte herinnerde zich dat niet.

'Van elk huisdier in huis moet je een verklaring hebben dat ze zijn gevaccineerd. Heb je die al?'

'Niet op een plaats waar ik ze meteen kan pakken. Kan dat tot volgende week wachten? Dan heb ik ze voor je klaarliggen.' Charlotte vroeg zich af waar ter wereld, al was het er maar een, die kaarten zouden kunnen zijn.

'Maar dan moet ik ze wel echt hebben.'

'En als ik ze niet kan vinden?'

'Als je geen kopie van de dierenarts kunt krijgen, moeten ze opnieuw ingeënt worden.'

Charlotte zag zich in gedachten al met de hele menagerie naar dokter Ross trekken. Hoeveel zou dat wel niet kosten? Kim sloot haar dossiermap.

'Er is nog iets waar ik het met je over wil hebben.'

'Iets over Beth?' Charlotte had de hele tijd sinds Kim er was, moeite gehad om er niet naar te vragen. Elke dag had ze opgebeld. En elke dag had Kim niets te melden. Misschien had Kim nu nieuws – goed nieuws – en had ze dat voor het laatst bewaard.

Alstublieft, alstublieft, laat dat zo zijn.

'Nee. Het spijt me. Ik heb geen nieuws. '

Charlottes handen lagen slap op haar schoot. 'Het is al bijna twee weken geleden. Ik kan het niet verdragen dat ik niet weet waar ze is – laat staan of het goed met haar gaat. Soms gaat mijn verstand met me op de loop. Ik bedenk van alles wat er met haar gebeurd zouden kunnen zijn. Ik maak me zorgen dat ze kou of honger lijdt. Ik snap dat je niets zeker weet, maar afgaande op jouw ervaring, wat denk je, hoe lang gaat het nog duren eer ze terug is?'

Kim wachtte even met antwoorden. 'De waarheid is, Charlotte, dat hoe langer Beth weg is, des te minder waarschijnlijk het is dat ze terugkomt. Vermoedelijk is ze nu allang uit de staat vertrokken.'

Charlottes ogen verwijdden zich. 'Denk je dat ze niet terugkomt?'

'Ze heeft jaren in de pleegzorg gezeten. En overal gewoond. Ik vind het moeilijk dit te zeggen, maar eerlijk waar, het zou me verbazen als ze wordt gevonden ... en daarover moeten we het hebben. Nu Beth weg is, heb je een bed over. Ben je bereid te overwegen dat opnieuw te laten gebruiken?'

'Bedoel je dat je het hebt opgegeven? Zijn jullie nog wel aan het zoeken?'

'Natuurlijk zoeken we nog steeds. Ik dacht alleen, als ze niet gevonden wordt ...'

'Tanglewood zit vol. Ik heb geen plaats voor een ander meisje', zei Charlotte. Hoe zou Beth zich voelen als ze terugkwam en de kleren van een ander meisje in haar kast aantrof, of zelfs maar een ander eventueel slapend in haar bed?

'Natuurlijk. Ik begrijp het.' Kim pakte haar boeltje bij elkaar.

'Charlotte, dit soort dingen gebeurt nu eenmaal. Kinderen lopen weg. Sommige komen terug. Andere niet. Het is vreselijk, maar het hoort erbij. Zelfs als we Beth vinden – maar het wordt elke dag twijfelachtiger dat dat het geval is –, kan er besloten worden dat Tanglewood niet de beste plek voor haar is. Alleen al het feit dat ze is weggelopen, geeft aan dat Beth dieper in de problemen zit dan we beseft hebben.'

Toen Kim door de voordeur naar buiten was gegaan, stond Charlotte een moment in de hal. Ze keek door het raam terwijl Kim de oprijlaan afliep, in haar auto stapte en de straat uit reed. Ze aarzelde aan de onderkant van de trap. Keek voor de honderdste keer naar de foto van J.D. die daar hing. Ze stak haar hand uit en raakte de lijst aan, draaide zich dan om en ging de trap op.

'Wat ben je aan het doen?', vroeg Treasure vanuit de deur naar Beths kamer.

'Bed aan het verschonen', zei Charlotte, worstelend met een hoek van het laken. 'Het moet fris zijn wanneer Beth thuiskomt.'

Treasure antwoordde niet, ging alleen naar de andere kant van het bed.

Voor één keer accepteerde Charlotte haar hulp. Samen kregen ze het klusje voor elkaar.

'Morgen. Goed je te zien', zei dominee Jock. Had Charlottes onverwachte komst in zijn kantoor te maken met nieuws? Hij probeerde het van haar gezicht te lezen.

'Komt het uit?', vroeg Charlotte.

'Prima. Ben net mijn morgenstudie aan het afronden.' Een beetje in verlegenheid gebracht doordat ze hem had betrapt op het lezen van het *Dallas Morgen Nieuws* in plaats van de tweede brief aan de Korintiërs of ten minste een van de psalmen, gebaarde Jock naar de bijna ingevulde kruiswoordpuzzel op zijn bureau. 'Koffie?'

'Nee, dank je wel.' Ze ging zitten, maar keek hem niet aan.

Jock draaide zijn rug naar Charlotte toe, schonk zichzelf een derde kop in, deed een schietgebedje om wijsheid en inzicht en dwong zichzelf te wachten alvorens te gaan praten.

'Kim, de maatschappelijk werkster van Beth, kwam gisteren langs.'

'En?'

'Niet wat je denkt. Ze wil dat ik een ander meisje in huis neem. Omdat het ... – ze slikte – ... er niet naar uitziet dat Beth nog terugkomt.'

Jock hield zijn kopje met beide handen vast. 'Niet terugkomt?' Hij was niet bereid het op te geven. Net zomin als Kerilynn of Les en Ginger of Gabe of dokter Ross of wie van de anderen dan ook. Elke dag sinds ze was verdwenen, was er wel iemand op uitgegaan om te gaan zoeken, volgens een door Kerilynn uitgezette route. Pamfletten met een foto van Beth waren overal in de staat opgehangen. Het beste wat hij kon zeggen, was dat niemand in Ruby Prairie bereid was de handdoek in de ring te gooien.

Maar hoe zat het met Charlotte?

'Wat heb je haar gezegd?'

'Ik heb gezegd dat Tanglewood vol zat, dat ik niet meer dan zes meisjes in huis kon opnemen.'

'Nikki, Vikki, Maggie, Sharita, Donna. En Beth is zes', zei dominee Jock. 'Ik ben het met je eens. Het lijkt mij ook dat Tanglewood vol zit.'

'Heb ik er goed aan gedaan?'

'Ik denk van wel.'

'Of ben ik alleen maar aan het ontkennen, als ik geloof dat ze terugkomt?'

'Nee, ik denk het niet.'

Charlotte begon zachtjes te huilen.

Jock reikte haar over zijn bureau een zakdoekje aan en wachtte, stil en rustig. Eindelijk zei hij: 'Charlotte, niemand weet het. Misschien wordt Beth inderdaad niet gevonden. Maar het is nog niet zo lang geleden. Volgens mij kan het geen kwaad als je de moed erin houdt en nog een tijdje wacht.'

'Kim zegt dat het te verwachten valt bij weggelopen meisjes en dat ik aan het idee moet wennen.'

'Kun je dat?'

'Ik weet het niet.' Meer tranen.

'Het is een hard gelag.'

Ze knikte. 'Er zijn heel veel moeilijke dingen.'

'Zoals?'

'Alles.' Charlotte hief haar hoofd op en staarde voorbij Jock, waarbij haar ogen zich concentreerden op een wazig punt buiten het raam van zijn kantoor. 'Ik dacht dat het me wel zou lukken. Vandaag ben ik er niet meer zo zeker van.'

'Je bent een zegen voor die meisjes.'

'Een zielige zegen dan.'

'Dat is alles wat ieder van ons ook maar kan zijn, echt waar. Een zielige zegen ... vergeleken met de glorie en de grootsheid van Christus. Charlotte, je bent bijna je hele leven christen geweest. Je weet dit al toch al lang? God roept ons niet op volmaakt te zijn, maar de talenten die Hij ons gegeven heeft, naar beste vermogen te gebruiken.'

'Dat is maar goed ook.' Charlotte snoot haar neus. 'Omdat volmaaktheid iets is wat ik niet bezit.'

Slechts een klein beetje gerustgesteld door de woorden van Jock ging Charlotte weer weg. Ze had een drukke dag voor de boeg, en een bende zaken op het lijstje dat ze moest afwerken. Allereerst moest ze boodschappen doen bij de kruidenier, daarna medicijnen ophalen bij de apotheek, een pakje naar het postkantoor brengen en wormpillen halen bij de dierenkliniek. Als ze het qua tijd redde, kon ze de spullen nog wegbergen, een paar wassen draaien en alvast met het avondeten beginnen voordat de meisjes thuis zouden komen. Eén van hen had nog het een of ander na school te doen. Wie of wat was het ook alweer? Was het Sharita's kooravond? Nee. Brownies maken met Nikki en Vikki dan? Charlotte probeerde het zich te herinneren terwijl ze de trap bij de keuken op klom. Treasure kwam haar bij de deur tegemoet; ze had handschoenen aan en de kraag van haar zware jas stond omhoog.

'Ga je naar buiten?'

'Nee ... en jij kunt je jas ook maar beter aanhouden. Schat, je verwarming is ermee opgehouden.'

'O nee.' Charlotte zette zakken vol kruideniersspullen op het aanrecht. 'Wanneer?'

'Ik weet niet precies. Het voelde een uur of twee geleden al wel kil aan. Ik draaide de thermostaat een graadje omhoog, maar er gebeurde niets. Draaide hem nog een beetje hoger, nog steeds niets. Hij is sindsdien niet meer aangeslagen. Ik heb het vat gecheckt. De zekeringen ook. Alles ziet er goed uit. Moet je hele apparaat zijn.'

Treasure wreef in haar handen. 'Ik heb een vuurtje voor ons gemaakt in de open haard, maar dat helpt niet zo veel. Geloof niet dat je schoorsteen een goede afvoer heeft. Denk dat ie vooral voor de uiterlijke schijn is aangelegd.'

'Ik zal een monteur bellen.' Charlotte hield haar jas aan. 'Het is hier om te bevriezen, zo koud.'

'Er staat een nummer op de ketel. Van de lui die hem geïnstalleerd hebben. We moeten maar hopen dat ze meteen kunnen komen. Troy, de weerman van kanaal 8, zegt dat er vanmiddag een zware noorderstorm gaat waaien.'

'Misschien is het alleen maar een verkeerde bedrading of zoiets', zei Charlotte.

'Hier heb ik het nummer al.' Charlotte draaide de cijfers, maar kreeg een bandje te horen dat het nummer niet langer in gebruik was.

'Het ziet ernaar uit dat ze ermee opgehouden zijn', zei Treasure.

'Ik denk het ook.' Charlotte keek in het telefoonboek om iemand anders te bellen. Ze probeerde de zaak van Juan, de enige die in Ruby Prairie op de lijst stond. De man die de telefoon opnam, was aardig, maar kon haar niet helpen. Twee van zijn drie monteurs hadden griep. Tanglewood zou zeker op zijn lijstje worden bijgeschreven, maar het kon wel twee, misschien drie dagen duren voordat ze konden komen.

Charlotte bedankte de man, maar vertelde hem dat dat niet nodig was. Ze zou iemand anders zoeken. Er stond nog een tweede bedrijf in het telefoonboek.

Treasure gooide nog een blok hout op het vuur.

Sneeuwbal en Visa schudden hun vacht op en nestelden zich behaaglijk op de bank.

'Het spijt me mevrouw, maar ik zit tachtig kilometer naar het zuiden bij u vandaan', zei de man aan de telefoon. 'We gaan niet naar klanten die zo ver wonen. Ik weet er maar één bij wie u het kunt proberen; dat is Peters Verwarmingsbedrijf in Ella Louise. Hij is een oude man die vanuit huis werkt, maar ik heb gehoord dat hij heel goed is.'

Charlotte probeerde het bij Peter. Zijn vrouw nam de telefoon aan en vertelde Charlotte dat haar man gepensioneerd was, maar dat zij Watkins producten verkocht, voor het geval dat ze die ooit nodig zou hebben.

Charlotte hing weer op. 'Er kan niemand komen, in elk geval niet eerder dan overmorgen. En misschien zelfs dan nog niet.'

'Wat ga je doen?'

Twee dagen zonder verwarming. Misschien wel drie. Moesten ze met zijn allen naar een hotel gaan? Het dichtstbijzijnde was een dik half uur rijden. Het zou moeilijk worden de meisjes van en naar school te krijgen. Hoeveel kamers zouden ze nodig hebben? Ze konden misschien twee dubbele naast elkaar krijgen. Charlotte kon zich niet herinneren hoeveel tegoed ze nog op haar creditcard had. Stel je voor dat ze de meisjes in de auto zou laden en er na een half uur achter zou komen dat haar kaart geweigerd werd. Wat moest ze dan?

De telefoon ging voordat ze tijd genoeg had om een alternatief plan te verzinnen.

'Mevrouw Carter? Met zuster Medford van school. We moeten u vragen Donna te komen halen.'

'Wat is er mis? Is ze gewond?'

'Nee. Ik denk dat ze dat virus heeft opgelopen dat de ronde doet. Ze heeft twee keer overgegeven na de lunch en ze heeft meer dan 38 graden koorts. Oei, daar moet ze al weer. Kunt u meteen komen?'

'Natuurlijk.'

'Donna is ziek', zei Charlotte tegen Treasure. 'Misselijk. Ik moet haar gaan halen.'

'Wat ga je met haar doen wanneer ze hier eenmaal is? Dit koude huis is niet goed voor iemand die ziek is. Trouwens, voor niemand van ons. Tenzij wij ook ziek willen worden.'

'Er is een klein elektrisch kacheltje op de bovenste plank in de provisiekamer. Zou je dat voor me naar beneden willen halen terwijl ik weg ben?'

'Elektrisch kacheltje? Liefje, dat zal niet genoeg zijn om ons erdoorheen te helpen. Ik heb het nu al te koud om hier te blijven en het zal in de loop van de middag nog wel stukken kouder worden. We moeten die kinderen ergens op een warme plaats zien te krijgen. Waarom geef je me niet de nummers van een paar van die aardige mensen van de kerk? Terwijl jij Donna gaat halen, kan ik hen bellen.'

'We zullen het wel redden. Ik heb elektrische dekens voor alle bedden.' Charlotte grabbelde naar haar sleutels. 'Ik ben zo terug.'

De wagen wilde niet starten. Charlotte ging het huis weer in.

'Neem de mijne maar', zei Treasure. 'Alleen is het wel een bestelbus. Er zijn dus maar twee plaatsen voorin, maar meer heb je niet nodig.'

Charlotte stapte in de bus. Het was een wagen waarin je moest schakelen. J.D. had haar het ooit willen leren. Waarom had ze dat niet gedaan?'

Het begon te ijzelen. Niet alleen moest Donna worden opgehaald, maar de school zou binnen twee uur uitgaan. De meisjes konden niet naar huis lopen met dit weer.

'Ik ga wel', zei Treasure toen Charlotte voor de tweede keer terugkwam. 'Heb je een bakje om mee te nemen. Wacht, heb je niet een plastic boodschappentas? Het kind zou nog wel eens misselijk kunnen worden. Ik zou haar dat verdorie toch liever niet op de zitting van mijn bus laten doen. Heb je wat pepermuntthee? Dat kan haar maag wat kalmeren, weet ik. Doe er alleen geen suiker in, gebruik maar karo-siroop.'

Terwijl Treasure de deur uit ging, vulde Charlotte de ketel met water.

Geen verwarming, een ziek meisje. Een busje dat niet wilde starten. Wat nog meer?

God, alstublieft, help me hierdoorheen te komen. Ik weet dat met uw hulp ...

Charlotte maakte haar gebed niet af. Ze werd onderbroken door iemand die stevig op de voordeur klopte – luid genoeg om Visa en Sneeuwbal onder de bank te laten duiken en een aansporing voor Peaches om op de vloer te plassen.

Wie zou er zo bonzen? In plaats van de deur meteen open te gooien, zoals ze gewoonlijk deed, liep Charlotte naar het raam en keek om het gordijn heen om te zien wie er was. Was dat Kerilynns broer niet?

Ze deed deur open. 'Mijnheer Martin?'

'Zeg maar Catfish. Ik moet u iets vertellen.'

Hoofdstuk
21

'Treasure? Wat doe jij hier?', vroeg dominee Jock. Hij kwam de deur van de schoolbibliotheek uit toen ze op weg was naar de hal.

'Charlottes busje wilde niet starten en Donna is ziek geworden. Ik ben hierheen gekomen om haar mee naar huis te nemen.' Ze keerde zich weer naar hem toe. 'Ik wist niet dat u ook les gaf?'

'Doe ik ook niet. Ik ben alleen maar vrijwilliger. Een paar uur per week.'

'Dat is aardig van u.' Ze stopte. Draaide zich om. 'Welke kant uit is het kantoor van de zuster?'

'Ik breng je wel even', zei dominee Jock. 'Wat is er aan de hand met Charlottes busje?'

'Weet ik niet. Er moet even naar gekeken worden, maar dat is wel het minste van haar problemen.'

'Wat dan? Wat is er nog meer aan de hand?'

'De verwarming is uitgevallen. Waarschijnlijk de compressor. We kunnen niemand krijgen om hem te maken, de eerste twee dagen tenminste niet. En nu hebben we ook nog een zieke erbij.'

'Waar blijven jullie allemaal totdat het verholpen is?', vroeg hij.

'Gunst, als ik dat zou weten. Dat meisje wou niemand bellen. Denkt dat we daar kunnen blijven in deze kou, met haar kleine elektrische kacheltje en elektrische dekens voor de bedden.'

'In dat grote huis? Dat is waanzin. Jullie zullen bevriezen.'

'Alsof ik dat niet weet. Maar ik heb niets te vertellen. U weet hoe ze is.'

Jock wreef over zijn kin. 'Wat vind je ervan als ik achter je aan rijd naar jullie huis? Eens kijken wat ik eraan kan doen?'

'Ga uw gang', zei Treasure. 'Misschien kunt u het haar aan het verstand peuteren. Ik sta op het punt te gaan janken.'

Charlotte deed de deur open. 'Wat kan ik voor u doen?'

Misschien wist Catfish wel hoe hij een verwarming moest maken. Hoe wist hij dat haar ketel het niet meer deed? Maakte niet uit ook. God had soms wonderlijke manieren om gebeden te verhoren. En zo koud als het in huis was, wie of hoe Hij iemand uitkoos, ze vond het allemaal best.

'Kom binnen', glimlachte ze tegen hem.

Hij glimlachte niet terug.

'Nee. Niet nodig.' Catfish kwam niet van zijn plek op de veranda, nam alleen zijn hoed af. 'Wilt u nog steeds dat meisje vinden dat zoek is? Als dat zo is, kan ik u vertellen waar ze is. Eigenlijk kunt u haar nu al meteen gaan halen.'

Charlottes hart bonkte. 'U bedoelt Beth? Hebt u haar gezien? Waar is ze? Gaat het goed met haar?'

'Waarschijnlijk wel, maar ik weet het niet zeker. Ik weet alleen waar ze op dit moment is. Wilt u achter me aan rijden?'

'Natuurlijk.' Charlottes gedachten vlogen alle kanten op. Waar waren haar sleutels? Haar tas. Toen bedacht ze zich. 'Nee, dat kan niet. Mijn auto wil niet starten.'

Catfish aarzelde. 'Ik denk dat ik u wel in mijn truck kan meenemen', zei hij.

'Een minuutje. Niemand weet waar ik naar toe ben. Ik moet een krabbeltje achterlaten voor Treasure.'

'Ik wacht wel even', zei Catfish. Hij draaide zich om en liep de stoeptreden af.

'Kun je je bewegen?', vroeg Kirby. 'Als dat zo is, betekent het dat het niet gebroken is.'

Wat dacht hij dat hij was? Dokter? Beth draaide haar enkel een klein beetje. 'Een beetje.' Ze steunde. Haar voet begon op te zwellen. 'Ik denk dat er ijs op moet.'

De hut had maar een kamer, maar gelukkig was er wel elektriciteit en was er koud water in de kraan. Kirby stond op van het bed. Beth bleef erop zitten, met drie spreien om zich heen, en leunde met haar hoofd tegen de muur. Hij ging naar de koelkast en opende met enige inspanning het vriesgedeelte bovenin. Het ene ijsbakje was leeg.

Ze hadden geen diepgevroren voedsel van betekenis gezien toen ze de eerste keer binnen waren gekomen. Beth vroeg zich af wat hij had gedacht dat er nu nog zou zijn.

'Dit ding moet ontdooid worden', zei hij. 'Er zit zo veel ijs. Ik kan niet eens zien wat er allemaal is.' Met een houten lepel sloeg hij op het ijs totdat hij een met ijs bedekt pakje met bloedvlekken erop van de achterkant kon afbreken.

'Kippenlevertjes', las hij. 'Degene van wie dit huis is, gebruikte het waarschijnlijk als aas. Doe het maar op je voet.'

'Oké.' Het pakje was nogal viezig, eigenlijk.

'Hoe komt het dat je bent gevallen?.'

'Ik struikelde toen ik van de trap af kwam.' De hut had geen wc. Ze was naar het bos gegaan.

'Doet het pijn?'

Beth knikte. Het deed heel veel pijn. Maar dat was het niet alleen. Ze had er opeens genoeg van. Meer dan genoeg zelfs.

Twee weken genoeg al.

Zij en Kirby waren op de lege jachthut gestuit op de avond waarop ze waren weggegaan uit Ruby Prairie. Hadden zij even geluk. De hut was de volmaakte plaats om samen te zijn. Zolang ze elkaar maar hadden, deed niets er meer toe.

Tenminste, zo was het begonnen.

Maar de hut was koud. En er was geen televisie of wc binnen. En Kirby moest altijd zijn zin hebben.

Toch was het beter dan langs de kant van de weg te moeten zwerven. Was het ook beter dan Tanglewood?

Beth zou het zichzelf nooit toegeven.

Die avond toen Kirby's motor er mee opgehouden was, had ze om hulp gebeden. Sindsdien had ze bijna elke dag over God nagedacht. Maar ze had niet gebeden.

En het zou niet juist zijn dat nu wel te doen.

Maar toch. God moest op ze gelet hebben. Hij had hen door de bossen naar dit schuurtje geleid. Op geen enkele andere manier hadden ze het in zo'n donkere nacht zelf kunnen vinden.

Gods wegen zijn ondoorgrondelijk. Tenminste, dat zeiden de mensen in de kerk.

Het pakje kippenlevers begon te lekken. 'Zorg ervoor dat je geen bloed op het dekbed krijgt!', zei Kirby.

Beth hield haar voet buiten bed. Dat verergerde de pijn.

Ze hadden bijna de hele voorraad ingeblikt voedsel uit het schuurtje opgemaakt. Er was nog voor een paar dagen over, maar dat was niet veel soeps. De perziken en de fruitcocktail hadden ze de eerste drie dagen gegeten. De maïs was al gauw daarna opgeraakt; er waren alleen nog wat blikken bonen en stoofpot. Maar hoeveel kon je daarvan op?

'We moeten er iets anders op verzinnen', zei ze.

'Ik weet het', zei Kirby. Dat hadden ze de hele week al iedere dag tegen elkaar gezegd.

'Heb jij nog een idee?'

'We zouden naar Mexico kunnen liften', zei hij.

Dat was een nieuw plan. 'Ik weet het niet.' zei Beth. 'We kunnen beter goed nadenken voordat we een beslissing nemen.'

Weg om Beth op te halen. Dat was alles wat er op het servetje gekrabbeld stond.

'Wat zou dat betekenen?', vroeg dominee Jock.

'Ik ben niet langer dan goed een kwartier weggeweest. Ik weet niet hoe iets zo vlug kan zijn opgekomen', zei Treasure.

'Hoe is ze weggegaan als de auto niet wilde starten?' Hij keek uit het raam om zich ervan te vergewissen. 'Hij staat er nog steeds.'

Donna, bleek, klam, zat weggedoken in haar jas op een keukenstoel. Ze legde haar hoofd op de tafel.

'Liefje, ik vergeet jou helemaal. Hoe voel je je?' Treasure legde een hand op Donna's schouder. 'Dominee, dit kind heeft koorts. We moeten haar naar bed zien te krijgen, ergens waar het warm is. En de anderen zullen ook zo thuis zijn. Gunst. Het weer. Ze moeten allemaal opgehaald worden en ik kan hen niet allemaal tegelijk in mijn bestelbus hebben. Die heeft maar twee plaatsen en geen gordels achterin. Wat moeten we doen?'

Jock belde Kerilynn.

Die mobiliseerde de troepen.

Hoofdstuk

22

'Hard gooien, anders gaat-ie niet dicht', zei Catfish.

Charlotte deed wat haar gezegd werd. 'Waar is ze?'

'In mijn jachthut. Een uur hier vandaan. Ze moeten het slot opengebroken hebben om binnen te komen. Het was tegen twaalven, toen ik hen zag', zei Catfish. 'Ik weet niet hoelang ze er al zijn.'

'Ze? Wie is er bij haar?', vroeg Charlotte.

'Een of andere knul. Dezelfde die de motor bestuurde op de avond dat ze vertrokken.'

Charlottes mond viel open. 'Hebt u Beth weg zien gaan met een jongen? Op een motorfiets? Wanneer?'

'Ja, ik zag hen tegen de tijd dat de braderie bijna afgelopen was. En wat later toen ze in mijn winkel waren om eten te stelen. Ik was zo kwaad op hen – en kwaad op mezelf dat ik hen ermee weg liet komen – dat ik voor me heb gehouden wat ik wist. Ik dacht dat ze allang weg zouden zijn tegen de tijd dat ze vermist werd. Dat het hun verdiende loon was als hun iets zou overkomen.'

Charlottes stem klonk zwakjes. 'Ik begrijp het niet ... als je iets wist, waarom ...?'

'Kan ik niet op antwoorden', zei Catfish.

Charlotte kon nauwelijks nadenken.

'Andere jaren zou ik om deze tijd allang een keer naar de hut zijn geweest. De jicht heeft me dat belet. Soms gaat het weer wat beter, maar een andere keer krijg ik weer flink last.'

Hoe kon de man zijn jicht er eigenlijk iets mee te maken hebben? Charlotte haalde diep adem. 'Wat bracht u ertoe vandaag naar me toe te komen?'

'Kom ik zo op. Het was óf hen tegenhouden of hen laten wegrennen', zei Catfish. 'Ik ben een man die gelooft dat goed goed is, en verkeerd verkeerd. Wat ik deed, niemand vertellen, heeft behoorlijk aan me geknaagd. Daar zit ik dan, in mijn makkelijke stoel op een zondagmiddag, en al die tijd weet ik dat ze dat meisje niet in de stad zullen vinden, terwijl de hele buurt haar aan het zoeken is.' Catfish veegde zijn mond af. 'Ik had het meteen aan de politie moeten vertellen, maar dat deed ik niet. Ik ging ervan uit dat de mensen het na een paar dagen wel zouden vergeten en zouden doorgaan met hun eigen besognes. Maar dat deden ze niet. In plaats van minder bezorgd te worden, werden ze het juist meer. Hoe langer ik het voor me bleef houden, des te erger zou het, dacht ik, worden als ik het wel vertelde.'

'Ja, dat begrijp ik.'

Catfish keek recht voor zich uit. 'Mevrouw Carter, ik ben blij dat dat meisje terecht is. Ik heb een fout begaan. Dat kan ik niet terugdraaien. Ik zou willen dat dat kon. Wat ik heb gedaan, zal uitkomen, en ik zal het weten ook. De mensen zullen gaan praten. Kerilynn zal het me nooit vergeven. Maar waar ze me ook mee om de oren slaat, het is mijn eigen schuld; ik heb erom gevraagd.'

Ze reden zwijgend door.

'Ik weet nog steeds niet zeker of ik wel goed begrijp wat er vandaag is gebeurd', zei Charlotte tenslotte. 'U zei dat u Beth hebt gezien. Hebt u haar gesproken?'

'Nee. Ik denk dat ze me zelfs niet gezien hebben. De plek ligt diep in de bossen. Zo modderig als het er op dit moment is, kun je met geen voertuig in de buurt komen. Ik moet een flink eind verderop parkeren, daarna lopen. Vanmorgen voelde ik me goed genoeg om er weer eens naar toe te gaan om het zaakje te gaan controleren. Ik dacht dat ik een halve dag zou kunnen gaan jagen. Ik was zo'n veertig meter van de voordeur af toen ik dat meisje zag. Ze zat op de stoep te huilen.'

'Te huilen?'

'Ze hield haar voet vast alsof die pijn deed. Ik was zo verrast haar te zien dat ik wel een minuut lang bleef staan kijken. Toen kwam die knul naar buiten.'

'Ken je die jongen, Catfish?'

'Nooit eerder gezien. Geloof niet dat hij van hier is.'

Kirby, dacht Charlotte. 'Ik vraag me af hoe lang ze daar al zijn.'

'Geen idee. Het stelt niet veel voor, is niet erg luxe, maar ik heb er een voorraadje eten liggen. En er is ook stromend water En een houtkacheltje om warm bij te blijven. Ik ben er vroeger wel eens een paar keer een maand lang gebleven om te jagen en te vissen. Dan gingen Gabe en Chilly met me mee. Kerilynn vindt dat ik de hut had moeten verkopen, maar ik heb haar gezegd dat er wel eens een tijd kan komen dat we er moeten wonen – met een regering die gek is geworden en zo – en dat we blij mogen zijn met een plek waar we veilig naartoe kunnen gaan.

Catfish sloeg een modderige weg in.

'Het is nog zo'n drie kilometer. Wat denk je dat ze doet wanneer ze je ziet? Zou ze proberen weg te lopen?'

De oprit naar Tanglewood stond vol auto's. En Charlottes keuken liep vol bezorgde mensen, die allemaal hun jas aanhielden. Een paar schonken koffie in voor iedereen. Sassy nam de telefoon op.

'Ik heb geen idee', antwoordde Treasure op de telkens weerkerende vraag wanneer er iemand aankwam. 'Ben alleen maar naar school gereden. Toen ik terugkwam, was ze al weg.'

'Weet je zeker dat dit haar handschrift is?' Kerilynn bestudeerde het krabbeltje op het servetje. Ze had haar bril thuis laten liggen.

'Dacht het wel', zei Treasure.

'Ik hoop maar dat het goed met haar is', zei Lester.

'Ik hoop dat het goed is met Beth', zei Kerilynn. 'Het zou prachtig nieuws zijn als ze gevonden is.'

'Wel erg vreemd dat Charlotte zo vlug is weggegaan', zei Treasure, die ongeruster werd naarmate de tijd verstreek.

'Haar busje staat nog steeds hier', zei Gabe voor de tweede keer.

'Dat wilde niet starten', bracht Jock hem in herinnering. 'Er is vast iemand hierheen gekomen om haar op te halen.'

'Misschien was het die maatschappelijk werkster wel', zei Ginger.

'Wat is er aan de hand met de bus?', vroeg Chilly.

'Weet ik niet', zei Kerilynn.

'Ik zal eens kijken', zei Chilly. 'Zou nog garantie moeten zijn.'

'Hoe lang is de verwarming al uit?', vroeg dokter Ross.

'Die is er vanmorgen mee opgehouden.'

'Wanneer komt er iemand naar kijken?'

'Overmorgen. Eerder kon er niemand komen.'

'Met dit weer worden ze waarschijnlijk overspoeld met telefoontjes en lopen ze achter', zei dokter Ross.

'Waar blijven jullie vannacht met z'n allen?', vroeg Kerilynn.

'Ik zou het niet weten', antwoordde Treasure.

'Onzin', zei Kerilynn. 'Jullie moeten allemaal ergens naar toe tot de verwarming gerepareerd is.'

'Hoor je mij niet over', zei Treasure. 'Zonder Charlotte in de buurt, is het het beste dat iemand anders de leiding neemt. Ik heb er eentje ziek – Donna – in Charlottes bed liggen op dit moment, en al ligt ze onder een stapel dekens, ze heeft het nog steeds stervenskoud.'

'Lester, laten wij haar mee naar huis nemen', zei Ginger meteen.

'Ze heeft een virus onder de leden. Misschien is het wel buikgriep', waarschuwde Treasure.

'Ik heb in de verpleging gezeten', zei Ginger. 'Ik weet wat ik doen moet.'

'En wat doen we met de anderen?', vroeg Kerilynn.

'Ik moet hen op een of andere manier van school naar huis krijgen', zei Treasure.

'Wagen loopt weer', zei Chilly, terug in huis. 'De accu had het opgegeven. Lijkt erop dat het dimlicht aan is blijven staan.'

'Kun jij de meisjes uit school halen?', vroeg Kerilynn aan Treasure.

'Ik zal Ben Jackson even bellen. Hem zeggen waarom jij komt in plaats van Charlotte', zei Jock.

'Wat doen we met hen wanneer ze uit school zijn?', vroeg Treasure.

'Ik heb wel twee bedden over', zei Nomie.

'Ik kan er één hebben', zei Sassy.

'Nomie, neem jij de tweeling dan', bedisselde Kerilynn. 'Sharita kan met mij mee naar huis. Sassy, kan Maggie naar jou? Treasure, pak wat spullen voor jezelf bij elkaar. Ik heb wel een plekje voor jou ook.'

'Ik ga niet weg. Er moet iemand hier zijn wanneer Charlotte terugkomt met dat kind.'

'Je kunt niet in dit koude huis blijven', vond Kerilynn.

'Ik maak een vuurtje, doe de deuren dicht en red me wel', zei Treasure.

'Dan blijf ik bij je', zei Jock.

'We zijn iets vergeten', zei Lester. 'De dieren. Wat heeft Charlotte ook alweer? Twee katten?'

'En drie honden', zei dokter Ross, die de hele menagerie eerder in de week herhalingsinjecties had gegeven. 'Geen enkel probleem. Ik breng ze onder in de kliniek.'

Binnen een uur was het huis leeg, afgezien van Treasure en dominee Jock, die, allebei onder een dikke bontvacht gekropen, in de huiskamer zaten. Een tijdje zaten ze met z'n tweeën te praten. Jock zei een gebed. Na het amen waren ze stil en bleven naar de vlammen staren. Om de zoveel minuten keek een van hen op de klok aan de muur.

Geen bericht van Charlotte. Zelfs geen telefoontje.

Hoofdstuk

23

Catfish en Charlotte zaten vast.

Geen mobieltje. Geen enkele manier om Treasure te laten weten wat er aan de hand was. Charlotte was zo verbijsterd geweest door wat Catfish had gezegd, dat ze zonder verder na te denken weg was gegaan. Hoe moesten de meisjes van school komen, nu de bus niet wilde starten? En het huis was zo koud ... ze zouden er ellendig aan toe zijn. En Donna? Charlotte hoopte maar dat Treasure haar goed thuis zou hebben gekregen. En als ze naar de dokter moest? Wie zou haar dan brengen? Ze probeerde zich te herinneren of er nog aspirine in huis was.

Ze bewoog zenuwachtig in haar stoel en keek op haar horloge. Ze dacht aan de herder die negenennegentig schapen achterliet om erop uit te gaan om het ene te zoeken dat verdwaald was. *God, zorg alstublieft voor die negenennegentig terwijl ik weg ben.*

Er parelden zweetdruppels op Catfish' bovenlip. Hij zette de wagen in z'n achteruit, daarna weer vooruit. Hij slingerde een beetje. Er vloog rode modder tegen de ramen. Daarna leek er beweging in te komen, maar dan gleed hij terug in zijn eigen spoor, als een voet in een schoen.

Catfish stapte uit om te kijken. Hij liep van de ene naar de andere kant, begon dan met wat takken te slepen. Na een tijdje toegekeken te hebben, stapte Charlotte ook uit. 'Ik zal je helpen.'

'Kijk uit waar je loopt. De modder is glad. We moeten deze takken tegen de achterwielen aan zien te wrikken, zodat die iets anders dan klei hebben om grip op te krijgen. Zodra hij vaart genoeg krijgt, kruip ik erachter om te gaan duwen terwijl jij probeert te rijden.'

Samen zochten ze naar geschikte stukken hout en afgevallen takken.

'Zo zou het moeten lukken', zei Catfish. Hij haalde zwaar adem. 'Als dit werkt, rijd dan meteen naar dat hogergelegen stuk grond en zet hem in de parkeerstand. Hoe nat het ook is, we zullen de rest van de weg toch moeten lopen.

'Beth, wakker worden', zei Kirby. 'Gaat het goed met je?'

Haar gezicht was rood en de kreukels van de sprei hadden afdrukken in haar gezicht achtergelaten. Ze had de hele middag liggen slapen.

'Nee.' Ze begon te huilen. 'Mijn voet doet zo'n pijn.'

'Ik durf te wedden dat je een röntgenfoto moet laten maken. Kun je erop lopen?'

'Nee, ik kan er niet eens op staan. Wat moeten we doen?'

Kirby besefte dat hij geacht werd dat op een of andere manier te weten.

'Misschien zou mijn oom ons kunnen komen halen en ons naar de eerste hulp kunnen brengen.' *Als hij niet high of dronken is of in de gevangenis zit.* 'Ik zou naar de weg kunnen lopen. Misschien is er iemand die me een lift kan geven naar een plek waar ik kan bellen.'

Kirby wilde er niet aan denken. Hij probeerde het uit te stellen 'Waarom wachten we niet nog een dag? Misschien voelt je voet morgen beter. Het ziet er niet gebroken uit. Misschien is-ie alleen maar verrekt.'

'Kirby, nee', zei Beth. 'Zo gaat het niet. Ik heb nu hulp nodig.'

Beth had de afgelopen dagen af en toe een beetje als een humeurig klein kind geklonken. Had in alles haar zin willen door-drijven. Niet alleen nadat ze haar voet had bezeerd. Wat was er aan de hand? Wat het ook was, het was behoorlijk gewoon aan het worden.

'Je moet nu gaan. Ik maak geen grapje. Ik ga nog dood van de pijn aan mijn voet Ik kan het niet meer verdragen. We hebben zelfs geen aspirine hier. Ik kan hier geen minuut langer blijven.'

Ze wilde hem niet aankijken.

'Wat wil je daar nu eigenlijk mee zeggen? Je weet dat we, als de mensen er eenmaal achter komen dat we hier zijn, niet langer samen zullen zijn. Wil je dat dan?'

'Ik weet niet wat ik wil', huilde Beth.

Twee weken samen in een schuurtje van zeven bij zeven meter. Eten dat opraakte. Geen mogelijkheid om een bad te nemen. Koud. Verveeld. Geen spoor van een happy end in zicht.

Iets wat al bijna aan het scheuren was, barstte eindelijk. Kirby deed zijn jack aan. 'Ik heb het gehad.'

'Kirby, ik wilde niet, ik bedoelde niet ...'

Hij stond een hele tijd naar haar te kijken, met zijn hand op de kruk van de deur. Eindelijk zei hij: 'Ik ben weg.' En hij was ver-trokken.

Het gerinkel van de telefoon doorbrak de stilte in de woonkamer op Tanglewood. Dominee Jock sprong op. Treasure nam de tele-foon op.

'Al iets gehoord?', vroeg Kerilynn. Ze was nog maar een uur geleden weggegaan.

'Niets', zei Treasure. 'Ik probeer me geen zorgen te maken, maar mijn gedachten gaan steeds met me op de loop. Charlotte zomaar verdwenen, in de lucht opgelost. Zonder te denken aan wat ze achterliet. Dat is niets voor haar. Helemaal niet. Wat denk je? Moeten we de politie bellen?'

Jock schudde zijn hoofd.

'Ik maak me ook zorgen', zei Kerilynn.

'Als we nu niet gauw iets horen, moeten we Mark er wel in

kennen. Maar ja, ze heeft een krabbeltje achtergelaten. Laten we nog even wachten.'

'Alle kinderen op hun plek?'

'Ze maken het goed. Joe Fazoli heeft iedereen bij wie een meisje is ondergebracht, uitgenodigd om bij hem lasagne te komen eten, gratis.'

'Donna toch niet, hoop ik', zei Treasure.

'Iedereen behalve zij.'

'Heeft Ginger nog verteld of ze nog een keer heeft overgegeven?'

'Niet sinds ze bij haar in huis is. Ze heeft haar aan het drinken gekregen, 7 Up.'

'Gelukkig. Het kan heel goed alleen maar een van die eendagsgriepjes geweest zijn.'

'Gaat het goed met jou en de dominee? Blijven jullie wel warm?', vroeg Kerilynn.

'We maken het prima. Maak je om ons maar geen zorgen.'

'Bel me als je iets hoort', zei Kerilynn.

'Jij ook.'

Kirby hoorde ze aankomen, zag hen hun weg zoeken over het overwoekerde pad naar de hut. In de twee weken dat hij en Beth in de bossen waren gebleven, was er niemand komen opdagen. Waarom vandaag dan wel?

Toen ze dichterbij kwamen, herkende hij de oude man als de baas van de winkel. Hij wist niet wie de vrouw was. Ze zag er te jong en te aardig uit om de vrouw van de oude man te kunnen zijn. Misschien was het wel een politieagente. Undercover. Volgens zijn oom namen ze knappe vrouwen aan bij de politie om de aandacht van mensen af te leiden. Hij durfde te wedden dat ze waren gekomen om hem en Beth te arresteren voor de inbraak in winkel van de oude man. Het enige wat ze hadden meegenomen, waren een paar blikjes fris en wat van die stomme kaaszoutjes. Hoe hadden ze hen hier gevonden? Kirby kon zich dat niet voorstellen. Maar een ding wist hij wel. Geen denken aan dat hij zich liet oppakken. Zodra de oude man en de vrouw voorbij de plek waren waar hij verborgen zat, zette hij het op een lopen.

Naar de weg.

En weg van Beth.

Hoofdstuk
24

'Er zijn geen wapens daarbinnen. Alleen maar wat extra patronen', zei Catfish.

Wapens! Charlotte had niet aan wapens gedacht tot Catfish er melding van maakte.

Ze liepen vijfhonderd meter voordat de hut in zicht kwam. Het was eigenlijk meer een schuurtje. Grijze verweerde houten planken. Een golfplaten dak. Struiken overal rondom. Lege blikjes die vlak bij de voordeur naar buiten waren gegooid.

Was Beth van Tanglewood hiernaartoe gevlucht?

Charlotte en Catfish spraken met gedempte stemmen. Het open stuk grond waar de hut op stond, was zo rustig en stil dat je je moeilijk kon voorstellen dat er iemand binnen was. Wat moesten ze doen als Beth vertrokken was? Als ze op een of andere manier was weggelopen nu ze zo dichtbij waren gekomen?

'Het beste is dat ik als eerste naar binnen ga', zei Catfish.

'Ik ben niet bang', zei Charlotte. 'Is er een achterdeur?'

'Ja. Ga jij daar maar naartoe. Voor het geval dat ze proberen te ontkomen.'

Charlotte stond op de treden van de trap aan de achterkant. Ze drukte haar oor tegen het ruwe hout. Toen ze gehuil hoorde, vergat ze de instructie van Catfish om op zijn teken te wachten en duwde ze de zware kromgetrokken deur open.

Catfish kwam door de voordeur naar binnen.

Maar in plaats van een stel dat probeerde te ontsnappen, vonden ze alleen Beth, bleek en met rode ogen, trillend en snikkend, zo ver mogelijk naar achteren gekropen, op bed.

'Ik ben het, liefje,' zei Charlotte. 'Hoe gaat het met je?'

Beth kon door haar tranen niet praten.

Dat gaf niet. Ze hoefde niets te zeggen. Ze was veilig. En ze trok zich niet terug toen Charlotte dichterbij kwam.

Een verloren kind.

Nu gevonden.

Beth kon alle tijd krijgen die ze nodig had.

Behalve dat Catfish niet wilde wachten. 'Nee,' zei hij, 'het gaat helemaal niet goed met haar. Kijk eens.' Hij wees naar het voeteneind van het bed. Beths voet stak naar buiten in een misselijk makende, onnatuurlijke hoek.

'Die voet is gebroken', zei hij. 'Dat kind is zowat in shock. We moeten haar naar een dokter zien te krijgen, en vlug ook.'

Treasure kreeg het eerst telefoontje van Charlotte naar Ruby Prairie, Kerilynn het tweede.

Beth was in het ziekenhuis en lag aan het infuus. Ze zou de volgende ochtend geopereerd worden. Charlotte belde vanuit een telefooncel. Ze wist niet wat ze zonder Catfish en zijn onverwachte EHBO-training had moeten doen.

Ze had Kim Beeson al gebeld en haar van de situatie op de hoogte gebracht. Omdat ze Beth niet kon alleen laten om voor de anderen te zorgen, omdat de verwarming uit was en ook omdat haar busje niet wilde starten, was Kim iets aan het regelen om de meisjes elders onder te brengen. Charlotte was bang dat ze misschien in een opvanghuis zouden worden geplaatst. Kim zei dat ze zou doen wat ze kon, maar ze gaf toe dat er op dit uur van de dag moeilijk aan crisisopvang was te komen.

'Onzin', zei Treasure. 'Je kunt die meisjes toch niet midden in de nacht wegsturen.'

'Ik heb geen andere keus', zei Charlotte. 'Ik zit op tweeënhalf uur afstand. Ik kan niet op twee plaatsen tegelijk zijn.'

'Geef me Kims nummer maar', zei Kerilynn. 'Ik moet met haar praten voordat ze vertrekt.'

'Welk ziekenhuis?', vroeg Jock. 'Ik ben al weg.'

Beth lag vier dagen in het ziekenhuis. Charlotte bleef de hele tijd bij haar. Catfish kwam elke avond langs en smokkelde eten van 'De Klok Rond' mee. Hij stond in een hoek, met zijn hoed in de hand, onzeker wat hij zeggen moest.

'Ga toch zitten', drong Charlotte elke keer weer aan.

'Ik voel me prima zo', zei hij. 'Wilde alleen zeker weten dat jullie alles hebben wat nodig hebt.

Ze hadden precies wat ze nodig hadden.

Tijd.

De eerste twee dagen, onder de pijnstillers en nog wat suf van de verdoving, lag Beth alleen maar te slapen. Ze werd steeds maar een tel wakker en gleed dan weer weg. Charlotte bleef bij haar in de kamer, hield haar hand vast en streelde haar haar wanneer ze haar ogen opendeed.

Op de derde ochtend was ze klaarwakker. Ze richtte haar blik een volle minuut op Charlotte en zei ten slotte: 'Waarom ben je achter me aan gegaan?'

'Waarom ben je weggelopen?', gaf Charlotte ten antwoord.

'Ik weet het niet', zei Beth. 'Ik vind het nu ook nogal dom.'

'Ik kwam je achterna omdat ik van je houd', zei Charlotte. 'Ik weet dat het moeilijk te geloven is, maar ik houd werkelijk van je.'

Beth draaide haar hoofd opzij. 'Zelfs als je van me houdt, als je alles wist – alles wat er gebeurd is – zou je niet gekomen zijn.'

'Je hebt het mis. Door niets van wat je in het verleden hebt gedaan, niets van wat je in de toekomst zult doen, zal ik minder van je houden. En wat nog belangrijker is, Gods liefde is net zo. Hij houdt van je als je goed bent. Hij houdt van je als je dat niet bent.'

'Van God begrijp ik niets', zei Beth.

'Hoeft ook niet', zei Charlotte. 'God is er gewoon.'

Later die avond zat ze naast het bed van Beth. Ze keken een tijdje naar de televisie. Toen zette Charlotte hem uit.

'Er is iets waar het over moeten hebben', zei ze. 'Kirby, die jongen van het opvanghuis. Ik zou wel wat meer over hem willen weten. Hij is toch degene die je bij de braderie is komen halen?'

'Ja.' Beth wilde haar niet aankijken.

'Heeft hij je meegenomen naar de hut?'

Beth knikte. 'Toen de motor het begaf, hebben we die gevonden.'

'Is hij daar bij je gebleven?'

'Ja.'

'Maar je was alleen toen we je vonden.'

'Hij is weggegaan', zei Beth terughoudend. 'Ik kan me niet meer herinneren wanneer precies.'

'Hoe oud is Kirby, schat?'

'Zestien.'

'Lieve deugd', zei Charlotte. 'Zijn familie is hem waarschijnlijk aan het zoeken. Ze zullen wel moe en ongerust zijn. Weet je waar hij naartoe kan zijn gegaan?'

'Hij heeft een oom of zo. Ik weet niet waar die woont.'

'Als hij je vriend was, denk ik dat jij ook ongerust over hem bent', zei Charlotte.

'We hadden min of meer ruzie. Ik denk niet dat we nog vrienden zijn.' Beth verborg haar gezicht in haar handen.

'Het is al goed, Beth.' Charlotte sloeg haar armen om Beth heen.

'Nee. Het is niet goed. Het zal nooit goed zijn.'

'Wat bedoel je?'

'Gewoon, het komt niet meer goed.'

Dat was alles wat ze wilde zeggen.

Kerilynn had Kim Beeson gebeld en haar ervan overtuigd dat de mensen van Ruby Prairie voor de meisjes van Tanglewood konden zorgen in de tijd dat Charlotte bij Beth in het ziekenhuis bleef. Ze hoefde niet te komen om hen naar een of andere vreemde plek te brengen.

Zodra ze het gesprek met Kim beëindigd had, belde Kerilynn Treasure om haar op de hoogte te brengen: 'Alles is rond. Kim zegt dat de meisjes kunnen blijven waar ze zijn.'

'Maakte ze geen problemen?'

'Niet noemenswaardig. Ze zei dat ze een paar regels moest omzeilen om de meisjes bij mensen te laten wonen die niet officieel goedgekeurd zijn, maar omdat het een soort van noodsituatie is, en maar een paar dagen zal duren, zou ze het er niet al te moeilijk door krijgen.'

'Heb je Kim nog gezegd dat we niet willen dat Charlotte het te weten komt? Dat we het een soort verrassing voor haar willen laten zijn dat de meisjes niet ergens anders naar toe hoefden?'

'Ja. Ze begreep niet echt waarom, maar ze zei dat het geen problemen zou opleveren. Ze moet namelijk volgende week de stad uit, voor een conferentie of zo. Charlotte zal haar telefonisch niet kunnen bereiken.'

'Wel heel jammer dat ik geen manier heb om haar te beletten mij te bereiken', zei Treasure. 'Je weet dat ze me dag en nacht zal bellen om allerlei dingen te checken. En vooral zal ze verwachten dat ik haar vertel waar Kim die meisjes naartoe heeft gebracht.'

'En dat niet alleen', gaf Kerilynn toe. 'Ze zal ook het naadje van de kous willen weten van wat er allemaal aan de hand is – de verwarming, haar auto, alles.'

'Ik weet het.'

'Ben je nog steeds van plan niets tegen haar te zeggen?'

'Als het niet nodig is.'

'Treasure?' Natuurlijk! Zoals verwacht belde Charlotte meteen de eerste dag. 'Treasure, ik kan Kim niet te pakken krijgen. Is ze de meisjes komen halen?'

'Wat? Wat zeg je? Kan je niet verstaan. Moet aan de lijn liggen. Hang op en bel opnieuw.'

Toen de telefoon tien minuten later weer ging, liet Treasure hem overgaan. Ten slotte moest ze Charlottes telefoontje wel opnemen. Ze nam haar toevlucht tot halve waarheden. 'De meisjes? Ja, die zijn weg, sinds gisteren ... ik weet het. Ga jezelf nu niets verwijten. Je hebt je best gedaan. Zoals je al zei, liefje, niemand kan op twee plaatsen tegelijk zijn. Dat kan niet. Schat, het gaat vast goed met hen.'

'Ze deed haar best om niet te gaan huilen', zei Treasure later tegen Kerilynn. 'Ik voelde me erg slecht.'

'Ze zal verrukt zijn wanneer ze thuiskomt en de meisje veilig en gezond gewoon hier in Ruby Prairie aantreft', zei Kerilynn. 'Wanneer denk je dat ze hier terug zullen zijn?'

'Overmorgen, zei Charlotte tegen me.'

'Goed zo. Doet de verwarming het weer?'

'Lekker warm.'

'Loopt de auto goed?'

'Zo goed als maar kan.'

'Het klinkt alsof alles geregeld is.'

'Ja hoor, en goed ook. Maar het is toch beter als Charlotte terugkomt en alle meisjes weer onder het zelfde dak wonen', zei Treasure. 'Ik word bijna gek van de drukte, helemaal alleen in dat grote oude huis.'

Charlotte belde Jock de avond voordat Beth ontslagen zou worden, vanuit het ziekenhuis. 'Ik vind het vervelend me op te dringen, maar zou je ons misschien kunnen komen halen.'

'Natuurlijk. Ik ben er voor dag en dauw. Beth weer in orde?'

'Ik denk van wel. Ze zit nu voorlopig in een rolstoel. De dokter zegt dat ze over vier weken krukken zal kunnen gebruiken. Ze heeft later ook fysiotherapie nodig. O, dat bedenk ik me net, jij hebt een bestelwagen, hè? Dan heb je niet genoeg plaats voor ons alle drie.'

'Maak je maar geen zorgen. Ik vraag de stationcar van Kerilynn wel te leen. Ik weet zeker dat ze dat niet erg vindt.'

Beth was stil toen Charlotte klaar was met bellen.

'Gaat het goed met je?'

'Hoe zal het gaan wanneer ik terug ben? Is iedereen boos op me?'

'Nee', zei Charlotte. 'Ze zijn allemaal ongerust over je geweest. We hebben elke dag gebeden dat je veilig en vlug terug zou zijn.'

'Ik hoop dat het niet raar zal zijn', zei Beth.

'Dat zal het zeker niet zijn wanneer we de eerste keer weer thuiskomen. We zullen maar met z'n tweetjes zijn, alleen jij en ik.'

'Waar zijn de anderen?'

'Ze moesten ergens anders heen toen ik weg was', zei Charlotte.

'Waar dan heen?'

'Ik weet het niet precies. Treasure zei dat Kim ze is komen halen. Ze wist geen bijzonderheden. Zodra we thuis zijn, bellen we Kim en laten we haar dat weten.'

'Ik hoop dat ze hen niet in een opvanghuis heeft gestopt', zei Beth.

'Ik ook', zei Charlotte.

'Wanneer komen ze terug?'

'Dat weet ik niet.'

Zouden ze wel ooit terugkomen? Hoe lang zou ze Beth nog bij zich hebben? Charlotte wist het niet. Al die uren in het ziekenhuis had ze tijd gehad om na te denken. Misschien was ze wel niet de geschikte vrouw voor deze baan. Feiten bleven feiten. Ze had haar best gedaan, maar toen zich een crisis voordeed, was ze er niet voor de meisjes. Wat moest het vreselijk voor hen geweest zijn Tanglewood te verlaten. Zonder enige waarschuwing vooraf. Zonder dat zij hun zelfs maar gedag had kunnen zeggen.

De ochtend dat Beth ontslagen werd, zat Charlottes maag in de knoop bij de gedachte aan alles wat er gedaan moest worden wanneer ze eenmaal thuis zou zijn. Ze maakte een lijstje, raakte het kwijt en begon overnieuw.

Treasure had elke dag gebeld om naar Beth te vragen. Charlotte had haar gevraagd hoe het ging, maar ze was er niet veel wijzer van geworden. Als kind van een generatie die het niet zo begrepen had op onnodig interlokaal telefoneren, was Treasure niet geneigd geweest lang te praten.

Wanneer ze eenmaal thuis waren, zou ze boodschappen moeten doen, zou de auto moeten worden gerepareerd. Maar eerst: hoe zouden ze Beth en haar stoel de trap op kunnen krijgen? Hoe moesten ze haar rolstoel door de nauwe deuropening van de badkamer manoeuvreren? En hoe zat het met de verwarming?

Charlottes ongerustheid groeide.

Jock was op tijd. De behandelend arts was vroeg. Een half uur eerder dan ze hadden verwacht, waren ze gedrieën ingestapt en op weg.

Charlotte wilde graag naar huis, maar Jock nam er de tijd voor. Ze verdwaalden een keer, namen een omweg om de buitenkant van een nieuwe stadskerk te zien waar een oude vriend van hem dominee was en stopten bij een melkwinkel om kersencola te kopen.

Eindelijk kwam het bord van de stadsgrens in zicht. Ze draaiden de hoek om van de Hoofdstraat en reden recht op Tanglewood af.

Er was iets veranderd aan de voorkant van het huis. Er was een helling aangelegd, vlak naast de trap.

'Wat? Wie? Hoe?', vroeg Charlotte.

Jock draaide naar binnen

Haar busje, schoongemaakt en in de was gezet, was verdwenen van de plaats waar hij het had begeven. 'Doet-ie het weer?'

Jock glimlachte.

Charlotte zag de auto van Treasure niet.

'Ik dacht dat Treasure hier zou zijn. De verwarming moet nog steeds kapot zijn', zei ze, bedenkend dat ze daar nooit naar had geïnformeerd. Had ze een cheque achtergelaten om de reparatie te betalen? Hoe kon ze dat nu hebben vergeten? Vandaag zouden zij en Beth zich warm aankleden. Tanglewood leek zo stil. Waar waren de katten? Charlotte hoopte dat Treasure er wel aan gedacht zou hebben langs te komen om ze te eten te geven.

Jock parkeerde. Charlotte draaide zich om en keek naar Beth. 'We zijn thuis. Raar idee, waarschijnlijk. Hoe gaat het met je?' Toen ze zich weer omkeerde, was alles anders.

Mensen stroomden door de voordeur naar buiten. Treasure en Kerilynn, Les en Ginger, dokter Ross, Ben Jackson, Nomie en Sassy, Gabe en Chilly en nog veel meer. Charlotte was verbijsterd.

'Ze hebben hun auto's verstopt bij het huis van de Collins', zei Jock. 'Iedereen wilde erbij zijn om je te verrassen en welkom te heten.'

Charlottes ogen vulden zich met tranen. Nu ze deze mensen onderhand kende, wist ze dat er binnen eten zou staan. En wat al niet meer. Ze stapte uit de auto en deed de deur voor Beth open. 'Dit is zo aardig ...' Toen zag ze de grootste verrassing: van alle kanten stroomden er meisjes het huis uit. Zodra ze Charlotte zagen, renden ze allemaal naar haar toe.

Nikki en Vikki vlogen het eerst in haar armen. 'We hebben je gemist. Je bent zo lang weggeweest.'

Daarna Donna. 'We zijn zo blij dat je thuis bent.'

'We dachten dat je misschien nooit meer terug zou komen', zei Maggie.

En Sharita voegde eraan toe: 'Ik hoop dat je nooit meer weg hoeft te gaan.'

'Wanneer zijn jullie teruggekomen?', vroeg Charlotte, die alle vijf omhelsde en kuste, lachend en huilend tegelijk.

'Wat bedoel je?', vroeg Maggie.

'We zijn nergens heen geweest', zei Nikki.

'Ja ... dat zijn we wel', zei Vikki. 'Weet je wel, de avond dat we lasagne hebben gegeten, toch?'

'Alleen die ene avond', zei Maggie.

'Toen kwamen we thuis', zei Donna.

Charlotte ving de blik op in Jocks twinkelende bruine ogen.

'Laten we Beth naar binnen brengen. Dan kan iedereen alles vertellen.'

'Ik hoop dat de verf droog is', zei Gabe toen ze zich klaar-maakten om Beth de nieuw gebouwde helling op te rollen.

'Wanneer hebben jullie dat gedaan?', vroeg Charlotte.

'Gisteravond', zei Gabe. 'We wisten gisteren pas laat dat je die nodig zou hebben. Niemand van ons wist dat Beth in een rolstoel zou moeten zitten.'

'We hebben er tot twee uur vanmorgen over gedaan', voegde Chilly er met een grijns aan toe.

'Maar we hebben het voor elkaar gekregen. Gaat het goed met je, liefje?', vroeg Gabe.

Maar Charlotte was sprakeloos.

Hoofdstuk

25

Natuurlijk kon je op je vingers natellen dat er eten genoeg was om een leger mee te voeden. De geur van citroenolie en Ajax, bloemen, ballonnen, een pluizige witte teddybeer die naast de open haard zat.

Ruby Prairie had weer eens uitgepakt.

'De meisjes zijn dus niet eens de stad uit geweest?' Charlotte kon bijna niet geloven wat haar vrienden allemaal hadden gedaan.

Haar busje gerepareerd.

De verwarming hersteld.

Voor de meisjes gezorgd.

En wat al niet meer.

Uitgeput, opgelucht en overweldigd probeerde Charlotte te praten. Haar schouders schokten. Ze beet op haar lip. Ze haalde diep adem. Niets was bij machte haar tranen tegen te houden.

Het werd stil in de kamer. Sympathieke ogen keken haar liefdevol aan.

Ginger nam de meisjes mee naar de keuken om ze daar hun twaalfuurtje te geven.

'De hele weg van het ziekenhuis naar huis heb ik geprobeerd een plannetje te bedenken', begon Charlotte.

Kerilynn gaf haar een zakdoekje.

'Ik had al uitgemaakt dat ik tegen Kim zou zeggen dat ze Beth maar moest komen halen en dat de anderen maar moesten blijven waar ze waren, omdat ik niet zo goed voor hen kon zorgen als ze verdienden.'

'Dat kun je niet menen', zei Kerilynn. 'Ze horen hier.'

'Je kunt er niet mee stoppen', zei Jock.

'Dat wil ik ook niet.' Charlotte rolde het zakdoekje tot een vochtig balletje.

'Je moet ons je laten helpen', zei dokter Ross.

'Je hebt er geen idee van hoe moeilijk dat voor me is', zei Charlotte.

'Ik wel', zei Treasure. 'Toen ik jong was, verloor ik mijn moeder. Ik was net zoals jij ... alleen heb ik genoeg jaartjes langer geleefd om inmiddels beter te weten.'

'Schat, iedereen van ons wil onafhankelijk zijn', zei dokter Ross.

'Deze meisjes hebben jou nodig. Ruby Prairie heeft je ook nodig', zei Ginger.

'En of je het nu wilt of niet, je hebt ons ook nodig', zei Jock.

Charlotte knikte. 'Ik weet niet hoe ik jullie allemaal kan bedanken voor wat jullie de afgelopen week hebben gedaan.'

'Snap je dat dan niet?', zei Jock. 'We hebben het met alle liefde gedaan.'

Charlotte knikte weer.

'Kerilynn heeft een rooster gemaakt', voegde Jock eraan toe. 'Een paar vrouwen zullen je op verschillende dagen van de week komen helpen. De mannen zullen voor je tuin en het onderhoud van je busje gaan zorgen. En voor de reparaties in huis.'

'Dat klinkt geweldig', zei Charlotte, en ze meende het. Ze ging rechter op haar stoel zitten. 'Ik zou wel wat hulp kunnen gebruiken.'

'Vlug, dominee, schrijf dat op', zei Chilly.

Iedereen lachte.

Catfish Martin, die tot nu toe wat stilletjes in een hoekje had gezeten, schraapte zijn keel. 'Er moet me iets van het hart', zei hij.

'Ik denk dat het nu net zo goed kan als een andere keer. Heel veel van deze narigheid is gedeeltelijk mijn schuld.'

De mensen spitsten hun oren, maar Charlotte sneed hem de pas af. 'Catfish' – ze keek hem recht in de ogen – 'het was jouw schuld niet dat we vast kwamen te zitten.'

'Dat is niet wat ik bedoelde. Ik heb het over de n...'

'Had iedereen kunnen overkomen, zo nat als die grond was.'

'Ik had het iemand moeten vert...'

'Catfish heeft Beth gevonden', zei Charlotte. Daar ben ik hem eeuwig dankbaar voor. Zonder hem zouden we hier nu niet zo zitten.'

Verbijsterde gezichten alom.

Charlotte keek Catfish net zo lang aan totdat hij ging zitten.

Treasure nam het woord. 'Nu we toch aan het praten zijn, er is nóg iets wat jullie moeten weten', zei ze. 'Ik heb het in gebed bij de Heer gebracht, en het is mijn bedoeling altijd in Ruby Prairie te blijven. Ik vind het hier fijn. Het klimaat doet mijn handen goed.'

'Echt waar?', vroeg Charlotte. Ze had gedacht dat Treasure al gauw weer naar haar eigen huis zou gaan. En dat had haar bezorgdheid over de vraag hoe ze het in haar eentje moest redden, aanzienlijk groter gemaakt.

'Wil je op Tanglewood blijven? Er is ruimte zat, en de meisjes zijn dol op je.'

'Alleen als ik je daarmee kan helpen.'

'Je bent steeds een geweldige hulp voor me geweest.'

Treasure snoof. 'Dat wil ik ook zijn, maar om te beginnen moet je me wel meer laten doen dan de katten eten geven.'

'Dat doe ik. Beloofd', zei Charlotte.

'Heeft er iemand trek?, vroeg Kerilynn.

'Laten we bidden', zei Jock.

Ze gaven elkaar een hand en bogen het hoofd.

'Dank u, Vader, voor deze fijne dag. Dank u dat u Beth veilig thuis hebt gebracht. We bidden voor haar, voor verder herstel van haar lichaam en haar ziel. Zegen dit huis. Zegen Charlotte. Help ons allemaal lief te hebben zoals U ons liefhebt, te dienen zoals U diende. In de naam van Jezus. Amen.'

'Amen en amen', stemde iedereen in alvorens op weg te gaan naar de keuken.

Charlotte snoot haar neus.

Jock wierp haar een snelle glimlach toe

Ze lachte terug.

'Na jou', zei hij. 'Laten we cake gaan eten.'